ANTHOLOGIE DE JEAN JAURÈS

ANTHOLOGIE

DE

JEAN JAURÈS

AVEC UNE INTRODUCTION
ET DES NOTES
PAR
LOUIS LÉVY

LONDRES
ÉDITIONS PENGUIN
1947

A

LÉON BLUM

LE DISCIPLE DIGNE DU MAÎTRE

FIDÈLEMENT

L. L.

PRINTED IN GREAT BRITAIN
BY R. & R. CLARK, LIMITED, EDINBURGH

PUBLISHED BY PENGUIN BOOKS LTD.
HARMONDSWORTH
MIDDLESEX

INTRODUCTION

Ces quelques pages n'ont pour but que d'évoquer Jean Jaurès. On y chercherait en vain des gloses savantes sur son œuvre ou l'analyse minutieuse de son apport à la pensée politique de son siècle. C'est l'homme que je voudrais essayer de faire revivre pour le lecteur de 1945 ; non seulement le politique et le philosophe, l'orateur et l'écrivain, mais l'homme tout entier avec sa débordante richesse, un des plus grands qu'ait connus l'humanité.

Je n'ai pas approché Jaurès. Lorsqu'il est mort, j'étais un tout jeune étudiant qui venait au socialisme. Je ne l'ai jamais entendu. Je l'ai vu souvent sans jamais oser l'aborder : il venait presque chaque matin chercher son fils au lycée où je faisais mes études. Je le revois encore, au coin de l'avenue Henri Martin, coiffé d'un mauvais chapeau melon, le binocle de travers, enfoui dans la lecture d'un journal... Et pourtant, je crois connaître Jaurès presque autant que ceux qui l'ont beaucoup fréquenté. C'est que toute ma jeunesse a été imprégnée de son souvenir. Ma croissance politique s'est faite à son ombre. Le Parti socialiste, dans lequel je me suis développé, a été longtemps comme l'école où la disparition subite du maître avait laissé les disciples désemparés. Mort, il était plus interrogé que vivant. Léon Blum avait coutume de dire, avec une modestie exquise, que nous ne devions pas nous demander, hommes ordinaires, ce qu'il aurait fait dans telle ou telle circonstance où nous nous trouvions, mais : « Qu'aurait-il voulu que nous fissions, nous, tels que nous sommes ? »

Je me compare un peu à ces orphelins qui ont à peine vu leurs parents mais qui sentent en tous lieux leur présence invisible. Mes aînés les plus chers, à mes débuts dans la vie politique et dans le journalisme, ont été ses compagnons. Plus tard, lorsque je me suis penché sur le passé du Parti socialiste pour en conter l'histoire à mes contemporains et à mes cadets, j'ai retrouvé Jaurès à chaque tournant. De là, sans doute, le caractère trop personnel de cette introduction. De là aussi la possibilité de présenter non point un Jaurès figé, entouré de ce nimbe du demi-dieu que nous conférons aux grands disparus ; mais un être de chair et de sang, encore capable d'éveiller l'intelligence et la sensibilité des hommes de notre époque.

Les étapes de sa vie

Jean Jaurès naquit à Castres, le 3 septembre 1859. De modeste famille bourgeoise, il fut, ainsi que son frère, le futur amiral Louis Jaurès, boursier au collège de Castres. Très brillant élève, il fut remarqué par un inspecteur général, M. Deltour, qui le fit venir à Paris, au collège Sainte-Barbe. Là, il suivit les classes du lycée Louis-le-Grand et se prépara à l'École Normale Supérieure. Il y fut reçu premier, en 1878. A l'agrégation de philosophie, en 1881, il ne fut reçu que le troisième ; le deuxième était Henri Bergson, le premier un brave professeur du nom de Lesbazeilles. Les concours ont de ces surprises.

De 1881 à 1883, il est professeur de philosophie au Lycée d'Albi. De 1883 à 1885, il est maître de conférences à l'Université de Toulouse. Mais déjà il s'intéresse passionnément à la politique. En 1885, il est élu député du Tarn. Ses débuts à la Chambre sont très remarqués. Bien que simplement d'étiquette républicaine et siégeant géographiquement au centre-gauche de l'assemblée, il vote souvent avec la gauche avancée et commence déjà d'être gagné par le socialisme. En 1889, il échoue aux élections. Il reprend sa place à la Faculté des Lettres, d'abord comme maître de conférences puis comme professeur. C'est l'époque où il prépare ses deux thèses de doctorat, la française : *De la réalité du monde sensible* ; la latine : *Les Origines du socialisme allemand chez Luther, Kant, Fichte, Hegel*. Mais il n'abandonne pas la politique. Il collabore à la *Dépêche*, il est élu conseiller municipal de Toulouse et nommé adjoint chargé de l'instruction publique.

A la fin de 1892, à la suite de la grève des mineurs de Carmaux, dans le Tarn, le député réactionnaire donne sa démission. Les mineurs choisissent Jaurès comme candidat. Il est élu le 20 janvier 1893. Et cette fois, il adhère définitivement au Parti socialiste. Aux élections générales, six mois plus tard, il est réélu. La Chambre, pour la première fois, connaît un groupe socialiste d'une cinquantaine de membres. Pour la première fois, de la tribune du Parlement français, à propos de chaque problème, la doctrine socialiste sera exposée. C'est durant la législature de

1893-98 que Jules Guesde prononce ses plus vigoureux discours, et que le renom de Jaurès s'établit.

En 1898, il est battu aux élections. C'est la grande époque de l'affaire Dreyfus. Il s'est jeté dans la bataille de toute son ardeur généreuse. Dans la *Petite République*, il a publié les articles qui seront réunis en un volume célèbre : *Les Preuves*. La République est menacée par la réaction nationaliste. Waldeck-Rousseau constitue son ministère, y fait entrer Alexandre Millerand. Jaurès défend la participation ministérielle d'un socialiste à un gouvernement de défense républicaine. C'est l'époque de ses grandes polémiques avec les guesdistes et les amis d'Édouard Vaillant. Mais, des divergences violentes sur les problèmes de tactique, va sortir l'unité socialiste. De cette unité, Jaurès se fait l'infatigable artisan. Le Parti socialiste est unifié en 1905. Entre-temps Jaurès a été réélu, aux élections générales de 1902. Il est devenu l'animateur de la délégation des gauches qui a permis au ministère Combes de faire voter les lois de laïcité. Mais, conformément aux décisions du congrès international d'Amsterdam, la charte d'unité condamne participation ministérielle et bloc des gauches. Jaurès quitte la délégation. Sa vie va désormais se confondre avec celle du Parti dont il sera le guide. Il mènera toutes les batailles du socialisme ; et c'est celle pour la paix qui lui paraîtra « le plus grand des combats ». Contre lui se ligueront toutes les haines de la réaction chauvine, de ce nationalisme, « le pire ennemi de la patrie ». La main d'un dément, conduite par les provocations criminelles de certains pamphlétaires, dont le plus coupable est le traître Charles Maurras, l'abattra dans la soirée du 31 juillet 1914.

Dans le petit café du Croissant, il dînait hâtivement avec quelques amis avant de remonter à l'*Humanité* écrire son article. Il venait de sourire à une photographie d'une petite fille qu'un voisin de table avait placée sous ses yeux. Deux coups de feu retentirent...

Quelques heures plus tard, c'était la mobilisation. Et dans la conscience populaire, les deux drames furent liés l'un à l'autre. Tout se déroulait comme s'il avait fallu écarter l'apôtre de la paix, pour que la guerre pût se ruer librement sur le monde. Et Anna de Noailles, en parlant du géant tombé au devant des armées, n'a fait que donner une forme poétique à la pensée qui hanta la classe ouvrière de 1914.

L'homme

C'est un homme ; un homme bien accroché au sol de France, solide, trapu, large d'épaules. Tout en lui rappelle ses origines paysannes. Et il a coutume de dire de lui-même : « Je suis un paysan cultivé ». Il aime la vie rurale, les travaux des champs. Il a, de la nature, le sentiment vif et puissant. Il goûte les paysages non seulement en artiste mais en homme dont les racines plongent profondément dans la terre. Comme le montre Lucien Lévy-Bruhl, il se fond intimement « avec toute la vie palpitante et bourdonnante de son cher midi ».[1] Il parle avec tendresse des bêtes, des insectes et des fleurs. Un jour, chez Marcel Sembat, à Bonnières, il est ébloui par un magnifique massif de roses. Il y enfouit sa tête tout entière : « C'est fou, dit-il, d'aimer les roses comme cela ». Car il est capable d'apprécier toutes les saines joies de la vie, et de les exprimer en un lyrisme jaillissant. Il ne redoute pas, à l'occasion, dans une de ses chroniques, de célébrer l'art culinaire, de disserter avec compétence sur la « fine, solide et lente cuisine de jadis », sans oublier de vanter les « appétits, vastes et éclairés ». Tel est, au reste, le sien. Il mange abondamment. Son activité prodigieuse réclame des aliments substantiels. Autant que de nourriture, il a besoin de sommeil. En arrivant au collège Sainte-Barbe, il ressent l'absence de la campagne ensoleillée de Castres. Ses condisciples le considèrent comme un méridional « un peu paysan, un peu hirsute ». Il n'a rien d'un « bourreau de travail ». Il accomplit sa tâche avec une étonnante facilité et dort beaucoup, « même dans la journée, au grand scandale du maître d'études ».[2]

Comme il aime la nature, il aime les hommes. Il a compassion pour tout ce qui souffre. Le sentiment de la douleur d'autrui lui est intolérable. Ce qui domine en lui c'est la bonté. Il a besoin de sympathie, de « faire amitié » avec les êtres et les choses. Il est guidé par un optimisme robuste dans le destin de l'humanité. Il veut la faire échapper à la misère pour participer à l'universelle harmonie. Il se complaît à citer l'*Ode à la Joie* de Schiller, que Beethoven a prise pour texte dans la dernière partie de la Symphonie avec chœurs. Il est d'abord simple, accueillant à tous. Jamais il ne pose au grand intellectuel. Il a la gaieté naturelle

[1] L. Lévy-Bruhl, *Jean Jaurès*, page 77 (Éd. Rieder).
[2] L. Lévy-Bruhl, op. cité, page 26.

d'un être vigoureux. Son rire éclate, franc et sonore. Il adore s'entretenir avec les paysans, avec les ouvriers. Émile Vandervelde le décrit, au cours d'un voyage en Angleterre, un dictionnaire de poche à la main, essayant d'établir la conversation avec des voyageurs dans un train. Sa prononciation est plus que défectueuse, mais il s'obstine à parler avec une inaltérable bonne humeur.[1]

Jaurès est d'une pureté cristalline. Ce n'est pas assez d'écrire qu'il est désintéressé et généreux. Il n'a aucun goût ni même aucun sens de l'argent. Il lui arrive de partir de chez lui sans prendre un sou dans sa poche. Entré premier à l'École Normale, il lui faut remplir les fonctions ordinaires du « cacique », mais il est médiocre administrateur, ne tient pas ses comptes, s'embrouille dans les calculs.[2] Un ami de sa famille, rencontré au hasard d'une villégiature, m'a confié qu'un jour, en vacances, ayant reçu le paiement d'un article paru à l'étranger, il était tout embarrassé à l'idée de toucher un chèque. De façon générale, il est fort maladroit dans les mille détails de l'existence courante. Il n'a pas le moindre souci de l'élégance vestimentaire. Ses chapeaux sont légendaires. Et aussi ses manchettes. Mal attachées, elles s'échappent parfois de la chemise au cours de l'action oratoire. Un soir, l'une d'elles est recueillie par des membres des *Jeunesses* et mise en tombola pour une fête socialiste. André Lebey, que l'on considérait, dans le Parti, aux environs de 1912, comme l'arbitre des élégances, conte que le collaborateur de Jaurès pour l'*Armée Nouvelle*, le colonel Gérard alors capitaine, l'ayant invité à une représentation de *Pelléas et Mélisande* de Debussy, lui recommande de revêtir la tenue de soirée. Le bon Jaurès endosse sa petite jaquette de professeur, soigneusement brossée, sur laquelle s'épanouit une lavallière à pois bleue et blanche. Et il déclare avec conviction : « Je suis chic, hein ! »[3]

Sa vie est des plus modestes. Il habite, à Paris, villa de la Tour, une très petite maison en bordure d'un jardinet minuscule. Par un étroit escalier on accède à son cabinet. Il est bas comme une mansarde. Les rayons sont de bois blanc, surchargés de livres.

[1] cf. É. Vandervelde, *Jaurès*, page 2.
[2] cf. L. Lévy-Bruhl, op. cité, page 32.
[3] cf. André Lebey — *Médaillon de Jaurès* dans *Jaurès par ses contemporains*, p. 88.

Surchargés de livres aussi la table, le plancher, le vieux fauteuil défoncé et les chaises de paille. L'été, il passe ses vacances dans la maison de Bessoulet, dans le Tarn, propriété de sa femme, et aussi modeste que celle qu'il loue villa de la Tour. Cependant la calomnie des adversaires ne le ménage guère. Les journalistes à gages de la réaction nationaliste parlent de ses millions et de son château. Il en éprouve plus de peine que d'indignation. Il répète volontiers les deux vers de Victor Hugo, dans une pièce célèbre des *Contemplations* [1] :

> Je me suis étonné d'être un objet de haine
> Ayant beaucoup souffert et beaucoup travaillé.

Ce n'est point qu'il soit un naïf. Sa bienveillance et sa bonhomie n'excluent pas la finesse malicieuse. Il voit clair dans le jeu de ses ennemis. Il sait manier avec une dextérité redoutable l'arme de la polémique et trouver les formules vengeresses qui font justice des forbans de la finance et de la politique. Mais l'injustice contre lui-même ne le tire pas de sa sérénité. Elle ne l'incite qu'à de tristes méditations sur la méchanceté humaine à laquelle il voudrait refuser de croire.

Quand les gens superficiels voient arriver cet homme de taille courte à démarche pesante ; quand ils examinent cette forte tête portant directement sur les épaules, ce visage coloré et barbu, ils n'ont pas toujours l'impression de se trouver devant un type humain incomparable. Mais qui sait observer se trompe rarement. « Il me semble, écrit Léon Blum, qu'au cours d'une vie très diverse, où il m'a été donné d'approcher beaucoup d'hommes véritablement grands, je n'en ai peut-être rencontré aucun — sauf, peut-être, M. Albert Einstein — en qui le sceau du génie fût si apparemment, si évidemment empreint. » [2] A quoi cela tient-il ? Est-ce la construction puissante de la tête, la capacité du front ? Est-ce l'intensité du regard de ses petits yeux clairs où brûle une douce flamme bleue ? Est-ce surtout cette prodigieuse faculté d'attention qui, selon Léon Blum, possède un caractère souverain, dominateur ?

Cet homme si simple est un homme de génie. Et son génie s'alimente à la culture la plus riche et la plus variée. Son savoir

---

[1] cf. conférence de Léon Blum aux Ambassadeurs (1933).
[2] Conférence de Léon Blum déjà citée.

est véritablement universel. Il apprend sans cesse. Sa capacité d'absorption est pour ainsi dire sans limites. Il est curieux de chaque chose. Et il retient tout. Mais le prodige c'est que toute semence jetée dans son cerveau germe et fructifie. C'est à propos de Jaurès que Bracke a parlé de « fructification instantanée ». La moindre idée captée par son intelligence trouve aussitôt son développement, son épanouissement complets.

La culture gréco-latine a conservé en lui jeunesse et fraîcheur. Les anciens lui sont des amis familiers. Il n'a cessé, depuis le collège, de vivre en leur compagnie. Il lit et relit les classiques dans leur texte. Il se délecte d'Eschyle, de Platon. Homère ne cesse de le ravir. Avec Francis de Pressensé il discute savamment d'Euripide. En 1913, au sortir de la Commission de l'armée où il vient de prendre une part active à la discussion de la loi de Trois ans, Bracke le surprend en train de lire un chroniqueur byzantin du XVème siècle.[1]

Il ne perd pas contact non plus avec les Latins. Il affectionne Lucrèce et Virgile. Quant à nos classiques français, il vit avec eux en intimité constante, de Rabelais à Corneille, de Racine à Victor Hugo. Et en même temps il se tient au courant de la littérature contemporaine, écrit d'éblouissantes critiques sur les œuvres modernes. Il apprécie à la fois Tolstoï, Zola, Anatole France. Il s'abreuve aux génies de toutes les époques, de tous les pays. Il fréquente Dante, Shakespeare, Gœthe. Il admire Wagner. Il adore les *Maîtres-Chanteurs* et pense que Hans Sachs est un des types les plus complets de la littérature dramatique.[2] Il lit couramment l'allemand. Et au moins par deux fois, en Allemagne, la police lui ayant interdit de prendre la parole en français, il s'adresse en allemand à l'auditoire. Il s'astreint à se perfectionner en anglais. Lors d'une tournée de conférences en Amérique du Sud, il apprend l'espagnol et le portugais, lit *Don Quichotte* dans le texte, s'enchante des *Lusiades* de Camoëns. Dans les derniers mois de sa vie, il confie à Marius Moutet son désir d'apprendre le russe.

Faut-il ajouter qu'il continue de suivre le mouvement philosophique, qu'il s'intéresse passionnément à l'évolution scientifique ? Aucun domaine de la pensée ne lui est étranger. Aucune forme

---

[1] cf. *Ère nouvelle* du 29 juillet 1922.
[2] cf. Maurice Pottecher dans la *Grande Revue* (juillet 1932).

de l'art ne le laisse indifférent. Il parle des cathédrales en lyrique. La veille de sa mort, le 30 juillet, à Bruxelles, où il est venu participer à la réunion du Bureau socialiste international, il profite de quelques minutes de loisir, avant le départ du train, pour aller au Musée revoir les primitifs flamands.

Une telle activité intellectuelle suppose un mécanisme cérébral exceptionnel. Chez Jaurès, l'assimilation est immédiate. Il lit avec une rapidité prodigieuse, et, d'un ouvrage, absorbe immédiatement l'important ou l'original. Sur sa mémoire qualifiée de « monstrueuse » par son vieux camarade Gustave Rouanet, je me borne à citer deux anecdotes. Je dois la première à Vincent Auriol : pour sa grande conférence sur Tolstoï, faite à Toulouse en 1911, Jaurès s'était contenté de jeter quelques notes. Elle fut sténographiée. Mais une partie de la sténographie fut égarée entre la salle de la réunion et la rédaction du *Midi socialiste*. A la demande de Vincent Auriol, alors rédacteur en chef de ce journal, Jaurès reconstitua spontanément au courant de la plume — et tel qu'il l'avait prononcé — le long passage disparu.

La deuxième anecdote que je tiens de Gustave Rouanet est plus caractéristique encore : le 25 juillet 1914, Jaurès défend à Lyon la candidature de Marius Moutet. Il prononce le fameux discours de Vaise : « Chaque peuple paraît à travers les rues de l'Europe avec sa petite torche à la main et maintenant voilà l'incendie ».[1] Le lendemain, il prend, avec Rouanet, le train pour Paris. En route, il est soucieux : la situation internationale est de plus en plus inquiétante. Il faudrait absolument que, le soir même, il écrive un article pour l'*Humanité*. Or le train n'arrive que tard dans la soirée, après le tirage du journal.

— C'est très simple, lui dit Rouanet. Nous descendrons à Dijon. Nous irons au *Progrès de la Côte d'Or*. Les confrères nous donneront l'hospitalité, et tu téléphoneras ton article à Paris.

Jaurès accepte avec empressement. A Dijon, au *Progrès*, il est naturellement fort bien reçu. Il demande les dernières dépêches *Havas* et prie un journaliste de lui obtenir la communication avec Paris. Il a à peine le temps de parcourir les dépêches que la sonnerie du téléphone retentit : l'*Humanité* est à l'appareil. Jaurès accourt, prend le récepteur et réclame sa sténographe habituelle. Puis, de sa voix lente et bien posée, il dicte son article dont il n'a

[1] cf. *Œuvres de Jean Jaurès* (Au bord de l'Abîme, page 382).

pas eu le temps d'écrire une seule ligne. Après quoi, il s'adresse gravement à la sténographe : « Faites bien attention, dit-il, cet article est très important. Il ne faut pas modifier un seul mot. Je vais vous relire. » Et tranquillement, il « relit » l'article qu'il n'a jamais écrit, mais qui est gravé dans sa mémoire du seul fait qu'il l'a dicté.[1]

Le philosophe et l'historien

Sa vie durant, Jaurès a été dirigé par un système philosophique qu'il avait conçu dès sa jeunesse. Sa thèse *De la réalité du monde sensible* n'est pas un simple exercice d'école. Parce qu'on y rencontre des morceaux de bravoure et des démonstrations d'une étourdissante virtuosité dialectique, comme aussi des développements littéraires — parsemés du reste des images et des comparaisons poétiques les mieux venues [2] — on peut être tenté de ne pas attacher son juste prix à l'originalité philosophique de l'ouvrage. Mais Jaurès ne considérait pas cette thèse comme un essai de débutant. En 1902, il ne négligeait pas de la rééditer. En fait, les idées exprimées par le jeune docteur ès lettres ont guidé l'existence du chef socialiste.

Pour lui, la métaphysique n'est point un jeu de l'esprit. Il ne pense pas que les grandes religions humaines soient « l'œuvre d'un calcul ou du charlatanisme ». Il croit qu'elles « sont sorties du fond même de l'humanité », et qu'il existe une « religion éternelle ». Lucien Lévy-Bruhl nous dit « qu'au fur et à mesure qu'il avançait en âge les problèmes religieux, et en particulier le problème du mal s'imposaient de plus en plus à son esprit ».[3] Mais que les fidèles des religions officielles ne s'y trompent pas. S'il parle avec respect du christianisme, il est convaincu que la « vieille chanson qui berçait la misère humaine » ne peut plus convenir aux hommes de notre temps. Son sentiment religieux jaillit de son amour de la nature et de son besoin de justice. Sa philosophie, essentiellement optimiste, ne peut admettre la déchéance de la nature humaine. D'autre part, son rationalisme

[1] Cet article ne peut être que celui qui se trouve reproduit dans les *Œuvres de Jean Jaurès* ; il a pour titre : « Une lueur d'espoir » (Au bord de l'Abîme, page 387). Il a paru dans l'*Humanité* du 27 juillet. C'est un article d'environ 500 mots !
[2] On en trouvera des exemples dans la dernière partie de cette anthologie.
[3] Lévy-Bruhl, op. cité, page 82.

robuste l'écarte de la religiosité vague des « âmes souffrantes ». Il s'élève contre toute « abdication de l'intelligence », s'oppose au néo-christianisme, au pragmatisme chrétien. D'ailleurs, s'il n'accepte pas certaines formules du matérialisme athée, qui lui paraissent « superficielles », il repousse le spiritualisme que Cousin avait imposé à l'Université, et le qualifie d'enfantin. Si le mot Dieu se trouve sans cesse sous la plume de l'auteur de la *Réalité du monde sensible*, il s'agit d'un Dieu « conscience infinie dont le centre est partout et la circonférence nulle part ».

En termes d'école, on peut le considérer comme un panthéiste évolutionniste. Il se détourne résolument du dualisme « qui engendre oppression et terreur ». Et dans une étude sur la philosophie d'Édouard Vaillant,[1] on le voit s'efforçant d'établir une étroite parenté entre sa pensée philosophique et le monisme matérialiste du vieux blanquiste, tout pénétré de Spinoza, de Fichte, de Hegel, de Feuerbach.

Ce qui domine la *Réalité du monde sensible*, c'est l'aspiration à l'unité, la recherche des conciliations : conciliation entre Dieu et le monde, la qualité et la quantité, la pensée et l'action, l'intelligible et le réel. On imagine ce que pourra produire cette volonté obstinée de synthèse, appliquée au monde social. De la conception unitaire de Jaurès dans le domaine philosophique, découlent les grands thèmes de sa pensée politique, son application à concilier évolution et révolution, nation et humanité ; son effort pour unifier les différentes fractions du prolétariat et les diverses méthodes de l'action ouvrière.

Sa philosophie unitaire commande directement sa conception de l'histoire. Voulant concilier nécessité et liberté, il conçoit une synthèse entre le déterminisme historique de Marx et l'idéalisme. Cette conception inspire toute son œuvre historique. Je dis bien : œuvre historique, car Jaurès est un véritable historien. Le flot de son éloquence lyrique risque parfois de cacher au lecteur pressé le mérite scientifique de ses ouvrages. Les longs passages oratoires, surgis spontanément au cours d'une démonstration ou d'un récit, ne doivent pas empêcher d'admirer la valeur des écrits historiques de Jaurès, sa rigueur méthodique, son souci scrupuleux du document. Il s'est intéressé à tous les aspects de

[1] Parue dans la *Petite République* du 8 janvier 1901. Reproduite dans les *Œuvres de Jean Jaurès* (Études Socialistes, T. II, page 221).

l'histoire. Lorsque, dans l'*Armée Nouvelle*, il aborde l'histoire militaire, il fait preuve d'une compétence et d'une perspicacité qui nous laisse confondus. Quand, dans le volume de l'*Histoire Socialiste* consacré à 1870, il étudie les causes de la guerre, il s'égale aux meilleurs spécialistes de l'histoire diplomatique. Il se meut d'un pas sûr à travers les intrigues, déploie la perspicacité la plus fine pour sonder les intentions des hommes d'État. Et ses constructions reposent toujours sur l'étude clairvoyante des faits, sur la discussion probe et judicieuse des textes. Mais de cette *Histoire Socialiste* dont il dirigea la publication, les plus remarquables volumes sont les premiers, ceux qui sont consacrés à la Révolution française de 1789 au 9 thermidor. Ils sont entièrement écrits de sa main. Et d'Aulard à Mathiez, tous les spécialistes en ont compris l'importance. L'œuvre est considérable. Elle eût suffi à remplir une grande partie de la vie d'un homme ordinaire. Or, c'est entre 1898 et 1902 que ce monument historique a été édifié. Durant ces quatre années, on le sait, il n'a pas siégé à la Chambre. Mais les occupations ne lui ont pas manqué : c'est la grande époque de l'affaire Dreyfus, de la défense républicaine. Il dirige la *Petite République* et y écrit quotidiennement, combat la réaction nationaliste, travaille à l'unité socialiste, polémique avec guesdistes et blanquistes. Pas de jours sans réunions, sans meetings ; à Paris et en province. Pourtant, il profite du moindre instant de liberté pour courir aux Archives, à la Bibliothèque de la Chambre. Il amasse des documents. Sans doute, des amis de l'École Normale et de la Sorbonne doivent aussi en rassembler sous sa direction. Et lorsqu'il part pour un voyage, il emmène deux ou trois valises bourrées de journaux et de brochures révolutionnaires empruntés à la Bibliothèque de la Chambre. Il lit dans le train, dans sa chambre d'hôtel. Puis il écrit, sans avoir pris de notes ou rédigé de fiches. Il transcrit de sa main les extraits de journaux ou de discours. L'ouvrage est publié par livraisons. Jaurès envoie sa copie en gros blocs massifs à l'éditeur Rouff. Nul n'a fait la toilette du manuscrit. Ce sont des pages couvertes hâtivement de sa large écriture. La ponctuation est défectueuse. Les titres et les sous-titres sont mal ordonnés. Les références font défaut. Il écrit d'une traite sans jamais se relire. Aussi, dans la première édition, la lecture de cet ensemble compact est difficile, voire rebutante. L'ouvrage n'est vraiment maniable et lisible que dans l'édition aérée d'Albert Mathiez.

Ce ne sont là que des critiques de forme. D'aucuns pourront en émettre de plus sérieuses. Ils trouveront que l'abondance des phrases oratoires et des métaphores somptueuses nuit à la rigueur scientifique. Mais dans son introduction, Jaurès nous prévient qu'il entend écrire sous « la triple inspiration de Marx, de Michelet et de Plutarque ». Il prend parti, il explique. C'est tout son être généreux et éloquent qui participe aux batailles de cette Révolution française, laquelle n'est pas seulement pour lui une œuvre bourgeoise, bien que la bourgeoisie en ait été la principale bénéficiaire, mais une œuvre d'affranchissement humain dont le socialisme est l'aboutissant. Cependant l'orateur et l'artiste n'ont pas nui à l'historien scrupuleux, au critique des textes. Il classe rigoureusement les faits, saisit le sens de leur évolution, démêle les efforts des groupements. Cet idéaliste est un des premiers à s'être préoccupé, dans les moindres détails, de l'histoire économique de la Révolution française. Charles Rappoport ne craint pas d'écrire « qu'aucun historien marxiste n'a étudié aussi complètement la base économique de la Révolution ».[1] Jaurès cite avec une probité minutieuse faits et chiffres, se penche sur la vie du paysan, de l'ouvrier, de l'artisan. Dans un intéressant article,[2] Gustave Rouanet, lui-même historien de la Révolution française et fervent robespierriste, estime que Jaurès a découvert « la trame économique et sociale sur le fond de laquelle l'action des hommes et des systèmes s'est exercée ».

L'orateur et l'écrivain

Jaurès est un des plus grands orateurs français. Le plus grand peut-être depuis Bossuet, au dire de Léon Blum. Ses dons oratoires se sont manifestés très tôt. A l'École Normale, ses condisciples l'écoutaient parler avec ravissement. Pendant ses leçons, aux épreuves orales de l'agrégation, l'amphithéâtre était plein à déborder, alors que le candidat qui lui succédait n'avait d'autres auditeurs que les membres du jury.[3] Un de mes professeurs se souvenait qu'un jour, au Quartier Latin, dans un café, des étudiants avaient crié en chœur : « Laïus, laïus ! » pour obliger

---

[1] Charles Rappoport : *Jean Jaurès*, page 137.
[2] *Ère nouvelle*, 29 juillet 1922.
[3] cf. Lévy-Bruhl, op. cité, page 33.

Jaurès, qui se trouvait là, à monter sur une banquette et à faire un discours. Son renom d'orateur commençait donc déjà de s'établir alors qu'il n'était qu'un petit normalien.

On ne s'attend pas à trouver dans cette introduction une étude sur l'éloquence de Jaurès. Le sujet vaudrait une thèse ou un volume. Je renvoie tout de suite le lecteur aux discours du grand orateur. Il aura tôt fait d'être envoûté par ces phrases amples, chargées de pensée et d'images. Il se laissera bercer par cette cadence musicale. Il sera frappé de l'harmonieuse construction de l'édifice. C'est du grand art. Mais c'est tout le contraire de l'art pour l'art. Aucune affectation, aucune coquetterie littéraire. La langue, d'une irréprochable pureté, est très simple. L'ordonnance est classique. Les images, pour ingénieuses qu'elles soient, sont puisées dans la nature, dans l'imagerie biblique ou dans les souvenirs de l'antiquité gréco-romaine. Et lorsque l'émotion éclate, c'est, pour employer l'expression shakespearienne, le lait de la tendresse humaine qui s'épand. Rien de forcé. Jamais on ne sent la recherche, tout éclôt naturellement. La pensée se dégage comme un fruit lentement mûri, d'une forme parfaite. Et seuls les sots ont pu parler de rhétorique. Jaurès est à l'opposé du rhéteur. S'il est abondant, c'est que les idées se présentent en foule à son esprit, et qu'il n'en veut négliger aucune qui lui paraisse digne de parfaire sa démonstration et de convaincre l'auditeur. Là est son but, son unique but. Jamais il ne parle pour le plaisir. Pour lui, le discours est un acte. Aussi bien, les images les plus riches et les plus poétiques qui jaillissent au milieu d'un développement ne sont pas des ornements surajoutés. Elles viennent à l'appui d'un raisonnement rigoureux. Jaurès est aussi capable de parler avec précision et clarté d'une question technique (de finances ou de retraites ouvrières, par exemple) que du problème de la destinée humaine. Et si la moindre question est présentée par lui de telle manière qu'elle prend un relief nouveau et qu'elle se trouve comme rehaussée, c'est parce que son esprit puissant élève toute chose.

Quand j'étais journaliste parlementaire, j'ai parfois entendu des confrères déclarer : « Aujourd'hui, Jaurès n'aurait plus le même succès ; on n'apprécie que le « debater ». On n'aurait plus la patience d'écouter un discours de cinq heures. » Mais j'ai, sur ce point, une opinion différente. D'abord, Jaurès avait les qualités

b

du « debater », habile à démolir un raisonnement en quelques phrases ramassées. D'une agilité dialectique surprenante, nul mieux que lui ne savait retourner contre l'adversaire son propre argument. En outre, d'un mot méprisant, il était capable de réduire au silence qui ne méritait pas son estime. Et il n'hésita pas, certain jour, à traiter de « triste et répugnant jésuite » un des plus méprisables Tartufe de l'extrême-droite. Mais surtout, je suis persuadé que si quelque nouveau Jaurès, pourvu des mêmes dons de lyrisme et d'analyse, apparaissait sur la scène politique, on l'écouterait avec enchantement durant des heures.

Il exerçait sur les foules un ascendant extraordinaire. D'abord, la voix était rauque et monocorde.[1] Puis petit à petit elle trouvait sa modulation, puissante ou douce. La parole était lente, chaque syllabe était nettement détachée ; avec un accent chantant, légèrement méridional. Chaque mot qui sortait de cet organe puissant pénétrait l'auditeur le plus éloigné. Peu à peu l'orateur s'animait. Il balançait son poing de bas en haut. Tout son être participait à la démonstration. Son front ruisselait. La voix tonnait, lançant la foudre. Puis elle répandait la caresse du couchant sur les gerbes. Et la foule était prise par ces périodes cadencées qui la remuaient avec la force des éléments. Sous la parole magique, elle ondulait ; flux et reflux...

Comment Jaurès composait-il ses discours ? Écrivait-il ? Ou bien improvisait-il toujours ? Ces questions que le public aime à poser paraissent quelque peu puériles, concernant à la fois un tel génie oratoire et un homme d'une telle culture. Il écrivait, il improvisait ; l'un et l'autre sont vrais. Il était capable, à la fin d'un repas, de se livrer à une improvisation adorable pleine de trouvailles exquises. Pour les réunions publiques, il est vraisemblable qu'il se bornait à se tracer un plan, peut-être à griffonner quelques mots. Louis de Brouckère m'a raconté que, pendant le dîner qui précéda son dernier discours, le 29 juillet, à Bruxelles, il avait jeté sur un papier ces quatre mots : « le cheval d'Attila ». Et de ces seuls mots est sortie cette fresque hallucinante du monstre menaçant de la guerre dont le motif central est Attila au bord de l'abîme, mais dont le cheval hésite et trébuche.[2]

[1] cf. Léon Blum, conférence citée.
[2] L'analyse de ce discours, d'après le *Peuple de Bruxelles*, se trouve dans les *Œuvres de Jean Jaurès* (Au bord de l'Abîme, page 393).

Mais lorsqu'il s'agit de ses grands discours parlementaires, Jaurès procède à une préparation minutieuse. Lévy-Bruhl pense que, sauf exception, il écrivait ses discours.[1] Au contraire, Pierre Renaudel nous dit que, s'il préparait avec soin, il n'écrivait que rarement. Il se bornait, selon ce collaborateur intime, à jeter parfois le plan sur le papier. Seuls auraient été écrits d'un bout à l'autre le discours sur l'*Art et le Socialisme* et peut-être le *Discours à la Jeunesse*.[2] Mais ces deux affirmations ne me paraissent contradictoires qu'en apparence. Jaurès portait en lui ses grands discours, il y pensait sans cesse. Il devait, devant sa table, noircir des feuilles de papier de sa large écriture et se délivrer des formules qui se pressaient en son cerveau. Il écrivait, comme dit Lévy-Bruhl, mais uniquement pour clarifier sa pensée et parfaire la composition de l'œuvre qui se construisait en son esprit. Mais Renaudel doit avoir raison également, qui dit qu'il écrivait rarement d'un bout à l'autre. Il fixait ses idées, laissait quelques développements heureux prendre forme sur la page rapidement couverte. Mais ce n'est point là le procédé de l'orateur du type Poincaré qui s'installe méthodiquement à son bureau et compose d'une écriture serrée le discours tel qu'il sera prononcé, et sans peut-être même qu'y manquent les « messieurs » ou les « chers collègues ».

D'ailleurs, autant qu'il écrivait, il parlait ses discours. Il essayait, sur ses amis, les arguments qu'il avait imaginés. A la veille d'un grand discours, m'a confié Marcel Sembat, il arrivait à Jaurès de lui demander de l'accompagner au sortir de la Chambre. Et au cours de la promenade, l'orateur se déchargeait, en quelque sorte, de sa harangue. « Voilà, expliquait-il, ce que je vais leur dire. »

Mais ce qu'il nous faut noter, c'est qu'il n'y avait chez lui l'ombre de vanité littéraire. Encore une fois, le discours était un acte. Et l'acte accompli, il ne s'en souciait plus. Jamais il ne révisait la sténographie.

De même ses écrits sont des actes. Une fois sortis de sa plume, ils ne l'intéressent plus. Mais étudier l'écrivain, c'est même chose qu'étudier l'orateur. Rien en lui de « l'homme de lettres ». Il a publié peu d'ouvrages en librairie, et trois de ses livres : *Action*

[1] Lévy-Bruhl, op. cité, page 115.
[2] *Humanité* du 14 mai 1916.

Socialiste, *Études Socialistes*, *Les Preuves* sont des recueils d'articles. En préface d'*Action Socialiste*, il se défend d'être guidé, en acceptant de réunir des articles en volume, par « une sorte de préoccupation littéraire peu convenable à un militant ». Au demeurant, ses écrits sont, le plus souvent, de même style que ses discours. Dans son *Histoire de la Révolution*, je l'ai dit, les morceaux oratoires abondent. Il ne pense nullement affaiblir la rigueur de sa démonstration contre les faussaires de l'État-major, lorsque, à la fin des *Preuves*, il se laisse aller à son indignation généreuse : « A genoux devant la France, coquins qui la déshonorez ! »

Très jeune, il écrivait déjà d'un jet, sans ratures. Selon Lévy-Bruhl, quand, à l'École Normale, il avait un travail à composer, une fois terminées les lectures indispensables, il se balançait sur sa chaise. Les idées s'organisaient dans sa tête. Et dès qu'il se mettait à sa table, il écrivait très vite, sans arrêt, remplissant les pages « sous sa propre dictée ». Il méditait sans cesse. Jeune homme, il se promenait dans la campagne, mâchonnant des bouts de papier et des brins d'herbe en préparant ses exposés d'étudiant. Mais le travail d'écriture était toujours étonnamment rapide.[1]

Il a écrit des milliers et des milliers d'articles, et sur les sujets les plus variés. Le journalisme moderne avec ses articles courts, ses « filets », n'était pas fait pour lui plaire. Il est, certes, un polémiste redoutable, capable, en quelques phrases, de démonter l'adversaire. Il est capable aussi de déployer l'indulgente ironie d'un bon géant. Mais ses préférences vont à l'article où il peut répandre abondamment sa pensée, où l'orateur se donne cours librement. Aujourd'hui, certains articles de Jaurès paraîtront peut-être trop éloquents. Sa conception « journalistique » n'est plus la nôtre. Il était tout fier, à la création de l'*Humanité*, d'avoir rassemblé, dans sa rédaction, quantité d'agrégés. Mais ces agrégés ne fabriquaient pas un quotidien très agréable. Jaurès s'impatientait des nécessités pratiques de la mise en page. Au secrétaire de rédaction, qui lui montrait l'impossibilité de placer dans la « forme » un trop long article, jugé par lui très important, il disait gentiment, avec un charmant sourire : « Est-ce qu'on ne pourrait pas serrer un peu les lignes dans le cadre ? » Mais dans les dernières années, il s'était discipliné. Maurice Bertre, secrétaire

[1] cf. Lévy-Bruhl, op. cité, pages 28 et 29.

général de l'*Humanité*, qui témoignait à son directeur une tendresse filiale, n'était pas peu fier d'avoir obtenu de lui qu'il écrivît chaque jour un « filet ».

Qu'on ne s'y trompe pas. Cet article écrit d'un trait, souvent au milieu des conversations de ses collaborateurs, n'est jamais bâclé. Jaurès n'établit pas de différence entre le discours, le livre, l'article de revue ou de journal. Tout est préparé, médité. L'article de journal, il y a souvent pensé dans la journée. En parcourant les couloirs de la Chambre, il a essayé ses arguments sur un ami, sur un journaliste. Dans l'introduction des *Études Socialistes*, il écrit : « Jamais je n'ai considéré l'article de journal comme une œuvre hâtive et superficielle ; et j'y mets, par respect pour le prolétariat qui lit les journaux socialistes, toute ma conscience d'écrivain ».

Il est toujours le bon artisan. « Fais bien ce que tu fais », telle est sa devise.

L'homme politique

Pendant près d'un quart de siècle, Jaurès a occupé le premier plan de la vie politique française. Ses interventions à la Chambre, dans la législature de 1885, ont déjà été très remarquées. Lorsqu'il revient au Parlement, en 1893, ses articles, son activité politique à Toulouse ont fait connaître son nom du grand public. Durant la législature de 1893–98, sa renommée d'orateur s'établira : aux côtés de Guesde et de ses amis, il définit, par des discours retentissants, la position socialiste, et dans tous les domaines, de l'éducation à la politique extérieure. Il mène la bataille contre les cabinets opportunistes au moment où, à la faveur des attentats anarchistes, la bourgeoisie apeurée fait voter les « lois scélérates ». Lorsque Gérault-Richard passe devant les assises pour avoir outragé Casimir-Périer, président de la République, c'est à Jaurès qu'il confie sa défense. Et celui-ci prononce contre la dynastie des Casimir-Périer un terrible réquisitoire qui n'est pas sans influence sur la démission du président.

De 1898 à 1902, on le sait, Jean Jaurès est en dehors du Parlement. Mais son activité n'en est pas ralentie : c'est l'époque de l'affaire Dreyfus, des *Preuves*, de la première unité socialiste. Réélu en 1902, il deviendra vice-président de la Chambre. A la délégation des gauches, sa supériorité intellectuelle, son habileté politique innée lui assurent une influence dominante ; à plus d'une reprise, c'est lui qui sauve le ministère Combes menacé par la réaction.

Après l'unité socialiste, il est en fait le « leader » de l'opposition socialiste. Dans tous les grands débats, il exprime la pensée du Parti. Et dans les dernières années de sa vie, c'est surtout la politique extérieure qui le préoccupe.

Nous ne garderons point ici, à ce sujet, un silence indigne de lui. Sa pensée sur les problèmes extérieurs a été déformée, et par les nationalistes et par les « collaborateurs ». Nous ne craindrons pas, nous, d'affirmer que, dans les grandes lignes, Jaurès n'a pas commis d'erreurs, et que les socialistes n'ont pas à rougir de l'avoir soutenu. Nous lui sommes reconnaissants d'avoir montré, de façon éclatante, que le capitalisme porte en lui la guerre comme « la nuée l'orage », d'avoir démasqué les « maquignons de la patrie » et les trafiquants du colonialisme, de s'être élevé contre les intrigues louches de la diplomatie secrète qui nous amenaient inévitablement à ces « coups de dés sanglants » dont deux générations ont été les victimes. Il a dénoncé tous les impérialismes, et il a fait sa juste part à ce tsarisme criminel qu'osaient défendre nos chauvins. Il a vu clair dans le jeu des hommes de finance et dans les menées tortueuses des diplomates.

Bien que cette anthologie ait pour but de présenter avant tout les thèmes permanents de la pensée jauressiste et que j'en aie écarté ce qui était dicté directement par l'actualité, on y trouvera un assez long passage où Jaurès réfute ses détracteurs comme ses impudents « disciples ». On pourra constater qu'il n'a jamais confondu le tsarisme avec la Russie dont il pressentait le rôle révolutionnaire [1] ; que jamais il n'a compris le rapprochement franco-allemand autrement que dans le cadre d'une alliance européenne ; et que nul n'a parlé avec plus de clairvoyance et de sympathie des démocraties anglo-saxonnes.

Qu'il ait commis des erreurs de détail, il eût été le premier à

---

[1] Puis-je, à ce propos, citer cette phrase qui n'a pas trouvé place dans l'anthologie ? Elle est extraite de l'*Humanité* du 23 octobre 1912 : « La Russie s'apprête à devenir, par l'immense force de ses travailleurs, une puissance de civilisation et de justice ; elle sera bientôt, par l'héroïque effort de ses prolétaires, une des plus prodigieuses ressources de la race humaine ».

le reconnaître. Il était trop confiant, par exemple, dans les possibilités de la social-démocratie allemande — dont souvent, cependant, il avait souligné les faiblesses. Sa conception de la grève générale et de l'insurrection pour empêcher la guerre était fondée, elle aussi, sur une appréciation trop optimiste des forces ouvrières.[1] Et, à cet égard, les arguments de Guesde contre sa thèse peuvent paraître pertinents. Mais les appréciations optimistes de Jaurès n'avaient pas pour résultat de désarmer la France, comme les coquins du nationalisme intégral, devenus par la suite vichystes et hitlériens, le prétendaient chaque jour, à la veille de la dernière guerre. Le grand pacifique était un grand patriote. Il ne se contentait pas d'affirmer qu'un pays qui, lorsque sa vie serait en jeu, ne pourrait compter sur la classe ouvrière, ne serait qu'un « misérable haillon ». Il imaginait le système de défense qui seul eût permis à la France, en 1914, de résister victorieusement au premier choc allemand.

L'*Armée Nouvelle* n'est pas, comme d'aucuns le supposent, un volume de circonstance, composé au cours de la lutte contre les Trois ans. L'ouvrage a bien été publié à cette époque, mais il était la reproduction d'un projet de loi imprimé déjà en 1910. Il ne s'agissait d'ailleurs que du premier ouvrage d'une série destinée à exposer la solution de problèmes d'actualité. Après la défense nationale, traitée dans l'*Armée Nouvelle*, devait venir la diplomatie nouvelle, puis l'organisation intérieure de la France.

Contre l'État-major, Jaurès avait pleinement raison. Il avait compris le rôle des réserves instruites, il avait prévu l'invasion par la Belgique. Lors de la discussion de la loi de Trois ans, devant la Commission de l'Armée, ses démonstrations au tableau noir émerveillaient les « techniciens ». Par un officier d'État-major rencontré à l'époque, je sus combien les généraux avaient été frappés de la compétence de Jaurès. Point assez, néanmoins, pour modifier leurs plans stupides !

Mais politique extérieure et affaires militaires préoccupaient Jaurès sans l'absorber. Il suivait tous les débats, participait aux discussions les plus ardues : retraites ouvrières, impôt sur le revenu,

---

[1] Rappelons, en passant, afin de répondre à des calomnies trop souvent répandues, que, pour Jaurès, la grève générale ne devait être déclenchée que par le prolétariat du pays dont le gouvernement refusait l'arbitrage international.

représentation proportionnelle. Il menait d'âpres batailles contre les ministères de conservation, que ce fût le Clemenceau de 1908 ou le Briand de l'apaisement.

Parlementaire assidu, il est à son banc au début de la séance, à l'heure où l'on pourrait escamoter la discussion d'un projet de loi ; il y est à la fin de la journée, lorsqu'on fixe l'ordre du jour. Toujours là, toujours attentif. De plus, il fréquente les couloirs, y discute avec courtoisie, s'efforce de persuader. Sa sincérité et son ton affable gagnent l'adversaire. Quand une Commission d'enquête du scandale Rochette est nommée, c'est Jaurès qui est choisi comme président : sa probité au-dessus du soupçon inspire confiance à la Chambre entière.

Qu'on relise, d'ailleurs, l'éloge funèbre de Paul Deschanel : « Ceux qui discutaient ses idées et qui savaient sa force, sentaient aussi ce que, dans nos controverses, ils devaient à ce grand foyer de lumière ».

Il y a mieux là qu'un hommage académique. On sent, sous les mots un peu pompeux, le respect que Jaurès inspirait ; en relisant cette phrase, on mesure la place qu'il occupait dans la vie politique de notre pays.

Le socialiste

Léon Blum a expliqué que, pour Jaurès, le socialisme est « le terme, la somme, le point de convergence, le point d'héritage de tout ce que l'humanité, depuis le commencement de la civilisation a engendré de richesses, de vertus, de beauté ».[1] Et c'est le socialisme seul qui permettra de faire une élite de l'humanité tout entière.

Très jeune, Jaurès a été socialiste. Dans la législature 1885–89, il siège, il est vrai, au centre-gauche. Mais c'est une sorte d'accident géographique. Il est pleinement républicain, et, dès cette époque, il entrevoit que la République doit conduire au socialisme, lequel découle logiquement des principes de la Révolution française. Nous n'essaierons certes pas de prétendre que Jaurès n'a pas évolué au cours de sa vie. Dans la préface aux *Discours parlementaires*, parue en 1904, il s'élève contre la « prétention puérile » de n'avoir pas changé en vingt ans. « Je ne me calomnie point assez moi-même, s'écrie-t-il, pour dire que la vie

[1] Léon Blum, conférence déjà citée.

ne m'a rien appris. » Entre 1885 et 1889, il n'est pas encore socialiste, mais il est en train de le devenir. Un discours sur le protectionnisme et l'agriculture attire l'attention de Gustave Rouanet qui, dans la *Revue Socialiste*, lui consacre un article où il le salue comme un socialiste qui s'ignore encore. Le jeune député, encouragé par cet appel, gravit la rue des Martyrs qui mène au local de la *Revue*. Là, timide et tremblant, il demande à voir Benoît Malon. Mais Benoît Malon est sorti. Et tout confus, Jaurès redescend l'escalier, poursuivi par les rires des rédacteurs qui s'amusent de son air gauche.[1]

Quand il quitte le Parlement en 1889, il est socialiste de cœur. Cependant, il ne s'est pas encore mêlé au mouvement ouvrier et aux groupements collectivistes. C'est entre 1889 et 1893 qu'il va comprendre que la réalisation du socialisme n'est possible que par l'action de la classe ouvrière. Bien que professeur à Toulouse, il vient parfois à Paris, fréquente la bibliothèque de l'École Normale pour la préparation de sa thèse sur la *Réalité du monde sensible*. Il subit ainsi l'influence de Lucien Herr qui a formé, durant trente années, tant de jeunes cerveaux au socialisme. Aussi bien, la deuxième thèse de Jaurès, on le sait, est consacrée aux premières traces de socialisme chez Luther, Kant, Fichte et Hegel. A Toulouse, où il est adjoint au maire, il commence d'être en contact avec des milieux ouvriers. Il prend la défense des mineurs de Carmaux qui, comme on l'a vu plus haut, le feront élire député en janvier 1893. Mais dès le milieu de 1892, son parti semble pris. Au sortir d'une réunion de Jules Guesde, Bedouce, alors jeune membre du Parti ouvrier français, et quelques-uns de ses camarades, conduisent Jaurès à l'Hôtel d'Espagne. Guesde y est logé pour la nuit. Pendant plusieurs heures, les deux grands hommes discutent. Et quand Jaurès est parti, Guesde déclare à ses amis : « C'est une très bonne journée ».[2]

Voici Jaurès député. Il a adhéré au Parti ouvrier français.

[1] cf. discours de Jaurès pour le 25ème anniversaire de la *Revue Socialiste* 1910).

[2] Cet épisode est conté dans un de mes livres, aujourd'hui épuisé, *Comment (ils sont devenus socialistes* (Paris 1932 — Le Populaire). Bedouce, dans l'interview qu'il m'avait donnée, plaçait cette rencontre vers 1891. Mais un article de la *Dépêche de Toulouse* du 30 mars 1892 (*Œuvres de Jean Jaurès*, Études Socialistes, T. I, page 122) fait allusion à une conférence que Guesde vient de faire à Toulouse, Bedouce a dû se tromper d'une année.

Durant la législature 1893–98, il est, au groupe socialiste, d'accord avec les « avancés ». C'est l'époque où non seulement il défend, à la Chambre, la pensée socialiste révolutionnaire mais où il écrit de nombreuses études sur le collectivisme, notamment sa remarquable série sur l'organisation socialiste.[1]

Par la suite, il va se séparer de Guesde et de Vaillant. Mais ce serait une erreur de considérer le Jaurès de 1898 à 1905 comme un simple réformiste. Sur la question de la participation ministérielle, je crois, avec la majorité des socialistes, qu'il s'est trompé ; non seulement quant à la personne de Millerand mais quant à la valeur socialiste de l'expérience. Toutefois, même à cette époque, il se défendait d'être un revisionniste. Sa politique de défense républicaine, il la concevait comme un moment de la lutte prolétarienne ; il la rattachait à son système « d'évolution révolutionnaire ». Il est d'ailleurs intéressant de noter que, dans la controverse Kautsky-Bernstein, il se prononce, dans les grandes lignes, pour Kautsky. S'il tente de marier le matérialisme historique de Marx à l'idéalisme, il tient pour vérifiées les théories de la valeur et de la concentration. Marx, pour lui, s'est parfois trompé de vitesse, jamais de direction.

C'est pourquoi ceux-là me paraissent fort mal comprendre Jaurès, qui s'appesantissent sur le sacrifice consenti par lui après Amsterdam. Payer, de l'abandon d'un bloc des gauches qui déjà avait épuisé ses effets, cette unité politique des travailleurs si ardemment désirée, ne dut pas lui paraître un marché bien onéreux. Du parti unifié, il fut, du reste, l'animateur. Il s'efforça d'y concilier les divers courants du socialisme. Toujours il tenta la synthèse. Mais cette synthèse, il la marquait de son sceau. Il ne renonça jamais à faire triompher sa conception « évolutionniste ». Sous son influence, le parti s'adaptait à des tactiques de souplesse que les intransigeants critiquaient. Mais Jaurès subissait, en retour, l'influence de ses adversaires de tendance. Et, par-dessus tout, il était gagné par la pratique ouvrière. Certes, ses idées essentielles n'ont pas varié en trente ans, celles du moins qui formaient le fondement de sa philosophie politique. Mais il était l'être le moins encroûté, le plus capable de s'enrichir au contact de la vie. Qu'on relise son discours du Congrès d'Amiens.

[1] cf. *Revue Socialiste*. On en trouvera d'importants extraits dans cette anthologie.

On verra combien, en 1914, l'évolution de la politique française l'avait éloigné de la tactique de 1902.

Jaurès, à la veille de sa mort, était devenu pleinement l'homme de la classe ouvrière, et du Parti qui est l'instrument de cette classe. Il parlait du Parti socialiste avec un attendrissement touchant. Mon « noble parti » est une expression que l'on trouve sous sa plume. Il était un *militant*, aimant à fréquenter les autres militants, respectueux de la pensée de tous. Dans les congrès, il est le bon élève assis à son rang, écoutant le plus modeste, découvrant et signalant les jeunes talents. Quand il rencontre, dans une manifestation, un camarade entouré de sa femme et de ses enfants, il s'approche d'eux, les complimente, se réjouit de voir une « belle famille socialiste ».

Mais c'est peut-être surtout par son internationalisme qu'il apparaît comme le militant accompli. Il a foi dans l'Internationale ouvrière. Camille Huysmans, secrétaire général de l'Internationale avant 1914, m'a confirmé, dans une lettre récente, que Jaurès insistait souvent auprès de lui sur la nécessité de maintenir les liens entre les sections nationales en temps de guerre. « Si même, disait-il, je commettais l'erreur de vous donner à ce moment un conseil différent, passez outre et maintenez les liens. »

Pour terminer, je voudrais essayer de détruire les légendes trop souvent répandues sur les luttes entre jauressisme et guesdisme au sein du parti unifié. Pour d'aucuns, qui ne connaissent le socialisme que du dehors, la section française de l'Internationale aurait été divisée par une bataille incessante entre les deux tendances ; guesdistes et jauressistes auraient manœuvré sans répit les uns contre les autres… Ce n'est qu'une vue superficielle. Évidemment, on se combattait à la veille des congrès, on manœuvrait pour obtenir la majorité. Mais ces batailles de tendances ne nuisaient pas sérieusement à l'unité. Au surplus, certaines manœuvres qui paraissent de loin machiavéliques se peuvent très facilement expliquer. Par exemple, beaucoup sont étonnés que Jaurès se soit assuré la majorité contre les guesdistes en s'alliant avec les éléments d'extrême-gauche : blanquistes, syndicalistes-révolutionnaires, voire hervéistes. Et il est clair que Jaurès était plus près de Guesde que de ces « ultras ». Pourtant le rapprochement avec l'extrême-gauche n'était pas le seul résultat de manœuvres. Alors que les guesdistes, très soucieux cependant de grouper les ouvriers dans les syndicats et les coopératives, concevaient principalement le syndicat comme l'école primaire du socialisme, Jaurès accordait à l'action syndicale et même coopérative un rôle beaucoup plus important. Tout en réprouvant les abus du syndicalisme révolutionnaire, il s'efforçait d'en comprendre l'esprit. Et l'on n'a pas oublié qu'il était, comme Vaillant, partisan de la grève générale pour empêcher le déclenchement de la guerre. D'autre part, l'extrême-gauche n'était pas sans trace de jacobinisme. Elle admettait, plus facilement que les guesdistes, les alliances avec les démocrates bourgeois. Par conséquent, cette conjonction de Jaurès et de l'extrême-gauche n'était pas une simple combinaison de congrès.

On a dit parfois que Guesde était jaloux de Jaurès. Affirmation monstrueuse, car Guesde ne pouvait être jaloux de personne. La vérité c'est qu'il avait fondé, sur Jaurès, de grands espoirs, aux environs de 1895. Et il avait éprouvé de l'amertume, à partir de l'affaire Dreyfus, en voyant le puissant orateur lui échapper. Souvent, par la suite, dans le Parti unifié, il a dû s'inquiéter lorsque les militants suivaient Jaurès en des voies qu'il jugeait dangereuses. Mais voilà qui est singulièrement éloigné de la jalousie ou de l'envie. C'est sur le plan socialiste que Guesde se sent heurté par Jaurès, jamais sur celui de la vanité. A aucun moment, il n'attribua de bas sentiments à son contradicteur. Le guesdiste Ferdinand Faure, ancien député de la Loire, me contait récemment comment, avant l'unité, il avait entendu Guesde rabrouer quelques jeunes camarades qui mettaient en doute la sincérité socialiste de Jaurès.

Quant à Jaurès, il avait, pour Guesde, un respect profond et savait ce que lui devait la classe ouvrière. Dans la préface aux *Discours parlementaires*, écrite au plus fort des controverses sur la participation, il rappelle l'impression que produisirent sur lui, en 1893, Jules Guesde et ses amis. « Des hommes que j'avais trop longtemps ignorés, écrit-il, ont exercé sur mon esprit, à la rencontre, une séduction soudaine et violente, que je contrôle maintenant, mais dont, malgré les dissentiments ou même les ruptures, je ne me déprendrai jamais tout à fait. »

Sans doute, tels lieutenants, guesdistes ou jauressistes, apportaient, dans la bataille de tendances, une ardeur excessive et se montraient des disciples trop jaloux. Mais après quelques années d'unité, les chocs s'étaient amortis et la camaraderie devenait vraiment fraternelle. J'ai entendu parler de Jaurès avec tendresse par mon ami Barthélemy Mayéras, guesdiste convaincu. Du jour où il était devenu rédacteur à l'*Humanité*, il avait subi le charme de son directeur ; et il aimait Jaurès autant qu'il l'admirait. De même, Bracke admirait sincèrement Jaurès. Dans les dernières années, ils avaient noué des relations étroites. « Lorsque Jaurès est mort, m'a confié mon vieux maître, nous commencions à devenir une paire d'amis. »

Naturellement, tout cela n'allait pas sans de menues malices. On se moquait gentiment les uns des autres, on se lançait des pointes. Jaurès disait en souriant : « Guesde est toujours malade, et Guesde nous enterrera tous. Mais ce jour-là, il ne pourra venir à notre enterrement parce qu'il sera encore malade. » Et Jaurès ne se trompait pas. Guesde ne put assister à son enterrement. Mais sait-on pourquoi ? Le soir du 31 juillet, Amédée Dunois fut chargé de prévenir Jules Guesde. Celui-ci lui ouvrit la porte de son petit appartement. Mais dès que Dunois lui eût appris la nouvelle, il s'écroula sur le parquet. Il dut garder le lit plusieurs jours.

... En tout cas, en 1914, Jaurès apparaissait à l'extérieur du Parti comme l'incarnation du socialisme. Pour les militants, Guesde était l'épée au fil tranchant qui avait défriché la forêt. Jaurès était l'animateur d'un Parti déjà puissant, en marche vers le pouvoir. Les jeunes intelligences subissaient l'ascendant de son génie. Même les adolescents qui étaient conduits vers le socialisme par un marxisme plus rigoureux se sentaient fiers d'un tel guide. Et la soirée tragique du 31 juillet leur sembla, presque autant que la guerre, déchirer l'espoir de leurs vingt ans.

Pour composer cette anthologie, j'ai lu ou relu une bonne partie de son œuvre. Et ce qui me frappe, c'est le son *actuel* que rendent tant de pages. Jaurès n'a pas vieilli. Ses thèmes essentiels conservent leur fraîcheur. Ses préoccupations trouvent leur écho dans nos soucis. Et la raison m'en paraît simple. Il demeure jeune parce qu'il est un poète. « La poésie, écrivait-il, c'est-à-dire la vérité. »

Le 2 août 1915, lors du premier anniversaire de sa mort, Romain Rolland écrivait dans le *Journal de Genève* :

Que de siècles il avait fallu, que de riches civilisations du Nord et du Midi, du présent, du passé, répandues et mûries dans la bonne terre de France, sous le ciel d'Occident, pour produire une telle vie ! Et quand le hasard mystérieux qui combine les éléments et les forces réussira-t-il un second exemplaire de ce bon génie ? [1]

Après trente années, nous répétons l'interrogation de Romain Rolland. Certes, ce sont les faits économiques qui constituent la trame de l'histoire. Mais Karl Marx n'a jamais nié le rôle des facteurs humains. Après tant de prétendus surhommes, qui n'ont dû leur renom qu'à leur barbarie, nous méritons notre revanche. On voudrait pouvoir espérer que, durant ces années cruelles, s'est formé quelque part un homme de génie, soucieux du destin de l'humanité. Avec un nouveau Jaurès, les hommes de bonne volonté s'engageraient plus allègrement sur la route difficile de l'après-guerre.

Louis Lévy

Londres, 1945

[1] Romain Rolland, *Au-dessus de la mêlée*, page 151.

NOTE EXPLICATIVE

M'ADRESSANT au grand public, j'ai rassemblé des extraits qui, se rattachant aux thèmes cardinaux de la pensée jauressiste, conservent leur pleine valeur. J'ai écarté ce qui était trop directement dicté par l'actualité et présentait surtout un caractère historique : par exemple, les discours et écrits se rapportant à la politique extérieure d'avant 1914. Je me suis borné, sur ce point, pour répondre aux objections des détracteurs comme des « collaborateurs », à grouper quelques extraits significatifs sur l'Alsace-Lorraine, l'alliance européenne, etc. Et si, par deux fois, j'ai cru devoir citer des passages touchant la politique orientale des puissances européennes, mon but a été de mettre en lumière la conception morale qui est à la base de la politique de Jaurès.

J'ai également écarté les discussions sur la participation ministérielle, la prise du pouvoir, les réformes et la révolution, les rapports du syndicalisme et du socialisme ; ces problèmes ne se posant plus aujourd'hui sous la même forme qu'au début du siècle, et l'accord étant réalisé dans ces domaines, au moins dans les grandes lignes, entre les socialistes.

Toujours par souci de m'en tenir aux thèmes essentiels, j'ai évité, de façon générale, la reproduction de morceaux à caractère polémique. Et, pour rendre plus aisée la lecture des discours, j'ai supprimé les mouvements de séance et les interruptions ; sauf une fois où l'interruption amenait une réplique suivie d'un développement.

Mais mon souci de simplifier et de rendre l'œuvre facilement accessible au public n'a point nui à la rigueur de la méthode. Les textes ont été soigneusement revus. Les extraits sont reliés les uns aux autres par un fil logique aisément discernable. Chacun est précédé d'une note explicative et suivi d'une référence se rapportant à une édition courante. Enfin, l'étudiant et le chercheur trouveront, en fin de volume, des indications bibliographiques qui pourront les aider dans leurs travaux. Ce souci de minutie s'imposait. A l'œuvre d'un maître qui poussa la probité intellectuelle jusqu'au scrupule, ces égards étaient dus.

Cette anthologie a été composée à Londres, et durant la guerre.

Pour rassembler les textes, il m'a fallu quelques efforts. Mais la bibliothèque du *British Museum* et celle de l'*Institut français* m'ont permis de mener à bien une importante partie de ma tâche. Pour le reste, des amis obligeants et avertis m'ont secondé. Je m'en voudrais de ne pas nommer : Harold Laski, grand historien des institutions politiques, et admirateur clairvoyant de la France démocratique et révolutionnaire ; W. Pickles, qui connaît le socialisme français aussi bien que nos meilleurs spécialistes ; William Gillies, toujours curieux des choses françaises, et qui possède une précieuse collection de coupures de journaux et de revues ; Antoine Philibert, qui, durant des années, a tenté de faire connaître nos grands hommes en Angleterre ; Jacques Brunius, fouilleur infatigable des bibliothèques, des librairies et des boîtes de bouquinistes.

Que chacun trouve ici l'expression de ma gratitude.

L. L.

CHAPITRE I

NATION

Jean Jaurès est à la fois un grand patriote et un grand internationaliste.
A maintes reprises, il a montré le rôle essentiel que jouent les nations
dans le développement de l'humanité. Par toutes ses fibres il est attaché
à la France, à la civilisation française. Dans ce premier chapitre, on
trouvera une série d'extraits d'où se dégage clairement l'importance
qu'attache Jaurès à la tradition française, au patriotisme prolétarien
à la défense de la nation qu'il n'a jamais séparée de celle de la paix.

LA FLAMME DU PASSÉ

Jaurès a le culte du passé. Mais le devoir des hommes libres
n'est pas de s'immobiliser dans le passé. « C'est en allant vers
la mer que le fleuve est fidèle à sa source. » Cette idée, il l'a
développée avec une étonnante richesse verbale dans le discours
sur l'Église, l'École et la pensée moderne, prononcé à la
Chambre, en janvier 1910.

M. Barrès nous invite souvent à revenir vers le passé ; il a,
pour ceux qui ne sont plus et qui sont comme sacrés par l'immo-
bilité des attitudes, une sorte de piété et de culte. Eh bien !
nous aussi, messieurs, nous avons le culte du passé. Mais la
vraie manière de l'honorer ou de le respecter, ce n'est pas de se
tourner vers les siècles éteints pour contempler une longue
chaîne de fantômes : le vrai moyen de contempler le passé, c'est
de continuer, vers l'avenir, l'œuvre des forces vives qui, dans le
passé, travaillèrent.

Ceux qui ont lutté dans les siècles disparus, à quelque parti, à
quelque religion, à quelque doctrine qu'ils aient appartenu, mais
par cela seul qu'ils étaient des hommes qui pensaient, qui
désiraient, qui souffraient, qui cherchaient une issue, ils ont tous
été, même ceux qui, dans les batailles d'alors, pouvaient paraître

des conservateurs, ils ont tous été, par la puissance invincible de la vie, des forces de mouvement, d'impulsion, de transformation, et c'est nous qui recueillons ces frémissements, ces tressaillements, ces mouvements, c'est nous qui sommes fidèles à toute cette action du passé, comme c'est en allant vers la mer que le fleuve est fidèle à sa source.

Messieurs, oui, nous avons, nous aussi, le culte du passé. Ce n'est pas en vain que tous les foyers des générations humaines ont flambé, ont rayonné ; mais c'est nous, parce que nous marchons, parce que nous luttons pour un idéal nouveau, c'est nous qui sommes les vrais héritiers du foyer des aïeux ; nous en avons pris la flamme, vous n'en avez gardé que la cendre.

Voilà, messieurs, quelle est notre doctrine, voilà quel est notre titre, à la fois idéal et vivant, à enseigner. Et je défie que, dans la France moderne, on puisse instituer un enseignement vivant qui ne se conforme pas à ces principes ; je défie même qu'il puisse y avoir un enseignement privé qui s'y dérobe hardiment et qui ne s'y soumette pas, non pas par peur des contraintes extérieures, mais par peur de se sentir en contradiction trop violente avec l'esprit vivant du monde nouveau.

(*Pages Choisies*,[1] pages 114 à 115)

LA TRADITION FRANÇAISE

Dans ce même discours, il recherche les sources de la tradition française. Il montre comment le christianisme, l'hellénisme et aussi « l'appel passionné à la justice humaine » des prophètes juifs se sont fondus dans le génie de la France.

Nous n'avons pas de la tolérance, mais nous avons, à l'égard de toutes les doctrines, le respect de la personnalité humaine et de l'esprit qui s'y développe.

Cet esprit-là, il est présent à toute la Révolution française. Oh ! vous pouvez montrer cette lutte intérieure, vous pouvez abuser contre elle des combats terribles où elle a été réduite par la nécessité de vivre et de défendre sa pensée ; mais ce qu'il y a

[1] Les *Pages Choisies* auxquelles nous nous référons sont celles de l'édition Rieder (1922).

d'admirable, sachez-le bien, et de bien caractéristique et qui devrait vous émouvoir, vous, le fervent de la tradition, c'est que c'est depuis la Révolution française que la grande tradition nationale a été le mieux comprise. C'est chose admirable de voir comment la grande force historique qui a soulevé un monde nouveau, a ouvert en même temps l'intelligence des mondes anciens.

Messieurs, ce n'est pas seulement parce que la Révolution française, en infligeant aux hommes les épreuves d'un drame aux péripéties ramassées, a invité toutes les consciences à se recueillir, ce n'est pas seulement parce que la Révolution française a donné une sorte d'attrait mélancolique et romantique au monde qu'elle avait aboli, non ! c'est parce qu'en faisant surgir pour la première fois des profondeurs sociales et jaillir en pleine lumière de l'action et de la raison ces forces populaires qui n'avaient été, dans l'ancienne France, que des forces obscures ou subordonnées, en les faisant jaillir, elle a obligé l'historien du lendemain, quand l'atmosphère se serait de nouveau éclairée, à rechercher dans le passé l'histoire de ces forces populaires profondes.

Le volcan qui éclate et qui projette des profondeurs du sol les roches et les laves enfouies depuis des siècles a invité le géologue à fouiller les couches profondes ; de même, la force mécanique de la Révolution, en faisant monter, en faisant jaillir la vie du peuple jusque-là ensevelie, jusque-là enfouie, support obscur de toute la terre de France, la Révolution a amené les historiens à chercher, à fouiller, et c'est de là que sont venus les Chateaubriand, les Thierry, les Michelet et tous les grands historiens qui ont ressuscité le passé avec une sympathie que les siècles précédents ne connaissaient pas.

Messieurs, c'est l'honneur nouveau de notre siècle et de notre civilisation. L'hellénisme si merveilleux, si intelligent, il n'a compris les civilisations antérieures ou les civilisations différentes que par la curiosité accidentelle de quelques rares esprits comme Hérodote. L'ensemble du peuple grec considérait comme barbare tout ce qui n'était pas hellénique. Et le christianisme ! Qu'il a été souvent injuste pour l'antiquité de la Grèce et de Rome ! Le monde moderne est la première grande formation historique qui ait eu le souci des origines lointaines, le sens de la continuité et de la tradition humaine, et voilà pourquoi nous pouvons nous enseigner nous-mêmes sans abaisser le passé.

M. Lemire. — A cause du christianisme.

M. Jaurès. — A cause du christianisme ! Mais il est l'un des éléments évidents de notre formation. Et qui donc, parmi les historiens issus de la Révolution française ou parmi ses philosophes, l'a contesté ?

M. Gérard-Varet disait l'autre jour que nous étions les héritiers de la culture hellénique. Pas d'elle seule. J'espère que nous avons hérité d'elle le sens de la loi, du rythme, de l'équilibre, l'admiration de la beauté aisée. Mais je sais bien aussi que la tradition hellénique n'a pas été le seul élément de l'origine de la grande force française ; il y a la tradition de l'Orient, il y a la tradition chrétienne. Et nous perdrions beaucoup s'il ne s'était pas prolongé dans la conscience française le sérieux de ces grands juifs qui ne concevaient pas seulement la justice comme une harmonie de beauté, mais qui la réclamaient passionnément de toute la ferveur de leur conscience, qui en appelaient au Dieu juste contre toutes les puissances de brutalité, qui évoquaient l'âge où tous les hommes seraient réconciliés dans la justice et où le Dieu qu'ils appelaient, suivant l'admirable mot du psalmiste ou du prophète « effacerait, essuierait les larmes de tous les visages ».

C'est cet appel passionné à la justice humaine, c'est ce sérieux de la conscience hébraïque, mêlé à la grâce, à la force, à la raison de la pensée grecque, qui s'est fondu dans le génie de la France.

(*Pages Choisies*, pages 127 à 129)

PASSÉ, PRÉSENT, AVENIR

Dans ce même discours, Jaurès critique ceux qui méprisent le passé et qui professent une admiration béate pour le présent, malgré ses injustices sociales. Il faut suivre l'histoire dans son enchaînement. Il faut reconnaître dans le présent « la force accumulée des grandeurs du passé et le gage des grandeurs de l'avenir ».

Oh ! je ne dis pas du mal du présent ; je trouve médiocres les hommes qui ne savent pas reconnaître dans le présent la force accumulée des grandeurs du passé et le gage des grandeurs de l'avenir. Je ne méconnais donc pas le présent. Mais enfin il n'est qu'un moment dans l'humanité en marche. Et il y a dans quelques-uns de nos manuels une sorte d'admiration un peu complaisante et béate pour les choses d'aujourd'hui, qui est injurieuse pour le passé et stérilisante pour l'avenir. Je vous l'avoue, quand je lis dans nos manuels, à la charge des siècles passés, à la charge de la monarchie, qu'alors les riches vivaient dans des palais splendides et que les pauvres végétaient dans des taudis...

J'ai peur précisément qu'un des fils du peuple venu à l'école par le détour de nos riches avenues et sortant de ces pauvres taudis où sont encore accumulées tant de familles ouvrières, j'ai peur que cette petite tête ne se redresse anxieuse et interrogative et que l'enfant ne dise tout haut : « Eh bien ! et aujourd'hui ? »

J'ai peur que nos écrivains ne soient pas justes, lorsqu'ils condamnent toute une époque par le seul trait des famines qui l'ont désolée, oubliant que ce n'est pas la seule faute de l'organisation politique et sociale d'alors, mais d'une insuffisance des moyens de production et je trouve douloureux que nous reprochions ainsi aux siècles passés les famines qui venaient de pauvreté, de misère, quand dans l'abondance et dans la puissance des moyens de production d'aujourd'hui, nous ne pouvons pas toujours, nous ne savons pas, ou nous ne voulons pas épargner toujours aux hommes ces dures épreuves ! Famine de l'Inde, famine d'Irlande, en plein dix-neuvième siècle ! Chômages meurtriers dans nos civilisations industrielles ! Oh ! messieurs, glorifions le présent, mais avec mesure, avec sobriété, avec modestie !

Oui, ce qu'il faut, ce n'est pas juger toujours, juger tout le temps. Ah ! je sais bien qu'il est impossible que l'historien, dans le récit des faits, ne s'oriente pas pour ainsi dire vers les clartés d'aujourd'hui ; il est impossible qu'il ne recherche pas, qu'il ne retrouve pas avec émotion tout ce qui annonce, tout ce qui prépare les grandeurs de l'époque moderne ; mais chaque époque doit être jugée en elle-même dans ses moyens d'action et dans son enchaînement naturel.

Il faut se demander dès l'origine de notre histoire française et avant Clovis, avant le christianisme, dans cette Gaule qui avait déjà, même avant les Romains, une physionomie saisissable, il faut se demander d'époque en époque, de génération en génération de quels moyens de vie, d'action, de culture disposaient les hommes, à quelles difficultés ils étaient en proie, quel était le péril ou la pesanteur de leur tâche et rendre justice à chacun sous le fardeau.

Alors, si vous traduisez ainsi l'histoire, si vous la menez ainsi dans son enchaînement, vous serez justes pour les grandeurs d'aujourd'hui, puisque vous aiderez l'enfant, par acheminement, à les mieux comprendre ; mais en même temps vous verrez à chaque époque surgir d'admirables grandeurs. Et pour moi, le Charlemagne qui, au huitième siècle, quand tout croule, sait, un moment, organiser et maintenir pour ainsi dire à la surface de l'eau un monde qui allait sombrer, celui-là m'apparaît avec une admirable hauteur, et lorsque trois siècles après je vois sortant du chaos féodal où l'empire de Charlemagne avait sombré, sortant du jargon qu'était devenue notre pauvre langue décomposée, incapable de suffire à la clarté et à l'analyse des idées, lorsque je vois au douzième siècle surgir les grands poèmes avec leur admirable langue qui a gardé un peu de la sonorité du latin et a déjà la précision d'analyse de notre belle langue classique, j'admire que de ce chaos aient déjà pu surgir de l'ordre et de la pensée.

(Pages Choisies, pages 132 à 134)

L'ESPRIT DES PAYSANS

Jaurès comprend à merveille non seulement la tradition, mais tous les aspects de la vie française. Avec quelle finesse, dans un article de la *Dépêche de Toulouse* du 10 novembre 1889, il analyse l'esprit du paysan.

L'éducation politique et morale des paysans a une grande importance. Pour y réussir, il faut les aimer et les bien connaître.

Le paysan a l'esprit sérieux. Il est obligé de peiner, de calculer, de se défier. Il ne dissipe pas son intelligence en saillies et en bagatelles ; il s'en sert, non comme d'un jouet, mais comme d'un outil. Il n'est pas gouailleur et fantaisiste ; il ignore ce qu'à la ville on appelle la blague. Je parle des vrais paysans, de ceux qui sont attachés au champ, qui labourent et qui sèment. Car il y a dans nos campagnes des irréguliers qui vivent moitié de travail, moitié de maraude, ou qui exercent des métiers variés, extrayant la pierre, creusant des puits, etc. Ceux-ci, de même qu'ils ont souvent de la fantaisie dans leur vie, en ont dans leur esprit et dans leurs paroles. Ils ont de la verve, ils ont des mots qui partent comme des fusées ; ils sont facétieux. Le vrai paysan, lui, a l'esprit grave. Non qu'à l'occasion il n'aime à rire et à se divertir, mais, alors, il a recours à des chansons et à des contes qui contiennent de la joie toute faite, plutôt qu'à des fantaisies personnelles et spontanées de conversation.

En revanche, cette sobriété de l'esprit fait que la moindre plaisanterie l'amuse. On vendange, et il y a dans la vigne beaucoup de vendangeurs et de vendangeuses ; du coteau qui est à l'extrémité opposée de la plaine arrivent dans l'air ensoleillé des sons de cloches. Une paysanne dit, d'un air entendu : « Quelqu'un se pend » ; — c'est le sonneur de cloches qui, en effet, se pend à la corde. C'est là une plaisanterie rebattue, traditionnelle, et pourtant tous y prennent plaisir, la refont pour leur compte, y trouvent de la saveur. Voilà comment les beaux esprits du village ont dans les cercles de paysans des succès si aisés et si énormes. Ces esprits tout neufs, et au fond très sérieux, quand on les met en mouvement, s'amusent de rien.

Le paysan est volontiers sentencieux, surtout en prenant de l'âge. Il s'exprime par proverbes et maximes ; il ne peut pas se créer à lui-même des idées générales, et il les emprunte à la sagesse traditionnelle. « Le pauvre père disait » revient très souvent dans la conversation des paysans. Cette tradition est le seul livre où beaucoup d'entre eux aient lu. Or, elle se compose de formules courtes, de proverbes et de maximes. Nous nous étonnons quelquefois que, vivant en pleine nature, les paysans ne fassent pas sur les phénomènes naturels plus d'observations personnelles et neuves : nous sommes dupes d'une illusion. A part quelques grands faits très simples, comme la succession des saisons, tout dans la nature est extraordinairement compliqué. La plupart des proverbes rustiques ayant trait à la vie agricole n'expriment guère que des coïncidences qui se renouvellent de loin en loin, mais comme c'est pour le paysan le seul point de repère, il y tient beaucoup, et il a beau prendre le proverbe en défaut, dix fois, vingt fois : il n'y renonce pas. C'est qu'il résume pour lui un premier essai de généralisation, de science, et qu'il a, en outre, la marque vénérable de la tradition. Voyez ces paysans sentencieux dont les paysans eux-mêmes disent qu'ils ont « l'air prophète ». On sent que, quand ils citent une maxime, ils croient participer à une sagesse très haute, et qu'ils en conçoivent pour eux-mêmes une sorte de respect.

Au point de vue de la terre, le paysan est très attaché à la propriété individuelle ; au point de vue de l'esprit, il aime, au contraire, à confondre sa propre sagesse avec la sagesse indivise de la tradition. Le prix de l'effort personnel, de la conquête personnelle dans l'ordre du savoir ne lui est pas suffisamment connu. Et c'est là une des raisons qui l'empêchent de vérifier et de corriger par son expérience propre les préjugés nombreux qui circulent.

Ce n'est pas que l'esprit d'invention et de création fasse défaut dans nos campagnes ; il y a une production poétique incessante. Il n'y a guère d'événements un peu curieux au village ou dans la contrée qui ne soient mis en chanson. Qu'il s'agisse d'un mariage comique, de la brouille d'un curé avec sa madone ou d'une élection, il y a toujours une demi-douzaine de poètes qui se cotisent et qui font une pièce de vers en collaboration. Ce n'est pas toujours très relevé, mais c'est vivant. Ce sont les jeunes gens qui font cela.

La jeunesse est, à la campagne, presque une institution. A la ville, et surtout dans les grandes villes, les plaisirs sont tout préparés : c'est le théâtre, c'est le cirque ; vieillards et jeunes gens s'y pressent confondus. Il n'y a de distractions pour les paysans que celles qu'ils organisent eux-mêmes : les fêtes votives, les bals sous les grands arbres. Mais qui donc organisera tout cela, qui s'emploiera à louer les musiciens, à orner l'emplacement, à recueillir les fonds, si ce n'est les jeunes gens ? Ce sont eux surtout qui résistent au curé quand il défend la danse ; ce sont eux qui, à la sortie de vêpres, organisent, à partir du clocher, ces courses à pied où il faut, tous les cent pas, poser un œuf à terre sans le briser ; ce sont eux, quand un mariage leur déplaît, qui sèment de la paille et du foin tout le long du chemin suivi par le cortège ; ce sont eux qui introduisent dans les campagnes les refrains politiques et patriotiques venus de la ville, qui perpétuent dans nos campagnes les veillées, qui, sans eux, se perdraient ; ce sont eux, enfin, qui, à la sortie des offices ou en revenant du marché, escortent la jolie paysanne, laissant les anciens s'entretenir du cours des bestiaux. Aussi, quand à la campagne, il est question de « la jeunesse », on sent qu'il s'agit d'une sorte de puissance organisée, qui n'a rien d'analogue dans les grandes villes.

Le paysan et la poésie

De toutes les poésies qui se font ou qui se chantent à la campagne la nature est à peu près absente ; il s'agit d'amour, de fiançailles, de guerre, de départ, de retour, d'événements locaux ; mais les beautés mêmes de la campagne n'y sont jamais décrites ou même indiquées. Pourtant, le sentiment poétique ne manque pas aux paysans, mais, précisément parce qu'ils vivent dans la monotonie des beautés naturelles, ils demandent à leurs chansons de leur parler d'autre chose. Ils n'ont pas certainement la grande poésie ; et comment l'auraient-ils ? Le temps est passé, où les hommes divinisaient les forces de la nature, le soleil éclatant et les grands bois mystérieux. Les paysans n'ont pas encore sur l'immensité de l'Univers, sur le mouvement ordonné des astres, sur l'évolution et le progrès de la vie, ces grandes idées qui font vibrer la pensée au contact de la nature extérieure. Ils sont habitués à agir, non à rêver ; ils ne peuvent dès lors emprunter au monde visible un aliment pour leurs rêveries.

L'Église a durci et desséché le dogme. L'Évangile, avec son libre et poétique esprit, a été remplacé par des pratiques sèches, des formalités superstitieuses et des croyances terribles. Les doux horizons de la Palestine sont presque inconnus du paysan, et l'étoile qui guidait les bergers ne se lève pas sur lui. Il retrouve la poésie dans sa familiarité de tous les instants avec la vie des êtres et des choses. A la fin de l'hiver, quand les bestiaux, après de longs mois de réclusion, peuvent quitter l'étable, le jeune paysan accourt pour les voir sortir. Ils sont d'abord comme étonnés ; puis grisés soudain par la lumière, le grand air, ils partent comme des fous, ils font en sautant, en mugissant, le tour de la grande prairie ; ils en reprennent possession ; puis tous, bœufs, vaches, taureaux, se précipitent et se confondent comme dans une mêlée. Ces bêtes pesantes s'enlèvent comme des chevaux légers. Elles s'arrêtent, soufflent, aspirent l'air, regardent l'horizon et, comme piquées tout à coup d'un aiguillon de folie, s'enlèvent de nouveau. Peu à peu, elles se mettent à paître l'herbe courte et rare et, de temps à autre, dans le troupeau immobile qui semble cuver son ivresse, un bœuf se remet à bondir comme après l'orage une vague se dresse de loin en loin dans la mer mal apaisée. Ce sont là de puissants spectacles et le jeune paysan y assiste avec un mélange de crainte et de joie.

Lorsque la pluie tombe enfin sur le maïs altéré et fait un bruit joyeux dans les feuilles, la paysanne dit : « Le maïs rit ». Lorsque les fèves encore jeunes viennent bien, sous un soleil doux, dans la terre bien travaillée et gonflée de suc, la paysanne, réjouie, dit : « Les fèves tètent ».

Les paysans s'ennuient dans les lieux clos et bas. Évidemment, ils se nourrissent, à leur insu même, des grands horizons. Un soir, je causais avec un laboureur au sommet d'un coteau qui dominait une grande étendue de pays. L'air était transparent et calme ; nous regardions la montagne lointaine d'un bleu sombre qui fermait l'horizon. Il nous sembla entendre un murmure très vague qui arrivait vers nous : c'était le vent du soir qui se levait au loin sur la montagne, et, dans la tranquillité merveilleuse de l'espace, le premier frisson des forêts invisibles venait vers nous. Le paysan écoutait, visiblement heureux ; il me dit en son patois : « *Lou tèn ès aousenc* ». L'expression est intraduisible dans notre langue : il faudrait dire : le temps est *entendif*. Le mot exprime cet état de l'air qui est pour le son ce que l'absolue transparence est pour la lumière. Mais de pareils mots n'indiquent-ils pas, mieux que bien des effusions, la poétique familiarité du paysan avec les choses ?

Il n'est point incapable des hautes mélancolies. J'ai connu des vieillards qui, la journée finie, couchés sur la terre sombre où ils allaient bientôt disparaître, parlaient de la mort avec une sorte d'étonnement résigné : « Tout sera bien fini, disaient-ils, et personne n'en revient ». Chose étrange et que j'ai souvent constatée : les mêmes hommes qui parlaient de la mort comme de la destruction totale, parlaient peu de temps après ou en même temps de l'âme et de sa survivance. Évidemment, beaucoup de paysans n'accordent pas l'idée naturelle qu'ils ont de la vie et de la mort avec l'idée qu'ils tiennent de l'Église. Ils ont dans l'esprit, sans s'en douter, des idées contraires : elles ne se heurtent point parce qu'ils n'y réfléchissent pas assez ; elles sont simplement juxtaposées. D'un côté, ils croient très bien, avec l'Église, que l'homme est supérieur aux bêtes, qu'il a une âme, et que cette âme ne périra pas. D'un autre côté, comme on n'a pas développé en eux la vie de la pensée, comme toute leur existence s'use dans le labeur opiniâtre des bras, dans la lutte avec la terre, ils ne peuvent ni se figurer, ni même pressentir ce qui survivrait d'eux dans un autre ordre d'existence ; il leur semble, par ce côté, que la terre en les recouvrant les aura tout entiers.

Dans les nuits sans lune, les astres brillent, mais ils n'éclairent pas sensiblement la terre ; elle est toute noire, et les étoiles semblent resplendir pour elles-mêmes dans les hauteurs : il y a comme divorce du ciel et de la terre. De même, il y a dans l'âme du paysan divorce entre la vie machinale à laquelle il a été condamné et les espérances immortelles que l'Église a gravées à la surface de son esprit, mais qu'elle n'a point fondues dans son existence quotidienne. Elle a imposé des dogmes du dehors ; elle n'a point éveillé la pensée intime. Le premier soin de l'Église, si elle voulait faire pénétrer vraiment l'esprit chrétien jusqu'au fond des âmes, devrait être d'aider et non de combattre ceux qui, comme nous, veulent éveiller partout la pensée ; mais l'Église ne songe qu'à sa domination. C'est à nous d'amener peu à peu la démocratie rurale à la pensée personnelle.

(*Pages Choisies*, pages 178 à 183 [1])

LES PROLÉTAIRES ONT UNE PATRIE

C'est dans le chapitre X de l'*Armée Nouvelle* (*Le ressort moral et social*) que Jaurès a exposé de façon magistrale sa conception de la patrie. Il montre que le prolétariat n'est pas hors de la patrie. Il explique que la phrase fameuse du *Manifeste Communiste* : « Les ouvriers n'ont pas de patrie » n'était qu'une boutade passionnée.

Si l'on se risquait à caractériser l'État d'aujourd'hui, on ne le pourrait qu'en introduisant, au moins dans la formule, l'idée de mouvement ; on pourrait dire qu'il est l'expression d'une démocratie bourgeoise où la puissance du prolétariat grandit. Dire qu'une classe qui a conquis le suffrage universel et exproprié la

[1] Cet article fait partie du recueil *Action Socialiste*.

bourgeoisie de son privilège politique, qui a assuré à tous ses enfants un minimum d'instruction dans des écoles dont le progrès est le souci constant et l'honneur de toutes les nations civilisées, qui a réussi à délivrer l'enseignement public des contraintes dogmatiques qui propageaient la résignation ; dire qu'une classe qui peut librement s'organiser, non pas sans quelque péril, mais avec un péril qui décroît à mesure que les travailleurs font plus largement usage de leur droit, qui peut refuser son travail et développer des grèves toujours plus vastes, où elle souffre sans doute, mais où elle n'est pas toujours seule à souffrir, et dont l'effet d'ensemble a été certainement de relever sa condition, d'accroître sa force et son autorité ; qui dresse un programme de revendications successives dont les articles s'imposent, l'un après l'autre, à la démocratie, et qui propage avec éclat l'idée d'une transformation révolutionnaire ; qui, d'ailleurs, par la constitution même des armées modernes et par leur inévitable évolution dans le sens des milices populaires est, pour ainsi dire, au cœur même de la puissance sociale et dans la forteresse de l'État ; dire que cette classe n'est qu'un néant dans la balance des forces sociales, qu'elle n'entre pas dans la composition et dans la définition de l'État, qu'elle est condamnée à n'être rien jusqu'au jour où elle sera tout, c'est aller contre l'évidence, c'est refouler l'immense mouvement des choses et anéantir tout ce que le prolétariat a conquis. C'est par le fanatisme abstrait de la pensée, et en partant du pôle révolutionnaire, faire acte de contre-révolution, c'est décourager l'effort de chaque jour sans lequel il n'y aura pas de libération finale. Ou plutôt, comme la force de vie qui est dans le peuple réagit spontanément contre ce pessimisme factice et pédantesque, c'est diminuer l'efficacité de l'action populaire et prolétarienne par la contradiction à demi paralysante des mots qu'on redit et des choses qu'on fait. C'est protéger la classe privilégiée contre le sentiment de l'inévitable et de l'irréparable qui s'emparerait d'elle si le prolétariat, reconnaissant la valeur de chaque résultat conquis, s'en servait délibérément comme d'un degré pour s'élever à une puissance plus haute. Prendre vraiment conscience de sa force, c'est l'accroître, et je me risque à dire qu'il ne manque aujourd'hui à la classe ouvrière, pour être une grande force dans l'État, que de savoir tout ce qu'elle peut, par l'action méthodique, dans la démocratie.

Le prolétariat n'est donc pas hors de la patrie. Quand le *Manifeste Communiste* de Marx et d'Engels prononçait, en 1847, la fameuse phrase si souvent répétée et exploitée en tous sens : « Les ouvriers n'ont pas de patrie », ce n'était qu'une boutade passionnée, une réplique toute paradoxale, et d'ailleurs malencontreuse, à la polémique des patriotes bourgeois qui dénonçaient le communisme comme destructeur de la patrie. Aussi bien, Marx lui-même se hâtait de corriger et de restreindre le sens de sa formule. Il ajoute aussitôt :

« Sans doute le prolétariat doit conquérir d'abord le pouvoir politique, s'ériger en classe nationale souveraine et se constituer lui-même en nation ; et en ce sens il est encore attaché à une nationalité. Mais il ne l'est plus au sens de la bourgeoisie. »

Ce sont des subtilités assez obscures et assez vaines. Comment le prolétariat pourrait-il se constituer en nation, si la nation n'était pas déjà donnée et si le prolétariat n'avait pas de vivants rapports avec elle ? Et si le *Manifeste* veut dire simplement qu'une classe n'a pas de patrie tant qu'elle n'est pas pleinement maîtresse de la patrie, tant qu'elle n'y a pas conquis tout le pouvoir politique, il faut qu'il proclame, pour toute la période de l'ancienne monarchie, depuis le timide avènement des Communes jusqu'à la Révolution française : « Les bourgeois n'ont pas de patrie ». C'est la substitution d'une série de révolutions abstraites et artificielles à la profonde évolution révolutionnaire si souvent définie par Marx lui-même avec tant de force. C'est la négation sarcastique de l'histoire elle-même, et de ce que la dialectique marxiste a d'original et de fort. C'est l'idée sacrifiée à la boutade...

Nation et démocratie

Mais que pouvait bien signifier dès lors pour les auteurs du *Manifeste* le mot sur les prolétaires et la patrie, puisque l'avènement du prolétariat supposait selon eux l'avènement de la démocratie et que, dans l'Europe moderne, la force du sentiment national et la force du sentiment démocratique sont inséparables ? L'indifférence prétendue du prolétariat pour la patrie était le pire contresens à une époque où partout les peuples aspiraient à la fois à l'indépendance nationale et à la liberté politique, condition de l'évolution prolétarienne. Pour que les peuples puissent se

gouverner eux-mêmes démocratiquement, encore faut-il qu'ils
soient constitués, qu'ils ne soient pas morcelés et assujettis par
un reste de régime féodal, qu'ils ne soient pas écrasés par la
domination brutale de l'étranger. Qu'importe de chasser les
tyrans, les nobles et les prêtres, si les despotes du dehors peuvent,
du dehors, les ramener, et resserrer de nouveau les poitrines qui
respiraient à peine ? Qu'importe de chasser l'étranger si c'est
pour subir au dedans les maîtres qu'il prétendait imposer ? Ainsi
en France, en Espagne, en Allemagne, en Italie, depuis la révolution, démocratie et nationalité se confondent. Leur histoire
depuis un siècle n'a de sens que par là. La nationalité et la démocratie quoique unies en un même foyer ne se sont pas toujours
développées d'un mouvement égal. Mais elles ont toujours été
inséparables. Il n'y a jamais eu de démocratie, si pacifique soit-
elle, qui ait pu se fonder et durer si elle ne garantissait pas
l'indépendance nationale. Il n'y a jamais eu de nation, si militaire
soit-elle, qui ait pu se constituer ou se sauver si elle ne faisait pas
appel en quelque mesure aux forces révolutionnaires de liberté.
Les peuples ont pu être dupés à certaines heures et ne pas recevoir
en liberté, en démocratie l'équivalent de l'effort national qu'ils
avaient fait, comme l'Allemagne après 1815, et même après 1866
et 1870. Mais ils n'ont pas été entièrement frustrés. Il y a toujours
eu une part de victoire démocratique dans la victoire nationale...

Il était donc impossible de combattre la réaction européenne
sans créer du même coup, malgré elle et contre elle, des nations
et des démocraties ; et si le prolétariat s'était conduit comme un
étranger dans la patrie, s'il avait pris au sérieux les sarcasmes du
Manifeste, il n'aurait été qu'une secte bizarre d'illuminés impuis-
sants et malfaisants. Il n'aurait été à aucun degré une force vivante,
une force de révolution, et il aurait continué à l'heure où sonnait
pour lui l'action ce qu'avait de plus enfantin « le socialisme
utopique » des premiers jours.

(*L'Armée Nouvelle*,[1] passim, pages 359 à 363)

---

[1] L'édition de l'*Armée Nouvelle* à laquelle nous nous référons est celle des
Œuvres de Jean Jaurès.

LES RACINES PROFONDES DE LA PATRIE

Parcourant l'histoire de la France, il s'efforce de prouver que
le patriotisme ne repose pas sur la propriété foncière. La patrie,
dit-il, tient par ses racines « à la physiologie de l'homme ».

Anatole France se trompe quand, dans l'introduction à la vie
de Jeanne d'Arc, il appuie la patrie sur la propriété foncière,
quand il croit qu'elle n'a de sens et de valeur que pour ceux qui
possèdent le sol. L'histoire des patries déborde en tous sens cette
définition étroite. Le splendide patriotisme de la démocratie
athénienne au temps de Périclès ne reposait pas sur la propriété
foncière, dont l'ancienne primauté avait été ruinée par l'avènement des nouvelles classes marchandes. Et, du haut de l'Acropole,
l'orgueil de la cité souriait à la mer. Rome a péri de n'avoir pu
appuyer sa domination qu'au sol, sans cesse agrandi et épuisé
par la conquête. Le génie de Caïus Gracchus est de l'avoir
compris ; quand il combattait la dévorante aristocratie terrienne,
il n'avait pas seulement pour objet de constituer ou de reconstituer une forte plèbe rurale, une démocratie de petits propriétaires, de leur donner en Italie, de leur réserver dans le reste
du monde peu à peu conquis, une plus large part. Il faisait appel
à la classe des chevaliers, aux hommes nouveaux enrichis par
le négoce, par les échanges, par la finance. Il attendait d'eux
qu'ils aident le peuple à refouler une noblesse avide et usurpatrice,
et aussi qu'ils soient le lien vivant, la force de communication et
de cohésion sans laquelle un vaste domaine national purement
terrien risque de se décomposer. L'échec de sa glorieuse tentative,
une des plus dramatiques qui soient dans l'histoire, parce que
tout le destin de Rome et du monde y était engagé, laissa libre
jeu aux germes de dissolution féodale qui menaçaient la civilisation romaine. Si Caïus avait pu régénérer le patriotisme romain,
ce n'eût pas été par le seul réveil des forces rurales, mais par
l'accroissement combiné des forces terriennes et des forces
marchandes et financières.

Le malheur de Rome, c'est que la production industrielle et
marchande, je dirai presque par anticipation la production
bourgeoise, n'y a pas été assez forte pour soutenir la charge d'une
administration de conquête aussi onéreuse ; c'est que les classes

moyennes urbaines n'y ont pas eu assez de puissance politique
pour maintenir, par l'importance et la continuité des échanges,
l'unité d'un vaste empire. Bien loin que la propriété foncière soit
l'unique fondement de la patrie, on peut dire que là où la propriété foncière est la force dominante et presque exclusive, la
patrie est au minimum, soit que l'unité des domaines fonciers à
peu près autonomes et de petites dominations foncières à peu
près indépendantes ne soit maintenue que par un terrible despotisme asiatique ou cosaque, qui éteint dans les âmes cette sorte
de fierté sans laquelle il n'est pas de patrie, soit que tous les
rapports se distendent et que des liens de vassalité, très lâches et
très flottants, se substituent au lien serré de la communauté
nationale.

De la Gaule au Moyen âge

Ce n'est pas la vie agricole avec ses échanges limités qui a créé
l'unité de la Gaule, préparation de la précoce unité française.
Dans son livre, vraiment admirable, sur la géographie de la
France, M. Vidal de Lablache a bien montré qu'il n'y avait en
Gaule, avant la naissance des grands courants commerciaux, que
des pays : c'est-à-dire des cercles assez étroits, comprenant juste
assez de territoire pour produire à peu près ce qui était nécessaire
aux habitants ; un peu de plaine et un peu de coteau, si possible ;
quelques pâturages, quelques bois et quelques labours, et dans
certaines zones, quelques vignobles. Ces petits pays, qui formaient
chacun une sorte de petit monde économique clos, auraient vécu
sans doute indéfiniment en eux-mêmes et sur eux-mêmes, sans
autres rapports avec les voisins que quelques échanges infimes et
accidentels ou quelques querelles de voisinage, si les forces
unifiantes n'étaient pas intervenues, surtout la force du commerce
qui, de Marseille à la Cornouaille britannique, échangeait les
métaux du Nord et les produits de la Méditerranée, ou qui portait
aux peuplades du Nord, de la Gaule à la Germanie, les mar-
chandises de la Narbonnaise et des bords méditerranéens. La
conquête même n'aurait pas provoqué une réaction d'unité
gauloise si celle-ci n'avait pas été préparée par tout un système,
par tout un réseau d'échange. Ainsi la patrie était portée en
quelque sorte au-dessus du sol.

Dans le moyen âge féodal, le souvenir de la monarchie mérovingienne centralisée, mais surtout le souvenir de l'empire carlovingien et la grande ombre de Charlemagne planent sur un monde décomposé et le rappellent à une sorte d'unité vaste. A mesure que s'émiettait le grand pouvoir auguste qui avait dominé un moment et organisé tant de forces, un regret hantait les âmes, toutes tristes de n'être plus qu'une poussière dans la nuit. Ce regret de l'unité, cette mélancolique aspiration à des ensembles ordonnés et vastes réagissaient en quelque mesure contre les forces de dispersion de la propriété foncière, dont la féodalité était la suprême formule. La grande unité de la foi chrétienne et l'organisation de l'Église modéraient aussi les effets de dissolution. Au-dessus des souverainetés fragmentées et dispersées du régime féodal subsistaient, suivant une formule de ce temps, deux idées unifiantes et étendues, *patria et christianitas*, la patrie et la chrétienté.

Mais la force dominante de la propriété foncière désagrégeait le système social. Les grands possesseurs du sol ont bien moins besoin de la patrie, au sens vaste et plein du mot, que les producteurs industriels et marchands. Le grand domaine du moyen âge avec son château-fort sur la hauteur et ses vassaux se protège à peu près lui-même. Il peut échoir par mariage ou par alliance à un suzerain éloigné, et dont la protection soit distante. Des liens flottants, des rapports variables le rattachent au monde du dehors, et il peut appartenir successivement, ou même simultanément, à des patries différentes, par l'attribution à des suzerains différents de différents droits. Cette hiérarchie complexe, mobile, incertaine n'a rien de la force enveloppante et de la vigueur permanente de l'État.

Au contraire, dès que le producteur industriel n'est plus une dépendance du manoir, dès qu'il produit pour le marché, il a besoin d'une protection plus étendue et plus constante pour ses échanges, pour ses déplacements personnels, pour l'expédition de ses produits. Il perçoit des rapports plus vastes, il se sent plus directement solidaire d'un groupement plus étendu, de la bonne ou mauvaise administration de tout un ensemble ; et c'est précisément parce qu'il est moins enraciné au sol qu'il est plus fortement enraciné à la patrie.

Certes, les pauvres paysans ont vu avec joie le développement de la puissance royale qui les a protégés contre les pilleries et les

C

violences, contre les contre-coups funestes des guerres privées de
seigneur à seigneur, de domaine à domaine, et l'accord entre la
royauté et les communes urbaines n'a été ni si délibéré, ni si
systématique qu'on l'a dit parfois. C'est pourtant l'avènement des
communes qui a aidé la monarchie à se débrouiller du chaos
féodal et à constituer une unité française visible et consciente.
C'est la Hanse, c'est la fédération des villes industrielles et
marchandes qui a maintenu jusque dans l'extrême décomposition
quelque idée, quelque figure de l'unité allemande. Si l'assistance
des hommes armés des communes a permis à Philippe-Auguste,
à Bouvines, de sauver l'autonomie française menacée à l'Est et à
l'Ouest, c'est que l'hommage féodal avait cessé d'être le seul lien
des hommes, c'est que parmi les artisans groupés et dont l'ambition grandissait, l'idée de solidarité nationale était née. Et ce
n'est pas du sol, ce n'est pas de la propriété foncière que cette
idée germait, mais d'une activité plus libre et plus vaste.

Jeanne d'Arc

Même l'admirable mouvement national déterminé par Jeanne
d'Arc n'est pas un mouvement terrien. Les soulèvements paysans
font les Vendées, ils ne déterminent pas les grands mouvements
d'enthousiasme et d'unité. C'est dans une France où la terre n'est
plus la seule force de vie, où les communes ont déjà joué un
grand rôle, où Saint Louis a sanctionné et promulgué le livre des
métiers et les statuts des corporations, où les révolutions
parisiennes des règnes de Charles V et Charles VI ont fait
apparaître des forces neuves, la bourgeoisie marchande et le
peuple artisan, où les plus clairvoyants, parmi ceux qui veulent
réformer le royaume, ont rêvé d'une alliance de la bourgeoisie et
des paysans contre le désordre et l'arbitraire, c'est dans cette
France moderne que gouvernera demain « le roi bourgeois », fils
du pauvre sire, qui va être sauvé par Jeanne d'Arc. C'est dans un
pays déjà compliqué, subtil, raffiné, complaisant aux fines
douleurs littéraires de ce Charles d'Orléans dont la captivité
émouvait le cœur de la bonne Lorraine, c'est dans cette société
qui est bien plus que rurale, que Jeanne affirme sa mission et se
dévoue au salut de la patrie.

Humble fille des champs qui avait vu les douleurs et les
angoisses des paysans qui l'entouraient, mais pour qui ces

détresses mêmes n'étaient que l'exemple prochain d'une douleur plus auguste et plus vaste, la douleur de la royauté dépouillée, de la nation envahie. Il n'y a dans son âme, dans sa pensée, rien de local, rien de terrien, elle regarde bien au delà des champs de Lorraine. Son cœur de paysanne est plus grand que toute paysannerie. Il bat au loin avec les bonnes villes investies par l'étranger. Vivre aux champs, ce n'est pas nécessairement s'absorber aux choses de la terre. Dans le bruit naissant et dans la cohue grossière des cités, le rêve de Jeanne eût été sans doute moins libre, moins audacieux et moins vaste. La solitude a protégé la hardiesse de sa pensée, et elle vivait d'autant mieux avec la grande communauté de la patrie qu'elle pouvait, sans trouble, emplir l'horizon silencieux d'une douleur et d'une espérance qui allaient au delà.

Ce n'est pas une révolte de paysanne qui montait en elle ; c'est toute une grande France qu'elle voulait délivrer, pour la mettre ensuite dans le monde au service de Dieu, de la chrétienté et de la justice. Son dessein lui paraît si religieux et si grand qu'elle aura le courage, pour l'accomplir, de résister même à l'Église et de se réclamer d'une révélation supérieure à toute révélation. Elle dira aux docteurs qui la pressent de justifier par les livres saints ses miracles et sa mission : « Il y a plus de choses dans le livre de Dieu que dans tous vos livres ». Parole prodigieuse et qui est en quelque façon à l'opposé de l'âme paysanne, dont la foi est faite surtout de tradition. Mais que nous sommes loin du patriotisme ou incertain ou étroit et dur de propriété terrienne ! C'est au plus haut de l'azur rayonnant et doux que Jeanne entendait les voix divines de son cœur.

La Révolution Française

De même, et de façon bien plus évidente, l'ardent patriotisme révolutionnaire déborde infiniment les intérêts de la propriété foncière, ou plutôt, il est d'un autre ordre. Sans doute, les petits propriétaires paysans furent d'autant plus attachés à la patrie nouvelle, ils mirent d'autant plus de passion à la défendre contre les despotes du dehors, ramenant les tyrannies intérieures, qu'elle avait libéré leur terre des servitudes féodales et des dîmes ecclésiastiques. Et il est vrai qu'à chacun de ses progrès nouveaux dans le sens de la démocratie, la Révolution s'assurait, en élargis-

sant le droit des paysans, en complétant l'affranchissement du
sol ; il est vrai qu'elle considérait aussi la diffusion de la propriété
terrienne comme la garantie de la liberté, et qu'elle promettait,
par ses lois, un peu de terre à tous ceux qui défendaient la patrie.
Mais enfin ce n'est pas la classe des propriétaires fonciers qui a
déterminé le mouvement révolutionnaire. C'est surtout la croissance de la bourgeoisie, et Barnave a montré, en quelques pages
qui sont une des plus ingénieuses et des plus fortes applications
du « matérialisme historique », que c'est la substitution grandissante des influences industrielles et de la propriété mobilière à la
domination foncière qui a produit la vaste révolution européenne
dont le sommet était en France.

Aussi bien il serait enfantin d'imaginer que les prolétaires, que
les ouvriers des faubourgs ou des sombres rues du centre de
Paris, quand ils se passionnaient pour la Révolution, quand ils
donnaient leur sang pour elle, étaient conduits par l'appât de
quelques miettes de terre qui, un jour peut-être, seraient dis-
tribuées aux vétérans de la patrie, ou même par l'espérance
définie d'une participation précise à une forme quelconque de la
propriété. Ils allaient vers l'avenir sans lui demander, si j'ose dire,
des engagements formels. Ils savaient bien que leur action aurait
un jour des effets sociaux, et tout de suite ils trouvaient une noble
joie dans cette action même. La Révolution leur donnait d'emblée
mieux qu'un titre de propriété, mieux qu'un bon à valoir sur le
domaine public, immobilier ou mobilier. Elle leur donnait la
conscience de leur dignité et de leur force, et des vastes possibilités
d'action qu'aurait, dans la pleine démocratie, le travail robuste et
fier.

Ainsi la patrie n'a pas pour fondement des catégories économiques exclusives, elle n'est pas enfermée dans le cercle étroit
d'une propriété de classe. Elle a bien plus de profondeur organique
et bien plus de hauteur idéale. Elle tient par ses racines au fond
même de la vie humaine et, si l'on peut dire, à la physiologie de
l'homme. Les individus humains ont toujours été capables de
rapports plus étendus que les rapports de descendance et de con-
sanguinité, qui sont la base plus ou moins large de la famille.
Mais les conditions mêmes de la vie sur la planète ont rendu
impossible jusqu'ici la formation d'une société unique. La terre
a été longtemps plus grande que l'homme, et elle a imposé à

l'humanité la loi de la dispersion. C'est par groupes multiples, séparés, défiants, souvent ennemis, que la race humaine a dû tout d'abord se constituer.

Les patries, les groupements distincts ont été la condition des groupements plus vastes que prépare l'évolution. Et en chacun de ces groupes une vie commune s'est développée qui garantissait et amplifiait la vie de tous et de chacun ; une conscience collective s'est formée en qui les consciences individuelles étaient unies et exaltées. Même pour les exploités, même pour les asservis, le groupement humain où ils avaient du moins une place définie, quelques heures de sommeil tranquille sur la marche la plus basse du palais, valait mieux que le monde du dehors, plein d'une hostilité absolue et d'une insécurité totale.

(*L'Armée Nouvelle*, pages 364 à 370)

PATRIE ET RÉVOLUTION SOCIALE

La patrie est une réalité. Et l'action révolutionnaire et internationale devra porter « la marque de toutes les réalités nationales ». C'est même quand la révolution aura triomphé dans chaque patrie, quand l'harmonie sociale aura été substituée à la lutte des classes, que l'unité nationale sera vraiment forte.

Quand on dit que la révolution sociale et internationale supprime les patries, que veut-on dire ? Prétend-on que la transformation d'une société doit s'accomplir de dehors et par une violence extérieure ? Ce serait la négation de toute la pensée socialiste, qui affirme qu'une société nouvelle ne peut surgir que si les éléments en ont été déjà préparés dans la société présente. Dès lors, l'action révolutionnaire, internationale, universelle, portera nécessairement la marque de toutes les réalités nationales. Elle aura à combattre dans chaque pays des difficultés particulières, elle aura en chaque pays, pour combattre ces difficultés, des ressources particulières, les forces propres de l'histoire nationale, du génie national. L'heure est passée où les utopistes considéraient le communisme comme une plante artificielle qu'on pouvait faire fleurir à volonté, sous un climat choisi par un chef de secte. Il n'y a plus d'Icaries. Le socialisme ne se sépare plus de la vie, il ne se sépare plus de la nation. Il ne déserte pas la patrie ; il se sert de la patrie elle-même pour la transformer et pour l'agrandir. L'internationalisme abstrait et anarchisant qui ferait fi des conditions de lutte, d'action, d'évolution de chaque groupement historique ne serait qu'une Icarie, plus factice encore que l'autre et plus démodée.

Il n'y a que trois manières d'échapper à la patrie, à la loi des patries. Ou bien il faut dissoudre chaque groupement historique en groupements minuscules, sans lien entre eux, sans ressouvenir et sans idée d'unité. Ce serait une réaction inepte et impossible, à laquelle, d'ailleurs, aucun révolutionnaire n'a songé ; car, ceux-là même qui veulent remplacer l'État centralisé par une fédération ou des communes ou des groupes professionnels, transforment la patrie ; ils ne la suppriment pas ; et Proudhon était français furieusement. Il l'était au point de vouloir empêcher la formation des nationalités voisines. Ou bien il faut réaliser l'unité humaine par la subordination de toutes les patries à une seule. Ce serait un césarisme monstrueux, un impérialisme effroyable et oppresseur dont le rêve même ne peut pas effleurer l'esprit moderne. Ce n'est donc que par la libre fédération de nations autonomes répudiant les entreprises de la force et se soumettant à des règles de droit, que peut être réalisée l'unité humaine. Mais alors ce n'est pas la suppression des patries, c'en est l'ennoblissement. Elles sont élevées à l'humanité sans rien perdre de leur indépendance, de leur originalité, de la liberté de leur génie. Quand un syndicaliste révolutionnaire s'écrie au récent congrès de Toulouse : A bas les patries ! Vive la patrie universelle ! il n'appelle pas de ses vœux la disparition, l'extinction des patries dans une médiocrité immense, où les caractères et les esprits perdraient leur relief et leur couleur. Encore moins appelle-t-il de ses vœux l'absorption des patries dans une énorme servitude, la domestication de toutes les patries par la patrie la plus brutale, et l'unification humaine par l'unité d'un militarisme colossal. En criant : A bas les patries ! il crie : A bas l'égoïsme et l'antagonisme des patries ! A bas les préjugés chauvins et les haines aveugles ! A bas les guerres fratricides ! A bas les patries d'oppression et de destruction ! Il appelle à plein cœur l'universelle patrie des travailleurs libres, des nations indépendantes et amies...

Le miroir vivant

... toute la nature, de bas en haut, est associée à la montée de l'esprit ; les puissances obscures s'élèvent dans la lumière et se transfigurent sans se dissiper. De même les nations s'élèveront dans l'humanité sans se dissoudre. La grande force collective, la grande passion collective des peuples organisés, au lieu de se déchaîner en violence d'orgueil et de convoitise, sera soumise à la loi supérieure de l'ordre humain, réglée et pénétrée jusqu'en son fond par l'idée du travail, de la justice et de la paix. Mais elle ne perdra pas sa vertu.

Dès maintenant, c'est une joie pour tous les militants du socialisme international, c'est une fierté et une force de faire appel, en vue de l'ordre nouveau, à ce que les patries ont de plus noble dans leur tradition, dans leur histoire, dans leur génie. Tous les actes de courage et de noblesse qui marquent le niveau où peut se hausser la nature humaine, tous les efforts d'invention, toutes les audaces de l'esprit, tous les progrès de liberté, de démocratie et de lumière, qui ont préparé une civilisation supérieure, et qui ont disposé le peuple à y participer, nous les appelons à nous, nous les évoquons. Nous disons aux hommes : Pourquoi ce mouvement s'arrêterait-il ? Pourquoi tous ceux qui sont restés jusqu'ici dans la dépendance et dans l'ombre ou dans la pénombre ne seraient-ils pas élevés à la liberté et à la clarté ? Mais n'est-ce pas dans un régime de coopération sociale que toutes les initiatives trouveront leur garantie, que toutes les intelligences et les consciences auront leur plein essor ?

Nous prenons à témoin la patrie elle-même dans sa continuité et dans son unité. L'unité sera plus forte quand, à la lutte des classes dans chaque patrie, sera substituée l'harmonie sociale, quand la propriété collective servira de fondement à la conscience commune. La continuité sera plus profonde quand tous les efforts du passé aboutiront à l'universelle libération, quand tous les germes d'égalité et de justice s'épanouiront en une magnifique floraison humaine, quand le sens vivant de l'histoire de la patrie se révélera à tous par un accomplissement de justice, quand les œuvres les plus fines et les plus hautes du génie seront enfin, dans la culture individuelle et la culture sociale agrandies, l'orgueil et la joie de toutes les intelligences. Par là, la patrie sera le miroir vivant où toutes les consciences pourront se reconnaître. Par là, les prolétaires qui n'eurent au cours des temps qu'une possession partielle et trouble de la patrie en auront enfin la possession pleine et lumineuse. Elle sera bien à eux, même dans le passé, puisque par leur effort suprême tout le travail des siècles aura abouti à leur exaltation dans la justice.

Dès aujourd'hui, parce qu'ils peuvent lutter dans la patrie pour la transformer selon une idée plus haute, ils ne sont pas extérieurs à la patrie. Ils sont en elle parce qu'ils agissent sur elle ; parce que l'indépendance des nations, comme nations, abrite l'effort socialiste international ; parce que la démocratie, forme des nations modernes, seconde l'action des salariés ; parce qu'ils ne peuvent vaincre qu'en s'appropriant, en chaque pays, les plus hautes qualités d'esprit et d'âme, et l'essence même du génie de la nation ; parce que l'humanité nouvelle ne sera riche et vivante que si l'originalité de chaque peuple se prolonge dans l'harmonie totale, et si toutes les patries vibrent à la lyre humaine.

Ainsi les patries en leur mouvement magnifique de la nature à l'esprit, de la force à la justice, de la compétition à l'amitié, de la guerre à la fédération, ont à la fois toute la force organique de l'instinct et toute la puissance de l'idée. Et la classe prolétarienne est plus que toute autre classe dans la patrie, puisqu'elle est dans le sens du mouvement ascendant de la patrie. Quand elle la maudit, quand elle croit la maudire, elle ne maudit que les misères qui la déshonorent, les injustices qui la divisent, les haines qui l'affolent, les mensonges qui l'exploitent, et cette apparente malédiction n'est qu'un appel à la patrie nouvelle, qui ne peut se développer que par l'autonomie des nations, l'essor des démocraties et l'application à de nouveaux problèmes de toute la force des génies nationaux, c'est-à-dire par la continuation de l'idée de patrie jusque dans l'humanité.

Voilà pourquoi, en tous ses congrès, l'Internationale ouvrière et socialiste rappelle aux prolétaires de tous les pays le double devoir indivisible de maintenir la paix, par tous les moyens dont ils disposent, et de sauvegarder l'indépendance de toutes les nations.

(*L'Armée Nouvelle*, passim, pages 373 à 377)

PATRIOTISME ET INTERNATIONALISME

On ne peut séparer Internationale et patrie ; elles sont liées.
La lutte même révolutionnaire contre la guerre, la lutte contre
« les maquignons de la patrie » n'est pas en contradiction avec
la nécessité, pour les prolétaires, de participer à l'organisation
populaire de la défense nationale.

Que la double tâche de lutter, même révolutionnairement, contre
la guerre et de sauvegarder dans la tourmente l'indépendance des
nations soit aussi difficile que grandiose, les prolétaires le savent.
La classe qui assume cette responsabilité glorieuse et formidable
s'oblige elle-même à un immense effort d'éducation et d'organisation, d'habileté et d'héroïsme. Elle n'a pas la naïveté de prétendre
enfermer d'avance dans une formule bien équilibrée des événements tumultueux. Un schéma abstrait ne suffit pas à guider les
hommes dans ces crises confuses et terribles. Mais ce qui est
certain, c'est que la volonté irréductible de l'Internationale est
qu'aucune patrie n'ait à souffrir dans son autonomie. Arracher
les patries aux maquignons de la patrie, aux castes de militarisme
et aux bandes de finance, permettre à toutes les nations le
développement indéfini de la démocratie et de la paix, ce n'est
pas seulement servir l'Internationale et le prolétariat universel,
par qui l'humanité à peine ébauchée se réalisera, c'est servir la
patrie elle-même. Internationale et patrie sont désormais liées.
C'est dans l'Internationale que l'indépendance des nations a sa plus
haute garantie ; c'est dans les nations indépendantes que l'Internationale a ses organes les plus puissants et les plus nobles. On pourrait presque dire : un peu d'internationalisme éloigne de la patrie ;
beaucoup d'internationalisme y ramène. Un peu de patriotisme
éloigne de l'Internationale ; beaucoup de patriotisme y ramène.

Il n'y a donc aucune contradiction pour les prolétaires socialistes
et internationalistes à participer, de façon active, à l'organisation
populaire de la défense nationale. Au contraire, plus le problème
qu'ils ont à résoudre est difficile et troublant, plus il importe qu'ils
accroissent leur autorité et leur influence en exerçant toute la
force d'action dont ils peuvent disposer. Plus il importe aussi
qu'ils aient sur l'armée des prises très fortes, pour la faire mieux
servir, aux heures de crise, aux fins sublimes du prolétariat, à

la protection de la paix internationale et de l'indépendance nationale. Leur participation active au fonctionnement de l'armée renouvelée est donc une loi de la croissance prolétarienne et de l'action socialiste. Cette loi, il est impossible que les prolétaires ne la reconnaissent point. De même qu'il arrive parfois au prolétariat, par dégoût des actes de la République bourgeoise, de paraître détaché de la République, mais qu'il s'émeut de colère quand réellement la République est menacée, et qu'il tressaille de joie quand une République nouvelle, même bourgeoise, surgit en Europe, de même, et malgré l'abus des formules paradoxales, il a beau, pour protester contre les formes bourgeoises et capitalistes de la patrie, jeter l'anathème à la patrie elle-même, il se soulèverait tout entier le jour où réellement l'indépendance de la nation serait en péril. Et il débarrasserait la patrie des gouvernements de corruption et d'aventure pour mieux préserver, avec la paix du monde, l'autonomie nationale. La vaine outrance des paradoxes anarchisants ne résisterait pas une minute, un jour de crise, à la force de la pensée ouvrière complète, qui concilie l'Internationale et la Nation. C'est à cette pensée ouvrière complète que la République peut, dès maintenant, faire appel si elle veut assurer l'organisation d'une armée vraiment défensive, populaire et efficace.

(*L'Armée Nouvelle*, pages 381 et 382 [1])

« DANS LE PROLÉTARIAT, LE VERBE DE LA FRANCE SE FAIT CHAIR »

Près de dix ans avant la publication de l'*Armée Nouvelle*, Jaurès, dans un discours prononcé à la Chambre, le 14 décembre 1905, insistait sur la valeur que doit attacher le prolétariat à l'indépendance nationale. Et il montrait comment « la pensée de la France s'incorpore à la substance même de la classe ouvrière ».

Qu'est-ce que la Révolution ? C'est le suprême effort vers l'entière liberté politique et sociale. Et comment la liberté des

---

[1] Certains de ces fragments de l'*Armée Nouvelle* sur la patrie ont été reproduits dans les *Pages Choisies* (pages 442 à 450), dans *Jaurès*, par É. Vandervelde (pages 141 à 150), dans *Jean Jaurès*, par Ch. Rappoport (pages 259 à 265).

individus serait-elle possible dans l'esclavage des nations ?

L'humanité n'a pu organiser encore en un système unique, en une vaste harmonie tous ses éléments disséminés et dissemblables ; elle n'a pu procéder encore à l'organisation totale de ces éléments ; elle n'a pu réaliser que des organisations partielles qui sont les nations, qui sont les patries. Certes, à l'intérieur de ces nations subsistent encore bien des inégalités, bien des servitudes, bien des violences, mais du moins, quelles que soient encore, à l'intérieur des nations, à l'intérieur des patries, l'iniquité, la violence, la tyrannie des classes, il y a cependant un commencement de garanties politiques, un commencement de discussion, et ce n'est pas la pure force brutale, la pure force rudimentaire, telle qu'elle sévissait sur l'humanité primitive, qui règle seule les rapports des citoyens entre eux. Au contraire, tandis qu'à l'intérieur de chaque nation un commencement d'état social a pu se constituer, de nation à nation, surtout lorsqu'est déchaînée la guerre, c'est encore l'état de nature qui s'est prolongé, le règne de la pure force brutale.

Et lorsqu'une nation subit, ou par la conquête, ou même seulement par la menace de la conquête, cette atteinte brutale de la force extérieure, rudimentaire et grossière, lorsque l'organisme incomplet de contrat, de justice insuffisant mais commençante qui s'appelle la patrie, est lésé par le fer, par le couteau qui vient du dehors, alors c'est l'état de nature, c'est la brutalité sauvage et primitive qui s'installe au cœur même des nations, et c'est la rétrogradation absolue de la race humaine.

La révolution, messieurs, ne peut pas seulement se réaliser par quelques formules, elle a besoin de la libre énergie des hommes. Il faut qu'elle développe, qu'elle exalte en eux toutes les puissances de la vie. Or il n'est rien qui déprime toutes les forces de la vie, il n'est rien qui les atteigne jusqu'en leurs racines physiologiques comme le régime de la conquête.

Et c'est pourquoi, messieurs, vous n'avez pas besoin de redouter, pour l'indépendance et pour la sécurité de la patrie, la croissance révolutionnaire de la classe ouvrière organisée.

Ne prenez pas au pied de la lettre, ne prenez pas au mot ceux des ouvriers qui disent que, pour les prolétaires, il n'y a pas de patrie ; ils veulent marquer seulement par là, dans l'amertume de leur pensée, dans la révolte de leur conscience, l'insuffisante part de liberté, de justice, de garanties et de droits qui leur est trop souvent ménagée dans la cité d'aujourd'hui.

Ah ! certes, je ne prétends pas que, même aujourd'hui, surtout dans les pays de démocratie, les ouvriers soient pleinement des étrangers dans la patrie. Ils y ont conquis des droits qui sont doublement précieux pour eux, d'abord parce que ces droits commencent à protéger, à faciliter leur action pour des conquêtes ultérieures, et ensuite parce que ces droits sont en grande partie leur œuvre. Que seraient, je vous le demande, les libertés politiques dans ce pays si, depuis cent vingt années, la classe ouvrière n'avait pas donné à tous les mouvements d'émancipation sa vaillance, sa force, son désintéressement ?

La liberté, enfant de la classe ouvrière

Aussi, je sais bien que lorsqu'ils paraissent répudier la liberté, la patrie d'aujourd'hui, ils parlent comme le père qui affecte un jour de répudier le fils parce que le fils ne grandit pas selon l'idéal qu'il s'en est formé ; mais il sait bien qu'il est l'enfant de son cœur et de sa chair. La liberté, c'est l'enfant de la classe ouvrière, née sur un grabat de misère, et de mine chétive encore, mais qui porte en soi une incomparable vitalité secrète, et dont le regard de flamme appelle la liberté d'un monde nouveau.

Messieurs, ce n'est pas seulement dans l'ordre des libertés politiques que les ouvriers, que les travailleurs, si déshérités soient-ils encore, sont dès maintenant en communication avec la patrie. C'est dans l'ordre même de la pensée. Oui, Sembat avait raison de dire que trop souvent la beauté des chefs-d'œuvre où est condensé le génie de la France est pour les ouvriers, pour les prolétaires, ou trop ignorants encore ou dévorés par la besogne de chaque jour, un livre fermé. Mais ce n'est pas seulement par les livres, c'est par une tradition vivante et active que toute la pensée de la France s'incorpore peu à peu à l'esprit de la classe ouvrière, à l'esprit du prolétariat. Les ouvriers du XVIIIe siècle avaient très peu lu et Voltaire et Rousseau et Diderot et l'Encyclo-pédie, et pourtant, lorsqu'au début de la Révolution, ils eurent besoin de défendre contre l'Église les libertés révolutionnaires naissantes, ils s'approprièrent, en quelques mois, toute la critique voltairienne, et c'est seulement dans les ouvriers de nos faubourgs qu'elle a gardé toute sa vivacité et toute son étincelle.

Ils n'avaient pas lu Jean-Jacques... mais lorsque la Constituante créa des citoyens actifs et des citoyens passifs, lorsque le peuple eut besoin, pour défendre son droit, de proclamer l'entière démocratie, c'est lui et lui seul qui s'assimila et appliqua jusqu'au bout dans ses conséquences ultimes le principe que Jean-Jacques avait posé.

De même les ouvriers n'ont pas eu besoin de lire ce qui, dans l'Encyclopédie, touche aux détails techniques de l'industrie, ce qui glorifie le travail manuel ; ils n'ont pas eu besoin de cette lecture pour prendre peu à peu conscience dans la démocratie, dans la patrie, de la dignité, de la beauté, de la puissance du métier manuel exercé par eux. Et maintenant, lorsque, tous ensemble, syndicats fédérés aux syndicats, fédérations de métiers réunies aux fédérations de métiers, lorsque tous ensemble ils groupent, dans une organisation harmonieuse, toute la volonté de l'industrie ouvrière, ils réalisent une sorte d'encyclopédie vivante qui est l'accomplissement de l'Encyclopédie du XVIIIe siècle. Ainsi, messieurs, ce n'est pas par la tradition des livres, c'est par la tradition de l'histoire que la pensée de la France s'incorpore à la substance même de la classe ouvrière. C'est dans le prolétariat que le verbe de la France se fait chair.

(Œuvres de Jean Jaurès : *La Paix Menacée*, pages 440 à 442)

L'ARMÉE DE LA NATION

La classe ouvrière est donc par essence nationale. Et l'armée doit être celle de la nation. L'officier doit être mêlé à la vie moderne, être formé à l'Université. Avec une grande hauteur de vue, Jaurès, dans ce passage de l'*Armée Nouvelle*, rappelle les effets déplorables qui ont résulté de la séparation des chefs militaires de la vie populaire.

Tant qu'il y aura une armée, ce sera un crime contre le génie de la France et contre l'armée elle-même de la séparer de la nation.

C'est ce crime qu'ont commis depuis cent quinze années tous les pouvoirs qui ont ou altéré ou refoulé la Révolution. Ils ont contrarié l'évolution normale de la France nouvelle. Et ils ont dénaturé et abaissé l'armée en la réduisant à être ou l'instrument

éclatant et faussé des desseins d'un homme, ou une caste d'orgueil
et de violence au service d'intérêts privilégiés, ou une institution
incertaine à demi séparée de la nation et exposée par là à tous
les désastres comme à tous les préjugés. L'armée a été, pendant
tout un siècle, à la fois la favorite et la victime de la contre-
révolution. Elle a perdu au service de Napoléon l'esprit de
liberté révolutionnaire qui avait fait sa grandeur première, et elle
ne fut plus enfin, après les stériles et dangereuses victoires qui
préparaient l'abaissement et le démembrement de la patrie,
qu'une douloureuse épave désertée par des chefs égoïstes,
parvenus fatigués qui se ralliaient à la monarchie de l'ancien
régime. Puis, après avoir subi quelques persécutions dirigées
contre les survivances confuses de révolution et de napoléonisme
qui étaient en elle, elle devient une des pièces de la combinaison
monarchique et bourgeoise ; elle est employée à écraser le prolétariat, c'est-à-dire la République de 1848. Elle aide le prétendant
à achever, par le coup d'État, la République meurtrie. Elle continue sous l'Empire une vie brillante, privilégiée, étourdie,
oubliant ou négligeant les avertissements sévères qui lui venaient
de ses victoires mêmes en Crimée et en Italie. Aussi incapable
d'exercer sur elle-même une nécessaire critique que de s'associer
à la pensée de l'élite de la nation qui cherchait un peu de liberté,
elle est isolée, à la fin du règne, entre un gouvernement impopu-
laire et impuissant et une classe ouvrière hostile, qui a gardé la
meurtrissure des jours de répression. Elle ne reçoit d'aucune
force, ni de l'Empire épuisé, ni de la démocratie défiante, l'élan
de réforme, l'esprit d'organisation qui lui font défaut. Elle aborde
la grande épreuve de la guerre sans préparation, sans doctrine,
sans méthode, et les improvisations de l'héroïsme, les prodiges
de courage ne la sauvent pas de la ruine lamentable. Elle se relève
à demi sous la troisième République ; mais, d'une part, elle tient
par des racines d'éducation et de caste aux vieux partis ; d'autre
part, elle est anémiée par la République gouvernementale, par
l'esprit de démocratie superficielle et bourgeoise qui la cajole
tout en la séquestrant. Pendant quelques années l'idée de la
revanche masque aux yeux de l'armée l'incertitude de son rôle,
le néant d'une vie morale détachée de tout. Mais quand ce fan-
tôme se dissipe ou s'éloigne, l'armée prend peu à peu conscience
du vide où elle se débat. Et dans cette solitude elle devient à

elle-même son centre et son but. Elle se considère comme une institution à part qui a son code spécial, son honneur spécial. Les gouvernements bourgeois, cherchant dans le patriotisme des mots et dans l'exaltation du militarisme une diversion à la poussée ouvrière et à la question sociale, la flattent lourdement et la magnifient d'autant plus qu'ils lui retirent toute force substantielle en la séparant du vivant esprit prolétarien.

Pas de pensée, pas de doctrine, pas d'idéal, mais des louanges creuses et la pompe des glorifications officielles. Sur la façade du temple vide, des trophées, des drapeaux et des écussons de gloire. Ou, quand les esprits de réaction les plus violents songent à exploiter ce militarisme monstrueux et vide, comme les Grecs se logeaient au ventre creux du cheval de bois, la République bourgeoise est réduite à parer le coup par des moyens de fortune, par des procédés de police qui exaspèrent dans l'armée les anciens partis et qui compromettent les forces nouvelles. Et maintenant, si l'institution militaire n'est pas renouvelée par une sorte de révolution sociale et morale, l'armée française bourgeoise, sans la discipline automatique des monarchies d'autorité, sans l'élan des démocraties populaires, ne sera qu'une énorme administration sans objet défini et sans âme. Ah ! certes, il serait facile de m'opposer tous les talents, toutes les énergies qui se sont manifestés dans l'armée et dans le commandement de l'armée depuis un siècle, dans cette période même où le divorce de l'armée et de la démocratie révolutionnaire a compromis l'institution militaire. Je sais ce qu'il y a eu de pensée et d'héroïsme chez les individus. Je sais ce qu'il y a eu de noblesse chez ces officiers dont Vigny a retracé les douleurs, qui souffraient jusqu'au désespoir de la servitude de l'armée, esclave aux mains des partis. Je sais quelle fut la hauteur d'esprit de ceux des officiers qui s'associèrent au mouvement saint-simonien d'une part, à la propagande républicaine de l'autre. Je sais tout ce qu'il y eut chez les officiers, aux jours les plus frivoles, de courage allègre, d'héroïsme brillant, de ressources d'intelligence, d'étincelles d'esprit, et je sais enfin, depuis trente ans, quels ont été les efforts de travail, de recherche, de patriotisme vrai, d'un grand nombre de chefs ; quels sont, depuis quelques années, les tâtonnements douloureux des meilleurs, qui cherchent des voies nouvelles, et qui se débattent dans l'impuissance où les réduit un système faux. Ils ont l'angoisse des assiégés dans une ville à qui les sources d'eau ont été coupées. Il n'y a plus au fond des puits qu'un reste d'eau fade et ce n'est pas la faute de ceux qui se sentent pris de désespoir morne.

Je ne l'ignore pas, et si je traçais, dans un long tableau, cette histoire morale et sociale de l'armée française dont je parlais tout à l'heure, j'aurais plaisir, dans toutes ces choses, à multiplier les exemples. Je ne cherche pas à abaisser, je ne cherche pas à dénigrer, j'annonce seulement à quelle détresse et quelle famine intellectuelle et morale sont réduits les chefs de l'armée s'ils sont séparés de la grande vie nationale et populaire, s'ils ne sont pas en communication vivante avec le plus haut idéal des temps nouveaux.

La leçon des jours lugubres

Ce que peuvent devenir les intelligences les plus habiles quand elles sont faussées par un régime de séquestration et de caste, quand elles ne vivent pas au centre même de la pensée nationale, la France l'a vu au procès de Rennes, et elle l'a vu avec dégoût. Quelle ingéniosité chez tous les témoins militaires ! quelle adresse dans le sophisme ! quelle rouerie de plaideurs ! La plupart de ces dépositions étaient, dans le genre bas, de purs chefs-d'œuvre. Tout ce que peuvent suggérer de ruses, d'interprétations sophistiques, de déductions forcées mais spécieuses, de rouerie avocassière ou politicienne, l'esprit de corporation le plus étroit, l'orgueil professionnel le plus misérable, et la haine jésuitique la plus tenace et la plus sournoise, se développait avec une sûreté de parole, une aisance de pensée, une méthode d'exposition que les « intellectuels » les plus exercés auraient sans doute égalée avec peine, et qui remplissait l'esprit d'émerveillement, de stupeur et de révolte. Et quel art de la mise en scène ! Quelle combinaison des effets ! Mais que tout cela était petit ! Quelle sottise, au fond, de lier l'honneur de l'armée, son crédit devant le pays et devant le monde, à un crime abominable et découvert, dont on s'efforçait en vain de rattacher le masque par toutes ces ficelles de rouerie militaire ! Toutes ces habiletés de tour de main, tous ces artifices de théâtre étaient aussi loin de la véritable intelligence, de la haute et saine pensée, qu'une ingénieuse pièce de comédie arrangée par les bons Pères pour une représentation de collège est loin de la grande tragédie classique. Et ce qui est plus humiliant encore que cette sophistication et ce rapetissement de la pensée chez la plupart des chefs militaires de la France, c'est que cette bassesse de l'esprit de caste et cette vilenie du mensonge corporatif aient pu faire loi à la France et à quelques-unes de ses intelligences les plus avisées, c'est que le subtil analyste, le lucide et pénétrant esprit qu'est M. de Freycinet ait consenti à jouer un rôle dans cette comédie misérable, à affecter l'ignorance, à réserver son opinion sur une matière où il était impossible qu'il n'eût pas une opinion et où la conscience même lui commandait de la dire. Et pourquoi rusait-il ? Par peur de ne pas pouvoir redevenir le chef de l'armée s'il se risquait à l'éclairer et à l'avertir. Il avait peur de cette grande force qui, après s'être corrompue elle-même par son isolement, communiquait à toute la nation le venin de mensonge et de haine dont elle était imprégnée. Une vapeur mortelle montait de ces eaux croupissantes. Malheur à qui a oublié la leçon de ces jours lugubres et qui n'est pas résolu, pour la nation comme pour l'armée, pour l'armée comme pour la nation, à remettre l'esprit de l'armée dans le large courant de la vie démocratique et de la pensée française ! C'est alors que les officiers pourront reprendre possession de tous les titres intellectuels de l'armée dans le passé. C'est alors qu'ils pourront continuer à agrandir, pour la protection du grand peuple libre dont tout l'esprit passera en eux, cette grande tradition de génie militaire qui est une des parties essentielles de l'histoire de la pensée française.

Déjà, par le seul fait qu'ils seront appelés à l'Université, ils seront avertis que l'esprit même de l'institution militaire est renouvelé, et toute l'organisation militaire nouvelle leur inculquera aussi une nouvelle pensée.

(*L'Armée Nouvelle*, pages 268 à 271)

CAUSES DE LA DÉFAITE DE 1870

L'armée doit être celle de la nation. Quand le pays est en danger, il faut faire appel à l'esprit républicain et national. xaminant Eles causes de la défaite de 1870, Jaurès reproche

aux hommes du 4 septembre d'avoir manqué de confiance
dans le peuple.

Mais pas plus qu'elle n'eut vraiment à son service, en cette crise
terrible, une force gouvernementale, la France n'eut une suffisante
force révolutionnaire. Au moment où éclata la guerre, l'idée
républicaine n'était encore ni assez étendue, ni assez passionnée
dans le pays pour pouvoir se saisir à temps des événements et
imprimer à la nation un irrésistible mouvement de masse. De
toutes les tentatives de démocratie et de liberté avortées depuis
près d'un siècle, il était resté dans la conscience nationale un fond
de doute, de lassitude, de défiance pesante que Prévost-Paradol
traduisait dans la *France Nouvelle*, en des pages d'une mélancolie
incomparable, où l'espérance même ne transparaît qu'à travers
des voiles de deuil.

Les élections de 1869, mettant debout trois millions
d'opposants, avaient réveillé les cœurs. Gambetta annonçait la
victoire prochaine par la seule action du suffrage universel. Dans
cette opposition mêlée, le parti républicain dominait, au moins
dans les grandes villes. Mais le plébiscite rabattit cette confiance.
Ayant à se prononcer directement sur l'Empire, le pays lui donna
une majorité immense. Ah ! quelle lourde pierre de servitude
pesait encore sur la patrie ! Certes, le courage des républicains
ne fut pas brisé. Leur propagande continua, audacieuse et active,
et une avant-garde ouvrière et socialiste se forma, qui renouvelle-
rait bientôt l'esprit républicain, un peu amorti par les longues
habiletés de l'opposition parlementaire. Mais qu'était encore tout
cela à côté de l'énorme masse qui venait de ratifier une fois de
plus sa propre déchéance et l'universelle servitude ? Et comment,
sous l'étourdissement de ce coup, la force populaire et républicaine
aurait-elle pu d'emblée, dès la déclaration de guerre, ou même
dès les premières défaites et avant l'irréparable, saisir les événements ? Le nombre des hommes résolus à accomplir une révolution républicaine pour mieux défendre la patrie était infime. La
petite poignée de héros qui, le 16 août, avec Blanqui, Eudes,
Granger, essaya un coup de main sur le poste de La Villette,
dans l'espoir d'ébranler Paris, fut comme englouti dans la
réprobation ou l'étonnement de tous. C'est Blanqui lui-même qui
le constate avec une poignante tristesse.

Blanqui déclare que c'était trop tôt ou trop tard. Trop tôt : puisque le peuple n'était pas encore assez averti et excité par l'étendue du désastre. Trop tard, puisque déjà, le 14 août, Bazaine avait commencé à se laisser bloquer dans Metz. Cependant si la République avait été proclamée ce jour-là, Mac-Mahon n'aurait pas marché vers Sedan : et « ses cent cinquante mille hommes, appuyés sur Paris se changeaient en armée invincible ». Que le peuple de Paris ait ainsi attendu, c'est bien le signe que le souffle de la Révolution était trop languissant et débile. Non seulement le peuple ne proclama pas à temps la République, mais il ne seconda pas par des mouvements de la rue les timides efforts des députés de la gauche pour dessaisir la régence et décider le Corps législatif à prendre en main le gouvernement au nom de la France menacée.

Quand vint le 4 septembre, toutes les forces organisées de la France étaient dans le gouffre ; et la République, pour appeler, encadrer, éduquer des forces nouvelles, ne pouvait se couvrir du moindre débris des armées anciennes. L'armée de Mac-Mahon était prisonnière : celle de Bazaine était bloquée, deux fois bloquée, par l'ennemi et par la trahison. Cependant, si le gouvernement de la Défense Nationale avait été animé d'un vigoureux esprit et s'il avait pu compter sur l'esprit républicain de la France, le désastre pouvait encore être réparé. M. de Bismarck redoutait deux choses. Il craignait qu'une Assemblée nationale convoquée aussitôt surexcitât l'énergie du pays. Le gouvernement de la Défense Nationale hésita. Il songea d'abord à convoquer une Assemblée : puis il ajourna, puis il y renonça, par la raison et sous le prétexte qu'une partie du sol était occupée par les Prussiens.

Le grand appel républicain et national qui a manqué...

C'est sans doute un grand malheur que les hommes de la Révolution du 4 septembre n'aient pu faire appel à la France, avec la certitude qu'elle ferait une réponse à la fois républicaine et nationale. Si une grande assemblée élue dans la tempête avait proclamé que la République était désormais le gouvernement légal et définitif, si elle avait signifié au monde qu'elle était prête à faire la paix, qu'elle prendrait l'engagement de ne pas inquiéter l'Allemagne et de reconnaître son unité, si elle avait affirmé, comme Jules Favre le fit en son nom propre et sans autorité à l'entrevue de Ferrières, qu'elle acceptait pour l'avenir une convention d'arbitrage avec l'Allemagne, mais si elle avait ajouté en même temps qu'elle ne consentirait à aucune mutilation de la patrie, l'effet aurait été très grand sans doute et en France et en Europe : et grand l'embarras de la Prusse militariste. Mais le fond de la nation était encore si imprégné de servitude que sans doute la France n'eût constitué qu'une assemblée incertaine, républicaine de nom, mais sans vigueur et sans foi.

Paris, du moins, va-t-il déployer un grand effort ? C'était la deuxième crainte de M. de Bismarck. Un moment, après Sedan, il songea qu'il vaudrait mieux ne pas attaquer Paris pour laisser les factions s'y dévorer, et par peur que cette grande force assiégée ne s'exaspérât à la plus révolutionnaire et la plus audacieuse résistance.

Mais le gouvernement de la Défense Nationale manqua de confiance, dès le premier jour, et en lui-même et en Paris. Avoir accepté comme chef le général foncièrement réacteur qui n'avait même pas foi en la possibilité de la résistance, c'est une sorte de capitulation politique qui faisait pressentir l'autre. Il considérait le peuple ouvrier comme une foule anarchique et incapable. Ce n'est pas seulement Blanqui qui a dénoncé cette mollesse, cette complaisance rétrograde du gouvernement de la Défense ; Gambetta, lui aussi, a déclaré que la grande faute de ce gouvernement est de n'avoir pas gouverné avec un parti, avec son parti. Que, dans cette décomposition générale, Gambetta ait prolongé la lutte en province, que le peuple de Paris ait continué pendant des mois une résistance héroïque quoique passive et sans élan, c'est chose admirable et qui ne fut pas vaine.

L'envahisseur apprit qu'il n'était pas facile d'avoir raison de la France, même désorganisée, même destituée de la grande force d'impulsion qui résulte ou d'un gouvernement puissant ou d'une révolution unanime et enthousiaste. M. de Bismarck eut des jours d'angoisse, et le souvenir d'un long et difficile combat préserva la France : ceux qui seraient tentés de menacer son indépendance ou son intégrité savent qu'ils auraient à compter avec une force redoutable si les énergies étaient exaltées par un grand idéal...

(*Histoire Socialiste*, T. XI (*La Guerre franco-allemande*), pages 244 à 248)

LA COMMUNE

La Commune, elle, a placé sa confiance dans le patriotisme républicain du peuple. Dans un article du *Matin* du 10 juin 1896, Jaurès lui rend hommage et recherche les raisons de son échec. Elle est venue trop tard. Elle n'a pu reprendre la lutte contre l'envahisseur. Et tout mouvement révolutionnaire « qui ne peut s'amplifier en mouvement national est condamné à périr ».

En sauvant la République, le parti populaire la concevait nécessairement à son image, c'est-à-dire populaire aussi et socialiste. La Commune apparaît donc comme un effort désespéré du peuple pour se substituer à la Bourgeoisie républicaine discréditée, dans la défense et la direction de la République.

Et c'est là sa force et sa gloire. En pleine réaction et quand la bourgeoisie du 4 septembre, écrasée sous la chute même de Paris, n'a plus assez d'autorité pour sauver l'avenir, le prolétariat se lève, atteste qu'aucune épreuve n'a entamé sa vitalité et arrête, par son cri révolutionnaire, la monarchie menaçante. C'est par là que la Commune a excité d'emblée, dans le monde entier, la sympathie des travailleurs. C'est par là aussi qu'elle est une part de la tradition socialiste et que notre parti ne peut la laisser outrager sans humiliation.

Mais pourquoi donc a-t-elle échoué ? Il me semble qu'il en est trois raisons principales. La première, c'est que le prolétariat, dans la plupart des villes, n'avait pas encore la haute conscience politique et sociale qu'avait alors celui de Paris, et le mouvement parisien fut trop isolé. La seconde, la plus grave peut-être, c'est que la Commune se produisit trop tard, quand l'intégrité de la patrie ne pouvait plus être sauvée. Ah ! si le mouvement du 31 octobre avait abouti, si le parti populaire avait pu saisir la défense de Paris, mettre en action toutes les énergies révolutionnaires, débloquer Paris, et confondre la République socialiste avec l'indépendance même de la patrie, l'élan eût été sans doute irrésistible, et Gambetta, qui accusait si amèrement la Défense Nationale de sa mollesse à Paris, eût peut-être collaboré avec Paris révolutionnaire. Sous le drapeau socialiste et national se serait faite la jonction du peuple ouvrier et de la bourgeoisie

républicaine la plus ardente. Mais au 18 mars, la Commune ne
pouvait plus remettre la France debout contre l'étranger : la
France vaincue sous l'Empire, vaincue sous le gouvernement de
la bourgeoisie républicaine, meurtrie de cette double chute à
travers deux régimes, ne pouvait plus reprendre la lutte. La
Commune pouvait pousser un cri de guerre contre la réaction :
elle ne pouvait pas pousser un cri de guerre contre l'envahisseur.
Or, dans notre pays, tout mouvement révolutionnaire qui ne
peut pas d'emblée s'amplifier en mouvement national est condamné à périr.

Enfin, et c'est là, je crois, la dernière raison de l'échec de la
Commune, tandis que Paris avait pu juger de près, pendant le
siège, la timidité, l'incohérence et l'impuissance des hommes de
la Défense Nationale, ils avaient gardé pour la province tout
leur prestige : et la Gauche de Versailles, groupée autour de
M. Thiers, semblait servir de caution pour la République. De là,
l'hésitation de la province à suivre le grand mouvement parisien.

Et, pourtant, comme jamais l'énergie humaine ne se perd, c'est
cette Commune condamnée à périr, mais héroïque en sa foi, qui
a sauvé la République. Et elle a donné ainsi le droit au prolétariat
de la revendiquer comme sienne. Quand il en prendra possession
au nom du socialisme, il ne fera que reprendre sa chose. Elle est,
dès maintenant, marquée de son sceau.

(Œuvres de Jean Jaurès : *Études Socialistes*, T. I, pages 411
    et 412)

BLANQUI

Du patriotisme républicain et populaire, Blanqui est comme
le symbole. Dans le *Matin* du 18 décembre 1896, Jaurès marque
la place de « l'Enfermé » dans l'histoire révolutionnaire.
Comme Blanqui, il pense que la défense de la patrie et de la
République est « le premier article du Credo socialiste ».

... Et ce qu'il y a de grand en lui, c'est qu'il a su unir dans sa
vie, en une même pensée révolutionnaire, l'action militante et
l'œuvre d'éducation. C'est là, je crois, ce que nous devons avant
tout recueillir de lui.

Non que les événements du passé puissent servir de règle étroite à l'action présente. Dans l'état de crise sourde où est aujourd'hui le monde, nul ne peut dire si c'est par une évolution tranquille du suffrage universel éduqué, ou par une poussée de la force populaire, que la domination capitaliste sera abattue. Et si des mouvements se produisent parmi les plus impatients et les plus ardents, ce n'est pas l'histoire d'hier qui nous dira si ces mouvements sont prématurés et mauvais, ou s'ils sont le premier symptôme d'un vaste et décisif ébranlement. L'essentiel, pour le parti socialiste, c'est d'employer à l'éducation du peuple, à la propagande des doctrines et des idées, toutes les heures dont il dispose, et de se tenir prêt d'ailleurs à tout événement par l'esprit de sacrifice et de courage. Voilà le haut enseignement, et le plus sûr, de la vie de Blanqui.

Il en est un autre, qui doit nous être toujours présent aussi. Le socialisme suppose la France : il suppose la République. Oh ! certes, je suis bien loin de m'associer, pour ma part, aux invectives de Blanqui contre la race germanique. Mais de quel accent profond, inoubliable, il parle de la France ! Il l'aime jusque dans ces littératures gréco-romaines qui l'ont éduquée, « dans ces magnifiques littératures du génie et du bon sens ». Il l'aime dans la beauté du ciel et de la terre, il l'aime surtout dans cet ardent esprit de justice qui a fait d'elle une des plus nobles forces de l'histoire. Et, de même qu'il dit à l'heure de l'invasion, avec un admirable cri de détresse : « Que deviendrions-nous donc, si nous n'avions pas de patrie ? » nous nous redisons sans cesse : « Que deviendrait donc le socialisme, s'il n'y avait plus de France ? »

Et aussi le parti socialiste ne sera jamais tenté de commettre l'erreur funeste, si souvent dénoncée par Blanqui, de ceux qui séparent la question sociale de la question politique. Il n'y a de justice sociale possible que par la liberté républicaine. Défendre la patrie et la République est pour nous tous, comme pour Blanqui, le premier article du Credo socialiste.

(Œuvres de Jean Jaurès : *Études Socialistes*, T. I, pages 420 et 421)

LE PATRIOTE ET L'EUROPÉEN

Bien qu'ait été écarté de cette anthologie ce qui se rapportait trop directement aux événements extérieurs d'avant 1914, il nous a paru utile, en fin de ce chapitre, de grouper quelques fragments destinés à répondre aux calomnies et aux déformations.

Durant sa vie, Jaurès a été traité de serviteur de l'Allemagne par la bande de Charles Maurras, passée depuis au service de l'Allemagne hitlérienne. D'autre part, les traîtres de la collaboration avec Hitler ont osé se réclamer du grand tribun. Aux uns et aux autres, Jaurès, toujours vivant, doit répondre.

L'Alsace et la Lorraine

Les pétinistes et les nazis d'origine française ont fait bon marché de l'Alsace et de la Lorraine. Écoutez Jaurès parler des deux provinces ravies à la France, dans un article de la *Dépêche de Toulouse* du 31 décembre 1887.

Mais, au-dessus des résolutions plus ou moins pacifiques des deux peuples, il y a une cause aiguë de conflits toujours possible : c'est la question d'Alsace-Lorraine.

Le noble pays de France, comme disaient nos aïeux, a été dépouillé de deux provinces, qui sont restées françaises de cœur et qui doivent le redevenir de fait. Il est impossible à la démocratie française d'accepter cette mutilation. La République a débuté par un effort héroïque contre l'étranger ; elle n'est pas l'affaiblissement, elle est l'exaltation de l'idée de patrie. La démocratie se perdrait, si elle entrait dans le monde tête basse, si elle achetait d'un peu de terre française le repos et la liberté. Il y a au fond des consciences françaises deux sentiments également sincères : ni guerre ni renoncement.

(Œuvres de Jean Jaurès : *Les Alliances Européennes*, page 17)

Ni guerre ni renoncement, ce fut toujours la formule de Jaurès. Que la France soit fidèle à sa mission. Qu'elle soit la grande libératrice, elle retrouvera les deux provinces perdues.

Dans un article de la *Dépêche de Toulouse* du 9 janvier 1890,

il demande à la France d'échapper « aux conseils des politiciens
qui se disent pratiques » :

Son intérêt le plus pratique est de se faire grande devant les
nations par le rayonnement de la justice libératrice. Quand elle
aura fait tomber ainsi toutes les geôles européennes, l'Alsace et
la Lorraine s'évaderont vers elle et se retrouveront dans ses bras.
Alors, le monde délivré n'entendra plus cet odieux clairon de la
triple alliance, où se mêlent l'haleine épaisse du César tudesque,
le souffle grêle du fantoche italien et le gémissement docile du
Habsbourg : c'est au cri de « Vive la France ! » que les peuples
renaîtront à la paix désarmée, à la liberté et au droit.

(Œuvres de Jean Jaurès : *Les Alliances Européennes*, pages
31 et 32)

Dans ce fameux discours prononcé à la Chambre, le 7 mars
1895, où Jaurès parlait du capitalisme qui porte en lui la guerre
« comme la nuée dormante porte l'orage », il répondait durement
au chancelier du Reich, Caprivi, qui avait parlé de l'Allemagne
« rassasiée ».

Nous n'oublions pas, nous ne pouvons pas oublier.

Je ne sais si quelqu'un oublie, mais ce n'est pas nous ! Le
chancelier de Caprivi, qu'on a beaucoup cité ces jours-ci, et que
je veux citer à mon tour, disait, dans cette langue réaliste des
hommes d'État allemands, au cours de la discussion sur la loi
militaire, et pour établir l'incontestable sincérité de ses sentiments
pacifiques : « La nation allemande est rassasiée ».

Nous sommes, messieurs, dans la nécessité douloureuse de
dire : la nation française est mutilée.

Nous n'oublions pas la blessure profonde reçue par la patrie,
parce qu'elle est en même temps une blessure profonde reçue
par le droit universel des peuples.

(Œuvres de Jean Jaurès : *Les Alliances Européennes*, page 77)

Et voici de quelle magnifique image il se servait, quinze ans
plus tard, dans un discours à la Chambre, le 16 janvier 1911,

pour montrer la persistance des sentiments français en Alsace et en Lorraine.

Et que voyez-vous de l'autre côté des Vosges ? Messieurs, je ne veux prononcer et je ne prononcerai aucune parole qui, par la disproportion de ce qui est à ce qui pourrait être, serait affligeante et douloureuse.

Je sais que toutes les paroles d'imprudence, même de généreuse imprudence, qui se sont élevées d'ici sont retombées là-bas en un surcroît de vexations et d'oppression, mais j'ai bien le droit de dire qu'en Alsace et en Lorraine l'ancienne culture démocratique et française est restée vivante ; j'ai bien le droit de dire que l'Alsace et la Lorraine sont comme ces arbres qu'on peut séparer par une muraille de la forêt mais qui, par les racines profondes, vont rejoindre sous la muraille de l'enclos les racines de la forêt primitive.

(Œuvres de Jean Jaurès : *Europe Incertaine*, pages 238 et 239)

L'Allemagne

Jaurès voulait, certes, le rapprochement avec l'Allemagne. Mais il ne l'attendait que de la croissance des éléments démocratiques et socialistes dans le Reich. Il haïssait le militarisme prussien. Et de quel ton il parle des pangermanistes incapables de comprendre les sentiments des Alsaciens et des Lorrains ! Au lendemain des incidents de Saverne, il écrivait, le 28 novembre 1913, dans la *Dépêche de Toulouse* :

Cet incident aura servi seulement à mettre en lumière la pensée des Alsaciens-Lorrains. Elle est complexe et ne se prête pas aux formules sommaires. D'une part, ils veulent que la paix soit maintenue. Ils savent que c'est sur eux que tourbillonnerait d'abord la trombe de fer et de feu. Et ils savent aussi quelle responsabilité ils assumeraient s'ils demandaient qu'on déclarât la guerre pour eux. Aussi ils ne cessent de désavouer les boutefeux. Ils répètent à leurs amis de France qu'il leur sera d'autant plus facile de conquérir l'autonomie à laquelle ils aspirent qu'on ne les compromettra pas du dehors par des propos étourdis ou équivoques. Mais en même temps, ils ont, devant le vainqueur et sous le régime de la conquête, une admirable fierté et une susceptibilité très vive. Ils se sentent malgré tout rattachés à la France, à sa tradition, à sa pensée, à de nobles et héroïques souvenirs de son histoire par des liens intimes, profonds et indestructibles. Toute parole malsonnante contre leur patrie d'hier les blesse et les révolte. Ils ont le sentiment que, par là, on veut les atteindre dans le cœur de leur cœur. C'est un sentiment que les pangermanistes stupides, arrogants et haineux sont incapables de comprendre.

(Œuvres de Jean Jaurès : *Au bord de l'Abîme*, page 309)

Jaurès comptait sur les progrès de la social-démocratie allemande. Mais il n'était point aveugle et connaissait les insuffisances de celle-ci. Au Congrès international d'Amsterdam, en 1904, il dénonçait « l'impuissance politique de la démocratie socialiste allemande ». Et après avoir indiqué qu'elle n'avait pas de tradition révolutionnaire, il expliquait qu'elle n'avait pas de force parlementaire véritable.

... Et pas plus que vous n'avez de moyens d'action révolutionnaires, pas plus que vous n'avez la force que vous donnerait la tradition révolutionnaire du prolétariat, vous le savez bien, vous n'avez pas non plus de force parlementaire. Et quand bien même vous seriez la majorité au Reichstag, vous êtes le seul pays où vous ne seriez pas, le socialisme ne serait pas le maître, s'il avait la majorité. Car votre Parlement n'est qu'un demi-Parlement, un Parlement qui n'est pas un Parlement lorsqu'il n'a pas en mains la force exécutive, la force gouvernementale, quand ses décisions ne sont que des vœux, arbitrairement cassés par les autorités de l'empire.

(Cité dans *Jean Jaurès*, par Ch. Rappoport, page 57)

La Russie

Les nationalistes d'avant 1914 ont fait reproche à Jaurès d'avoir été l'adversaire de l'alliance franco-russe. En réalité, ce qu'il a dénoncé, c'est la politique perfide et périlleuse du tsarisme. Il ne veut pas que la République française soit à la remorque des Nicolas et des autocrates.

Au moment où l'on discute l'alliance, il écrit (*Petite République*, 15 octobre 1893) :

... il me paraît oiseux de discuter l'entente franco-russe *en elle-même*. Elle vaut, selon les conditions exactes avouées ou cachées, explicites ou implicites, qui la déterminent. Négociée par un gouvernement fier, démocratique et hardi, elle pourrait ajouter à la sécurité immédiate de notre pays et aux chances de paix sans entamer notre énergie révolutionnaire qui est notre vraie force indéfectible, celle-là, et supérieure à tout marchandage. Si elle s'accompagne au contraire d'une sorte de prostration intérieure de l'idée républicaine, si elle est, consciemment ou inconsciemment, partie d'un système de réaction hypocrite, si elle menace de paralysie sourde le mouvement socialiste français, elle diminue et affaiblit la France, ou plutôt elle la livre. Les ministres responsables devraient dire au pays en quel sens, dans quel esprit ils ont négocié, si, toutefois, ils ont négocié.

(Œuvres de Jean Jaurès : *Les Alliances Européennes*, page 47)

Dans son discours du 13 janvier 1911, Jaurès précise qu'il ne méconnaît nullement la valeur de l'alliance russe. Mais pas de vassalité ! La France est une grande personne.

... j'ai toujours protesté contre ce rôle d'appoint, appoint financier et politique ou militaire, contre ce rôle d'annexe, contre ce rôle de dépendance universelle dans lequel a dégénéré l'alliance du début. Je n'en ai, quoi qu'on dise, jamais méconnu la valeur, si elle est un supplément de sécurité, si elle peut mettre l'Allemagne elle-même à l'abri de la tentation d'un coup de violence contre nous ; mais enfin je ne peux pas oublier aujourd'hui plus qu'hier — et je l'ai rappelé à cette tribune — que jusqu'en 1890, par la seule force de sa vitalité nationale et républicaine, la France avait pu se développer en liberté et qu'elle n'avait pourtant pas attendu pour respirer, pour vivre, pour panser ses blessures et pour entrevoir et affirmer à nouveau son idéal, le secours ou la protection de la Russie. Que l'alliance ait été la bienvenue, qu'elle ait pu contribuer à de certaines heures à mettre un peu plus de sécurité dans l'atmosphère, soit : mais n'oubliez pas enfin que

vous êtes la France qui veut la paix, mais qui a le droit d'être
traitée comme une grande personne.

(Œuvres de Jean Jaurès : *Europe Incertaine*, page 224)

Et voici la réponse aux collaborateurs anti-bolcheviks qui osent
se réclamer de Jaurès. Le 10 novembre 1904, dans un discours à
la Chambre, qui a la valeur d'une prophétie, il entrevoit
l'entente entre la France, l'Angleterre, et la Russie révolutionnaire.

... il n'y a entre les Français et les Russes ces haines historiques
et ethniques qui, sur une frontière longtemps disputée par des
races, ont animé les Slaves contre les Germains et les Germains
contre les Slaves.

Nous ne méconnaissons pas cela, messieurs, et nous ajoutons
qu'à mesure que la nation russe entrera dans l'irrésistible évolution de la civilisation européenne et occidentale, à mesure que
le grand et héroïque peuple russe, averti, comme l'ont été
d'autres peuples par l'épreuve, par la souffrance, que le pouvoir
d'un seul ne suffit pas à diriger dans les voies élargies des destinées
modernes un grand peuple aux éléments compliqués et multiples,
à mesure que le grand peuple russe aura conquis des éléments,
des garanties de liberté, de contrôle élémentaire, le malaise qui
écarte d'une politique d'accord constant avec la Russie une partie
de la démocratie française se dissipera et il ne restera qu'une
chose, en France, en Angleterre, en Russie, le désir commun
de travailler à la paix générale et au progrès de la civilisation.

(Œuvres de Jean Jaurès : *La Paix Menacée*, pages 121 et 122)

Le monde anglo-saxon

Jaurès n'a cessé de réclamer l'entente avec l'Angleterre démocratique. Au moment de Fachoda, il s'est, de toute sa force,
opposé au nationalisme déchaîné. Au plus fort du conflit, il
écrit, le 5 novembre 1898, dans la *Petite République* :

Il faut que des deux côtés de la Manche la démocratie libérale et
le prolétariat socialiste s'emploient à ramener la question à ces

termes. Il ne s'agit pas seulement de prévenir pour demain un conflit qui serait un malheur pour le monde civilisé. Il faut dissiper les préjugés et les animosités secrètes qui animent l'un contre l'autre deux grands peuples.

Ah ! si le prolétariat français et le prolétariat anglais pouvaient s'entendre et élever la voix ! Quelle victoire pour le socialisme et quel bienfait pour l'humanité si un haut arbitrage populaire pouvait réconcilier deux grandes nations dont le dissentiment paraît s'aigrir !

(Œuvres de Jean Jaurès : *Les Alliances Européennes*, page 212)

> Il suit avec sympathie les efforts de la démocratie britannique. Dans l'*Humanité* du 4 août 1912, il montre l'importance de la libre coopération des Dominions avec la Grande-Bretagne.

Il y a quelque grandeur à coup sûr dans cette union, dans cette coopération d'États si dispersés. C'est une figure encore étroite de ce que pourra être un jour l'universelle Fédération des peuples. Ce qui fait la noblesse de cette unité britannique, ce qui lui donne une valeur d'exemple et une force d'avenir, c'est qu'elle est fondée sur la liberté. C'est que tous ces États qui s'associent ont des Parlements souverains et des gouvernements libres. Dans la crise que traverse l'Angleterre, inquiète de la croissance allemande, l'Australie, le Canada, les Républiques africaines veulent bien apporter leur concours ; ils n'entendent pas livrer la moindre parcelle de leur autonomie. Ou plutôt, ils n'offrent leur concours que parce qu'ils savent que jamais l'Angleterre ne menacera leur indépendance, que l'empire anglais sera pour eux un abri, jamais une prison. C'est là la récompense magnifique de ce que le génie anglais a eu de plus fier et de plus hardi.

(Œuvres de Jean Jaurès : *Au bord de l'Abîme*, page 112)

> Ainsi Jean Jaurès parle du génie anglais. Et, malgré « l'obsession de l'or » des grands capitalistes américains, il sait retrouver, dans le peuple des États-Unis, les traces « du vieil idéalisme des puritains ». Il disait, à la Chambre, le 20 décembre 1911 :

Nous ne connaissons pas ou nous ne connaissons que dans sa période la plus brutale la vie du grand peuple américain et la conscience américaine. Nous ne voyons en eux que les hommes des dollars, des milliards, des affaires, de l'obsession de l'or. On dirait, à certains signes, qu'ils commencent à dépasser cette crise, on dirait à certains signes que les milliardaires avertis, au sommet de leur magnifique fortune, du vide des horizons que ne remplit que le reflet de l'or, cherchent avant de mourir un aliment plus noble à leur pensée et à leur âme. On dirait qu'ils sont comme rassasiés d'une fortune qui dépasse leurs facultés de jouissance et même de direction et qu'ils ressemblent à un soleil énorme et fatigué qui chercherait en quel point de l'Océan il faut qu'il aille s'éteindre.

De là ces paroles de mélancolie et ce cri de lassitude, de là ces appels nostalgiques à la fine culture des traditions latines, de là ce mot du milliardaire finissant qui disait : « Je donnerais tous mes milliards pour pouvoir lire dans le texte Virgile et Homère ! » De là ce réveil d'idéalisme qui n'est pas en surface, parce qu'il creuse, par-dessous la période du dollar, la période mercantile, jusqu'aux sources profondes de la vie anglaise et américaine, jusqu'à l'âme de ces puritains qui s'étaient épris de l'enthousiasme des prophètes bibliques et qui avaient rêvé à leur façon d'une société de liberté et de justice.

(Œuvres de Jean Jaurès : *Europe Incertaine*, page 432)

L'alliance européenne

Jaurès, patriote et internationaliste clairvoyant, a toujours été en lutte contre le nationalisme provoquant et étriqué. Par haine de l'Angleterre, nombreux étaient les nationalistes français, au début du siècle, qui rêvaient d'une alliance avec l'Allemagne de Guillaume II. A Massabuau, député de l'Aveyron, qui avait déclaré à la tribune qu'il préférait l'Allemagne à « l'éternel ennemi de la France », Jaurès répond avec indignation dans la *Petite République* du 7 décembre 1901 :

Quand M. Massabuau propose l'alliance allemande contre l'Angleterre, il nous convie à la plus humiliante et à la plus funeste des politiques. Nous ne voulons pas de ces alliances offensives et querelleuses. Nous ne voulons qu'une alliance, l'alliance de la France avec toute l'Europe, en vue de la paix générale et du désarmement universel.

(Œuvres de Jean Jaurès : *Les Alliances Européennes*, page 273)

Fierté française

> Jaurès veut, pour la France, l'alliance européenne afin d'assurer
> la paix. Mais il la veut dans la dignité. Sans cesse il réclame,
> pour son pays, le droit de ne pas pratiquer une politique à la
> suite. Il mène une âpre bataille contre la diplomatie de Gabriel
> Hanotaux, qui précipite la France dans le sillage des despotes :
> l'empereur de Russie, Guillaume II et le Sultan rouge. Écoutez
> ce cri de tristesse et de colère (*Dépêche de Toulouse*, 29 avril
> 1897) :

... A peine avions-nous fêté l'accord franco-russe que nous allions
saluer à Kiel l'empereur allemand, et que nous adoptions la
politique de Guillaume II dans le conflit entre la Chine et le
Japon. Et, en Orient, nous avons renoncé à toutes nos traditions
et à tous nos intérêts pour soutenir le sultan protégé de Guillaume
II et pour accabler la Grèce qu'il déteste. Nous ne sommes plus
à la lettre qu'une puissance de second ordre, une puissance de
reflet...

Il leur suffit qu'on nous promette de ne pas nous envahir de
nouveau comme si la France, ô tristesse ! était désormais incapable de défendre son indépendance et son honneur. Il leur suffit
aussi que les hôtes impériaux laissent tomber sur le front de nos
plébéiens parvenus un rayon de leur majesté...

Ah ! si je ne croyais, d'une foi profonde, que la France se
relèvera, si je ne croyais que le prolétariat français a d'admirables
réserves d'énergie et de fierté, si je ne pensais qu'une grande
révolution de justice sociale rendra à notre pays son ressort et
son rôle dans le monde, j'essaierais de me cacher à moi-même la
vérité, mais nous avons bien le droit de dire aux classes pré-
tendues dirigeantes, à la bourgeoisie sénile qui a si misérablement
enlisé la grande et glorieuse France, que jamais, même aux jours
les plus humiliés de Louis XV, elle ne fut si bas ; et ce qu'il y a
de pire, c'est que les dirigeants ne paraissent pas s'apercevoir de
cette diminution, comme ces malades qui s'en vont d'anémie et
que leur sang appauvri n'avertit même plus du péril par une
généreuse révolte ; la bourgeoisie gouvernante, pérorante et
écrivante, ne va plus que comme un automate amoindri et elle
ne paraît pas souffrir du dépérissement de la patrie. Plus imbéciles
encore que criminels, nos grands hommes d'État descendent

avec un sourire de vanité la pente des humiliations et des décadences. Ô France aimée, échappe à ces hommes, et relève-toi !

(Œuvres de Jean Jaurès : *Les Alliances Européennes*, pages 172 et 173)

Et, dans son discours du 13 janvier 1911, à la Chambre, il insistait sur la nécessité pour la France d'avoir sa « juste fierté ».

... si peu chauvin que je sois, si peu chauvins que soient nos amis, nous sommes convaincus, dans l'intérêt de la paix elle-même, qu'il ne faut pas que la France ait jamais une diplomatie à la suite. Une diplomatie solidaire, une diplomatie faite d'ententes toujours élargies, d'amitiés agrandies par un esprit général de civilisation et de paix, oui ! mais que dans cette œuvre générale d'ensemble, d'harmonie et de civilisation, elle ait sa volonté, sa personnalité, sa juste fierté...

Eh bien, je dis que nous avons été vaincus il y a quarante ans, mais qu'on n'a pas le droit de faire subir à ce pays une politique de vaincu. Il n'y a de vaincus que les peuples qui renoncent à leurs idées.

(Œuvres de Jean Jaurès : *Europe Incertaine*, passim, pages 218 et 226)

Dédié aux capitulards

Enfin voici qui semble écrit pour les capitulards de juin 1940 :

Même après une grave et cruelle défaite, même après le désastre de sa meilleure armée, un pays qui ne veut pas mourir n'est point perdu. Une armée qui se chiffre par des centaines et des centaines de mille hommes, quelque terribles que soient les pertes subies par elle, n'est pas détruite au point de ne pouvoir se reformer ; et il subsiste encore dans la nation bien des ressources pour un grand effort renouvelé et pour cette résistance tenace, infatigable, disciplinée, qui lasse enfin l'envahisseur obligé de se répandre et par là de s'affaiblir.

(*L'Armée Nouvelle*, page 39)

E

CHAPITRE II

RÉPUBLIQUE ET DÉMOCRATIE

Pour Jaurès, la France est inséparable de la République et de la démo-
cratie. En ce chapitre sont rassemblés des extraits significatifs de la
pensée « jauressiste » sur la défense de la République, le socialisme et la
démocratie, l'école laïque. Celle-ci est l'œuvre de la 3ᵉ République.
Jaurès lui attribuait une tâche capitale dans le développement de la
démocratie. Et il n'a cessé de lutter pour elle.

QU'EST-CE QUE LA RÉPUBLIQUE FRANÇAISE ?

Dans son discours — qui est peut-être le plus connu — le
Discours à la Jeunesse, qui fut prononcé à la distribution des
prix du lycée d'Albi en 1903, Jaurès a rappelé avec éclat ce que
la République représente pour des Français. Elle est « dans la
direction des hauteurs ». Et ce n'est pas seulement la cité, mais
l'atelier qu'il faut organiser selon le type républicain.

Dans notre France moderne, qu'est-ce donc que la République ?
C'est un grand acte de confiance. Instituer la République, c'est
proclamer que des millions d'hommes sauront tracer eux-mêmes
la règle commune de leur action ; qu'ils sauront concilier la
liberté et la loi, le mouvement et l'ordre ; qu'ils sauront se combattre sans se déchirer ; que leurs divisions n'iront pas jusqu'à
une fureur chronique de guerre civile, et qu'ils ne chercheront
jamais dans une dictature même passagère une trêve funeste et
un lâche repos. Instituer la République, c'est proclamer que les
citoyens des grandes nations modernes, obligés de suffire par
un travail constant aux nécessités de la vie privée et domestique,
auront cependant assez de temps et de liberté d'esprit pour
s'occuper de la chose commune. Et si cette République surgit
dans un monde monarchique encore, c'est s'assurer qu'elle
s'adaptera aux conditions compliquées de la vie internationale,

sans entreprendre sur l'évolution plus lente des autres peuples, mais sans rien abandonner de sa fierté juste et sans atténuer l'éclat de son principe.

Oui, la République est un grand acte de confiance et un grand acte d'audace. L'invention en était si audacieuse, si paradoxale, que même les hommes hardis qui, il y a cent dix ans, ont révolutionné le monde, en écartèrent d'abord l'idée. Les constituants de 1789 et de 1791, même les législateurs de 1792, croyaient que la monarchie traditionnelle était l'enveloppe nécessaire de la société nouvelle. Ils ne renoncèrent à cet abri que sous les coups répétés de la trahison royale. Et quand enfin ils eurent déraciné la royauté, la République leur apparut moins comme un système prédestiné que comme le seul moyen de combler le vide laissé par la monarchie. Bientôt cependant, et après quelques heures d'étonnement et presque d'inquiétude, ils l'adoptèrent de toute leur pensée et de tout leur cœur. Ils résumèrent, ils confondirent en elle toute la Révolution. Et ils ne cherchèrent point à se donner le change. Ils ne cherchèrent point à se rassurer par l'exemple des républiques antiques ou des républiques helvétiques et italiennes. Ils virent bien qu'ils créaient une œuvre nouvelle, audacieuse et sans précédent. Ce n'était point l'oligarchique liberté des républiques de la Grèce, morcelées, minuscules et appuyées sur le travail servile. Ce n'était point le privilège superbe de la république romaine, haute citadelle d'où une aristocratie conquérante dominait le monde, communiquant avec lui par une hiérarchie de droits incomplets et décroissants qui descendait jusqu'au néant du droit, par un escalier aux marches toujours plus dégradées et plus sombres, qui se perdait enfin dans l'abjection de l'esclavage, limite obscure de la vie touchant à la nuit souterraine. Ce n'était pas le patriciat marchand de Venise et de Gênes. Non, c'était la République d'un grand peuple où il n'y avait que des citoyens et où tous les citoyens étaient égaux. C'était la République de la démocratie et du suffrage universel. C'était une nouveauté magnifique et émouvante.

Les hommes de la Révolution en avaient conscience. Et lorsque dans la fête du 10 août 1793, ils célébrèrent cette Constitution qui, pour la première fois depuis l'origine de l'histoire, organisait dans la souveraineté nationale, la souveraineté de tous, lorsque artisans et ouvriers, forgerons, menuisiers, travailleurs des champs défilèrent dans le cortège, mêlés aux magistrats du peuple et ayant pour enseignes leurs outils, le président de la Convention put dire que c'était un jour qui ne ressemblait à aucun autre jour, le plus beau jour depuis que le soleil était suspendu dans l'immensité de l'espace ! Toutes les volontés se haussaient, pour être à la mesure de cette nouveauté héroïque. C'est pour elle que ces hommes combattirent et moururent. C'est en son nom qu'ils refoulèrent les rois de l'Europe. C'est en son nom qu'ils se décimèrent. Et ils concentrèrent en elle une vie si ardente et si terrible, ils produisirent par elle tant d'actes et tant de pensées, qu'on put croire que cette République toute neuve, sans modèles comme sans traditions, avait acquis en quelques années la force et la substance des siècles.

Et pourtant que de vicissitudes et d'épreuves avant que cette République que les hommes de la Révolution avaient crue impérissable soit fondée enfin sur notre sol ! Non seulement après quelques années d'orage, elle est vaincue, mais il semble qu'elle s'efface à jamais et de l'histoire et de la mémoire même des hommes. Elle est bafouée, outragée ; pis que cela, elle est oubliée. Pendant un demi-siècle, sauf quelques cœurs profonds qui gardaient le souvenir et l'espérance, les hommes la renient ou même l'ignorent. Les tenants de l'ancien régime ne parlent d'elle que pour en faire honte à la Révolution : « Voilà où a conduit le délire révolutionnaire ! » Et parmi ceux qui font profession de défendre le monde moderne, de continuer la tradition de la Révolution, la plupart désavouent la République et la démocratie. On dirait qu'ils ne se souviennent même plus. Guizot s'écrie : « Le suffrage universel n'aura jamais son jour ». Comme s'il n'avait pas eu déjà ses grands jours d'histoire, comme si la Convention n'était pas sortie de lui ! Thiers, quand il raconte la Révolution du 10 août, néglige de dire qu'elle proclama le suffrage universel, comme si c'était là un accident sans importance et une bizarrerie d'un jour. République, suffrage universel, démocratie, ce fut, à en croire les sages, le songe fiévreux des hommes de la Révolution. Leur œuvre est restée, mais leur fièvre est éteinte et le monde moderne qu'ils ont fondé, s'il est tenu de continuer leur œuvre, n'est pas tenu de continuer leur délire. Et la brusque résurrection de la République, reparaissant en 1848 pour s'évanouir en 1851, semblait en effet là brève rechute dans un cauchemar bientôt dissipé.

Et voici maintenant que cette République qui dépassait de si haut l'expérience séculaire des hommes et le niveau commun de la pensée que, quand elle tomba, ses ruines mêmes périrent et son souvenir s'effrita, voici que cette République de démocratie, de suffrage universel et d'universelle dignité humaine, qui n'avait pas eu de modèle et qui semblait destinée à n'avoir pas de lendemain, est devenue la loi durable de la nation, la forme définitive de la vie française, le type vers lequel évoluent lentement toutes les démocraties du monde.

Or, et c'est là surtout ce que je signale à vos esprits, l'audace même de la tentative a contribué au succès. L'idée d'un grand peuple se gouvernant lui-même était si noble, qu'aux heures de difficulté et de crise elle s'offrait à la conscience de la nation. Une première fois en 1793 le peuple de France avait gravi cette cime, et il y avait goûté un si haut orgueil, que toujours sous l'apparent oubli et l'apparente indifférence, le besoin subsistait de retrouver cette émotion extraordinaire. Ce qui faisait la force invincible de la République, c'est qu'elle n'apparaissait pas seulement de période en période, dans le désastre ou le désarroi des autres régimes, comme l'expédient nécessaire et la solution forcée. Elle était une consolation et une fierté. Elle seule avait assez de noblesse morale pour donner à la nation la force d'oublier les mécomptes et de dominer les désastres. C'est pourquoi elle devait avoir le dernier mot. Nombreux sont les glissements et nombreuses les chutes sur les escarpements qui mènent aux cimes ; mais les sommets ont une force attirante. La République a vaincu parce qu'elle est dans la direction des hauteurs, et que l'homme ne peut s'élever sans monter vers elle. La loi de la pesanteur n'agit pas souverainement sur les sociétés humaines, et ce n'est pas dans les lieux bas qu'elles trouvent leur équilibre. Ceux qui, depuis un siècle, ont mis très haut leur idéal ont été justifiés par l'histoire.

Et ceux-là aussi seront justifiés qui le placent plus haut encore. Car le prolétariat dans son ensemble commence à affirmer que ce n'est pas seulement dans les relations politiques des hommes, c'est aussi dans leurs relations économiques et sociales qu'il faut faire entrer la liberté vraie, l'égalité, la justice. Ce n'est pas seulement la cité, c'est l'atelier, c'est le travail, c'est la production, c'est la propriété qu'il veut organiser selon le type républicain. A un système qui divise et qui opprime, il entend substituer une vaste coopération sociale où tous les travailleurs de tout ordre, travailleurs de la main et travailleurs du cerveau, sous la direction de chefs librement élus par eux, administreront la production enfin organisée.

(*Discours à la Jeunesse*, Édition de la Librairie Populaire du Parti Socialiste, pages 3 à 8) [1]

LE PROLÉTARIAT ET LA RÉPUBLIQUE

« La République ne contient pas, en substance, la justice sociale » mais elle est « un principe de progrès ». Elle est la « forme logique et suprême de la démocratie ». Tel est le sens du discours célèbre prononcé, en 1904, au Congrès international d'Amsterdam, en réponse au socialiste allemand Bebel.

Ah ! je sais bien que la République ne contient pas, en substance, la justice sociale. Je voudrais que, sur ce point, entre Bebel et moi, il n'y ait pas de malentendu. Je ne pousse pas jusqu'à la superstition le formalisme politique. Je ne prétends pas que la République, par cela seul qu'elle est la République, est un principe de progrès, et si la démocratie, même républicaine, n'était pas sans cesse avertie, contrainte par l'action de classe du prolétariat, elle resterait stagnante. Donc elle ne suffit pas à assurer le progrès, et il peut y avoir des progrès économiques et sociaux en dehors de la République. J'entends dire qu'aujourd'hui, dans beaucoup de pays d'Europe, le prolétariat socialiste, en Allemagne, en Belgique, en Italie, ne se propose pas comme objet essentiel et immédiat le remplacement de la forme monarchique par l'institution républicaine, et qu'il croit plus utile de se servir des moyens d'action que lui donne déjà, même sous la forme monarchique, un commencement de régime constitutionnel et de démocratie s'appuyant sur son action de classe. J'entends dire cela. Mais prenez garde ! Si la République n'est pas en ce moment dans tous les pays la condition nécessaire du progrès économique et social,

[1] Ce passage est cité dans *Jaurès*, par É. Vandervelde (pages 96 à 101).

elle est en France, par ses origines, par la série d'événements révolutionnaires : en 1791, par la pétition du Champ-de-Mars, en 1792, par l'entrée du peuple au château des Tuileries, en janvier 1793, sur la place de la Concorde, où tombait la tête de Louis XVI, en 1830, en 1848, en 1871, elle est le résultat d'un mouvement révolutionnaire qui a créé la France moderne. Toujours c'est le prolétariat qui a voulu donner au mouvement révolutionnaire inconscient de la démocratie la forme suprême, la forme logique de la République, à laquelle, comme à un symbole, il a attaché ses espérances. Et voilà pourquoi la République, en France, a historiquement une signification de progrès et de liberté qu'elle n'a pas nécessairement, au même degré, dans les autres pays ; voilà pourquoi le prolétariat socialiste est fidèle à lui-même, à sa tradition profonde, à Babeuf, à Buonarotti, à Blanqui, lorsqu'il défend, au nom de ses intérêts de classe, le régime républicain et la liberté républicaine.

Et un second point, Bebel, toujours là-dessus. Vous dites que la République n'est pas, au même degré, immédiatement nécessaire dans les autres pays ! Mais prenez garde ! La République est la forme logique et suprême de la démocratie. Et si la démocratie est déprimée en France sous sa forme logique qui est la République, elle subit, par contre-coup, un dommage dans les autres pays d'Europe. Voilà pourquoi il est imprudent d'établir, comme vous l'avez fait hier, la balance des avantages et des inconvénients de la République, même bourgeoise. Et cette monarchie sociale qui, non pas par amour pour le peuple, mais par égoïsme, est, en effet, en quelque façon supérieure aux classes et peut, pour se défendre contre la surprise possible de la bourgeoisie, donner au prolétariat quelques réformes ; prenez garde, ce jeu qui peut donner pratiquement quelques résultats, il ne vaut pas pourtant les viriles et directes conquêtes par la volonté du prolétariat libre. Nous sommes en Europe à un moment où il n'y a pas seulement une poussée prolétarienne vers le socialisme, mais chez presque tous les peuples un travail, une aspiration vers la démocratie, et même dans tous vos États particuliers d'Allemagne, où on commence à obtenir le suffrage universel, en Italie, en Autriche-Hongrie. Prenez garde qu'il ne soit imprudent de faire croire à tous ces hommes qui vont vers la liberté politique, à ces révolutionnaires russes comme notre éminent ami Plekhanoff, et qui ne peuvent pas répondre qu'au mouvement ouvrier ne se mêleront pas des éléments républicains, libéraux, de la part d'une bourgeoisie exaspérée par le despotisme, prenez garde qu'il ne soit imprudent de leur faire croire que la République n'a pas les avantages complets que le prolétariat en pourrait espérer, puisque, à vous entendre, ce triomphe de la démocratie remplacerait l'égoïsme intelligent d'un monarque par le libre égoïsme de classe de la bourgeoisie s'emparant du mouvement d'émancipation. Et ainsi nous avons cru servir non seulement la démocratie française, mais la démocratie européenne universelle en empêchant le cléricalisme et le militarisme de détruire en France cette République qui est l'aspiration logique de la démocratie.

(Cité dans *Jean Jaurès*, par Ch. Rappoport, pages 57 à 59).

LE DEVOIR RÉPUBLICAIN DES SOCIALISTES

Pour Jaurès, la lutte de classe ne doit pas empêcher les prolétaires de lutter contre « le retour offensif de toutes les forces du passé ». En cas de danger, les socialistes doivent marcher « avec celle des fractions bourgeoises qui ne veut pas revenir en arrière ». Cette idée est abondamment développée dans la controverse avec Jules Guesde à l'Hippodrome de Lille, en octobre 1900 ; controverse qui a été publiée en brochure — très souvent réimprimée — sous le titre : *Les Deux Méthodes*.

Oui, le principe de la lutte de classe vous oblige à faire sentir aux prolétaires leur dépendance dans la société d'aujourd'hui. Oui, il vous oblige à leur expliquer l'ordre nouveau de la propriété collectiviste. Oui, il vous oblige à vous organiser en syndicats ouvriers, en groupes politiques, en coopératives ouvrières, à multiplier les organismes de classe.

Mais il ne vous est pas possible, par la seule idée de la lutte de classe, de décider si le prolétariat doit prendre part à la lutte électorale et dans quelles conditions il y doit prendre part ; s'il peut ou s'il doit et dans quelles conditions il peut ou il doit s'intéresser aux luttes des différentes fractions bourgeoises. Il ne vous est pas possible de dire, en vertu du seul principe de la lutte de classe, s'il vous est permis de contracter ou si vous êtes tenus de répudier toutes les alliances électorales.

Ce principe si général, vous indique une direction générale ; mais il ne vous est pas plus possible d'en déduire la tactique de chaque jour, la solution des problèmes de chaque jour, qu'il ne vous suffirait de connaître la direction générale des vents pour déterminer d'avance le mouvement de chaque arbre, le frisson de chaque feuille dans la forêt.

De même, vous aurez beau connaître tout le plan de campagne d'un général, il vous sera impossible, par la connaissance générale de ce plan de campagne, de déterminer d'avance tous les mouvements particuliers d'offensive ou de défensive, d'escalade ou de retraite que devra accomplir chacune des unités tactiques qui composent l'armée.

Par conséquent, au nom de la lutte de classe, nous pouvons nous reconnaître entre nous pour les directions générales de la bataille à livrer ; mais, quand il s'agira de déterminer dans quelle mesure nous devons nous engager, dans l'affaire Dreyfus, ou dans quelle mesure les socialistes peuvent pénétrer dans les pouvoirs publics, il vous sera impossible de résoudre cette question en vous bornant à invoquer la formule générale de la lutte de classe.

Dans chaque cas particulier, il faudra que vous examiniez l'intérêt particulier du prolétariat. C'est donc une question de tactique et nous ne disons pas autre chose.

De même, il n'est pas possible que vous prétendiez introduire le principe de la lutte de classe en disant, comme le font souvent nos contradicteurs, que le Parti Socialiste doit être toujours un parti d'opposition. Je dis qu'une pareille formule est singulièrement équivoque et singulièrement dangereuse.

Oui, le Parti Socialiste est un parti d'opposition continue, profonde, à tout le système capitaliste, c'est-à-dire que tous nos actes, toutes nos pensées, toute notre propagande, tous nos votes doivent être dirigés vers la suppression la plus rapide possible de l'iniquité capitaliste. Mais, de ce que le Parti Socialiste est foncièrement, essentiellement, un parti d'opposition à tout le système social, il ne résulte pas que nous n'ayons à faire aucune différence entre les différents partis bourgeois et entre les différents gouvernements bourgeois qui se succèdent.

Ah oui ! la société d'aujourd'hui est divisée entre capitalistes et prolétaires ; mais, en même temps, elle est menacée par le retour offensif de toutes les forces du passé, par le retour offensif de la barbarie féodale, de la toute puissance de l'Église et c'est le devoir des socialistes, quand la liberté républicaine est en jeu, quand la liberté de conscience est menacée, quand les vieux préjugés qui ressuscitent les haines de races et les atroces querelles religieuses des siècles passés paraissent renaître, c'est le devoir du prolétariat socialiste de marcher avec celle des fractions bourgeoises qui ne veut pas revenir en arrière.

Je suis étonné, vraiment, d'avoir à rappeler ces vérités élémentaires qui devraient être le patrimoine et la règle de tous les socialistes. C'est Marx lui-même qui a écrit cette parole admirable de netteté : « Nous, socialistes révolutionnaires, nous sommes avec le prolétariat contre la bourgeoisie et avec la bourgeoisie contre les hobereaux et les prêtres ».

... Et de même qu'il est impossible au prolétariat socialiste, sans manquer à tous ses devoirs, à toutes ses traditions et à tous ses intérêts, de ne pas faire une différence entre les fractions bourgeoises les plus violemment rétrogrades et celles qui veulent au moins sauver quelques restes ou quelque commencement de liberté, il est impossible, particulièrement aux élus socialistes, de ne pas faire une différence entre les divers gouvernements bourgeois.

Je n'ai pas besoin d'insister là-dessus, et le bon sens révolutionnaire du peuple fait, lui, une différence entre le ministère Méline et le ministère Bourgeois ; il fait une différence entre le ministère d'aujourd'hui et les combinaisons nationalistes qui le guettent...

(Œuvres de Jean Jaurès : *Études Socialistes*, T. II, pages 194 à 196)

LE PARTI SOCIALISTE ET LES AUTRES PARTIS

Dans sa conférence sur *Bernstein et l'évolution de la méthode socialiste*, faite à l'hôtel des Sociétés Savantes, sous les auspices du Groupe des Étudiants collectivistes de Paris, le 10 février 1900, Jaurès précise sa position à l'égard des contacts entre la classe prolétarienne et les autres classes. Dans la controverse des socialistes allemands sur la revision du marxisme, il se place, de façon générale, du côté de Kautsky contre le revisionnisme de Bernstein. Il admet, notamment, avec Kautsky, que la classe prolétarienne et la classe bourgeoise sont et demeurent radicalement distinctes. Mais, différent de Kautsky, il ne redoute nullement les contacts entre la classe prolétarienne et les autres classes.

… dans quelle mesure, dans quelles conditions, sous quelle forme le Parti Socialiste et le prolétariat peuvent-ils coopérer ou se rencontrer avec les autres partis ? La tendance de Bernstein n'est pas seulement de conseiller une coopération accidentelle ou même fréquente de la classe prolétarienne avec les autres classes, du parti socialiste avec les autres partis, il va jusqu'à fondre peu à peu, par une dégradation insensible et d'autant plus dangereuse, la classe prolétarienne dans les autres classes, le parti socialiste dans les autres partis. Son moyen de justifier cette fusion, c'est de constater qu'on ne peut pas dresser une classe bourgeoise homogène en face d'une classe prolétarienne homogène ; il dit qu'il y a des variétés, des catégories dans la classe bourgeoise. Et c'est vrai, il est incontestable que la catégorie foncière est différente de la catégorie proprement capitaliste. Il ajoute que, dans la classe ouvrière, il y a ce que les Anglais appellent les travailleurs non-qualifiés, ceux qui exercent un métier pour lequel aucune préparation technique n'est nécessaire ; puis les travailleurs qualifiés, de salaires plus élevés, qui se rapprochent par la condition générale de leur vie de la petite bourgeoisie ou même de la région inférieure de la bourgeoisie moyenne. Et Bernstein, à force de décomposer en petites fractions la classe bourgeoise, la classe prolétarienne, en arrive subtilement à mêler tous ces fragments, comme on mélange les morceaux désagrégés de deux matières d'abord résistantes.

Eh bien ! il se trompe, car quelles que soient les diversités internes de chacune de ces classes, la ligne générale de démarcation subsiste entre l'ensemble du prolétariat qui ne détient pas les moyens de production et l'ensemble de la classe capitaliste qui les détient. Il ne suffit pas pour confondre deux classes de marquer entre elles une multitude de nuances intermédiaires ; dans la nature les contraires sont toujours rapprochés par des

nuances intermédiaires. On va du blanc au noir, du violet au
rouge, du jour à la nuit et de la nuit au jour par transitions
insensibles qui permettaient à Héraclite de dire que le jour est
dans la nuit et la nuit dans le jour. Mais la possibilité de passer
par des nuances subtiles d'un contraire à l'autre n'exclut nullement l'opposition des contraires ; c'est même la caractéristique
des contraires de pouvoir être rapprochés par des nuances intermédiaires ; les contraires délimitent les deux extrémités d'un
champ où l'on peut marquer toutes sortes de mesures intercalaires.
Par conséquent, on aura beau multiplier les degrés qui peuvent
rapprocher la classe bourgeoise de la classe prolétarienne, il n'en
reste pas moins deux classes spécifiquement distinctes, spécifiquement antagonistes, parce que l'une a son axe dans la propriété et
l'autre a son axe dans l'absence de propriété. Et si les travailleurs
sont assez subtils, comme l'espère Bernstein, pour former des
groupements, des forces où seraient rapprochés les éléments les
moins hétérogènes des deux classes opposées, ils peuvent aussi
avoir la conception assez large et assez nette pour grouper les
sociétés en deux classes foncièrement antagonistes, malgré la
diversité interne de ces deux classes, la division et l'opposition
des classes dans la société actuelle.

Est-ce à dire que la classe prolétarienne ainsi définie, ainsi
distinguée de l'autre classe, ainsi opposée au reste du monde, à
la fois par son principe qui est communiste et par son organisation propre, est-ce à dire que cette classe ne doit pas intervenir
dans le mouvement des autres classes et se mêler à leur vie ?

Kautsky accepte qu'il y ait entre le prolétariat et certains
éléments des autres classes, des coopérations, des collaborations
momentanées, mais il avertit la classe prolétarienne de se réfugier
le plus possible dans ce que j'appellerai l'intégrité de son isolement.

C'est ici que je ne suis d'accord ni avec Kautsky ni avec
Bernstein ; j'estime, contre Bernstein, que la classe prolétarienne
et la classe bourgeoise sont et demeurent, quoi qu'on fasse,
radicalement distinctes, radicalement antagonistes ; mais j'estime,
contre Kautsky, qu'il ne faut pas avoir peur de la multiplicité des
rencontres et des contacts entre la classe prolétarienne, maîtresse
de sa conscience et de son action, et les autres classes. Et voici
pourquoi : c'est qu'il est impossible à une classe d'agir sans
agrandir la surface de contact entre elle et le reste de la société

humaine. S'abstraire, c'est forcément ne pas agir, et agir c'est nécessairement se mêler au mouvement universel. Je défie qu'on puisse citer une forme d'action, une possibilité d'action où le prolétariat ne soit pas exposé, glorieusement exposé à rencontrer la collaboration et la coopération d'éléments d'une autre classe.

Lieu géométrique

Est-ce que nous pouvions agir dans l'affaire Dreyfus sans nous exposer à la coopération d'autres éléments et fallait-il, sous prétexte que le prolétariat n'était pas seul à lutter pour l'humanité et le droit, fallait-il s'abstenir ? Fallait-il ne pas agir ? De même il nous sera impossible de défendre la République menacée par le césarisme sans rencontrer, la cherchant ou non, la coopération et la collaboration d'autres éléments des autres classes. Je dis plus ; il est impossible aux syndicats de s'organiser, de s'étendre, de se systématiser sans intervenir bientôt directement dans le fonctionnement même de la société capitaliste. Les syndicats imposeront peut-être un jour, je l'espère bien, le choix d'inspecteurs ouvriers désignés par les syndicats pour contrôler dans les usines les conditions du travail ; mais comment contrôler les conditions même d'hygiène et de sécurité sans imposer au patronat l'adoption de tel appareil technique, l'adoption de telle machine, le creusement dans les mines de telle galerie, l'aménagement de telle partie du sous-sol ou de telle partie des ateliers ?... Et le jour où les syndicats ouvriers, même pour l'inspection, même pour le contrôle, interviennent ainsi dans un intérêt de sécurité ou d'hygiène dans la constitution du machinisme, le jour où ils conseillent, où ils imposent au patronat telle machine, tel appareil technique, ils concourent, ils collaborent, qu'ils le veuillent ou non, avec le patronat à la direction de la machine capitaliste. Et certes, je ne suis pas fâché pour le prolétariat de cette collaboration qui est un commencement de prise de possession.

Eh quoi, nous aurons multiplié les coopératives, et nous allons leur proposer comme en Belgique un grand objet : nous allons leur proposer de créer avec leurs ressources communes de vastes Maisons du Peuple qui seront les salles de réunions, les salles de fêtes, les palais du prolétariat organisé, et quand le prolétariat voudra construire sur une des hauteurs de Paris une Maison du

Peuple pareille à celle qui, du haut de Bruxelles, domine toute
l'étendue de la société capitaliste belge, ce jour-là il faudra faire
appel et aux architectes et aux peintres et aux sculpteurs et aux
musiciens, à ceux du moins qui seront capables de comprendre
l'idéal nouveau, et lorsque le prolétariat, par le développement
même de ses coopératives, sera mis en contact avec les éléments
artistiques ou la puissance artistique de la société d'aujourd'hui,
lui reprocherez-vous de se perdre, de se dissoudre dans je ne sais
quel dilettantisme ? Non, non, il aura appelé sur sa tête la flamme
de l'art, le rayonnement de l'art et de la pensée, il aura préparé
cette société communiste où tous les hommes seront appelés à
la jouissance de la pensée et de la science !...

Donc, ou le prolétariat n'agira pas, ou il sera constamment
mêlé à l'action d'autres classes ; l'essentiel c'est qu'à travers cette
mêlée, ce tumulte des éléments, il agisse toujours avec sa
conscience de classe, avec sa force distincte et organisée, et si,
parti distinct, il étend sa surface de contact avec d'autres classes,
moi je ne m'en plains pas. Nous voulons la révolution, mais nous
ne voulons pas la haine éternelle... Et si, pour une grande cause,
quelle qu'elle soit, ou syndicale, ou coopérative, ou d'art, ou de
justice, même bourgeoise, il nous arrive d'obliger des bourgeois
à marcher avec nous, quelle force pour nous de leur dire : ah,
quelle joie il y a pour les hommes qui se haïssaient et se détestaient,
de se retrouver dans ces rencontres momentanées, dans ces
coopérations d'un jour... Et quelle joie, par conséquent, ce sera,
sublime, universelle, éternelle, le jour où ce sera la rencontre
définitive de tous les hommes !...

Elle n'est possible que par la propriété commune qui est le
signe de la conciliation. Pour moi, il ne me déplaît pas que, dans
son mouvement, dans son développement, le parti socialiste et
le prolétariat organisé coupent, rencontrent toutes les grandes
causes... Je veux, nous voulons, que le parti socialiste soit le
lieu géométrique de toutes les grandes choses, de toutes les
grandes idées, et par là nous ne désertons pas le combat pour la
révolution sociale, nous nous armons au contraire de force, de
dignité, de fierté pour hâter cette heure révolutionnaire.

(Œuvres de Jean Jaurès : *Études Socialistes*, T. II, pages 137
à 140 [1])

[1] Cette conférence est reproduite dans *Pages Choisies* (pages 375 à 399).

DISTINCTIONS NÉCESSAIRES

La nécessité de distinguer entre la bourgeoisie réactionnaire et le petit peuple de France, démocrate, est soulignée dans le discours du Congrès de Toulouse (1908).

Il est contraire à la réalité, contraire à la sincérité de proclamer qu'en fait et habituellement, entre les autres partis, quels qu'ils soient, nous ne faisons aucune différence. Ce n'est pas vrai. Pour moi, je déclare dans mon expérience, dans mes conditions de lutte, que cela n'est pas vrai. Vous penserez de moi si vous voulez que je suis un parlementaire obsédé par des soucis de réélection. Je crois avoir donné au Parti, en restant fidèlement attaché, alors que des possibilités de lutte plus facile, je puis vous le dire, m'ont été offertes maintes fois, en restant fidèlement attaché à une circonscription où les forces sont sensiblement égales, où je ne maintiens le drapeau socialiste avec le petit bataillon de mes ouvriers mineurs de Carmaux qu'au prix d'un héroïque, incessant effort de mes camarades et de moi-même ; je crois avoir donné au Parti la preuve que je n'ai pas le souci misérable des succès, immédiatement et étroitement personnels. Mais je tiens à vous dire que, dans la bataille électorale, lorsque je n'ai pour me soutenir qu'une minorité formée par les ouvriers mineurs, lorsque je vais dans les cantons ruraux, dans les cantons des Cévennes porter la parole socialiste — oh ! clairement : je n'ai jamais été de ceux qui enroulent la moindre partie du drapeau — lorsque j'y vais et que dans cet âpre bloc de montagnes cévenoles où le pouvoir du châtelain de la mine possède encore les forêts des campagnes, s'étend jusque là-haut, se combinant avec la puissance du curé, avec la puissance des sorciers, avec la vieille ignorance des populations montagnardes façonnées par un catholicisme intolérant ; lorsque je vais sur ces chemins et que je suis assailli, matériellement assailli, non par des huées, mais par les bâtons, par les pierres, par les embuscades qui me guettent derrière les haies et derrière les buissons d'où surgissent tout-à-coup des figures sauvages, lorsque je suis guetté par les gens de la mine, par les gens du château, par les gens du presbytère, et que près de tomber dans le guet-apens, je suis dégagé par les radicaux, petits médecins de village, petits propriétaires paysans, démocrates qui mènent à leur manière, en dehors de toute formule, une instinctive lutte de classe, et lorsqu'ils nous arrachent du danger et aident les ouvriers de Carmaux à affirmer contre le château, contre le capital, contre le curé, leur volonté d'émancipation... le lendemain de cette victoire, je ne dirai pas que je ne fais aucune différence entre les gens qui m'attendaient dans un guet-apens et les démocrates qui m'aidaient à y échapper.

(Cité dans *Jean Jaurès*, par Ch. Rappoport, pages 11 et 12)

LA CRISE BOULANGISTE

Jaurès a horreur de la démagogie. Il sait que le peuple français est capable d'erreurs. Dans un passage de l'*Armée Nouvelle*, il examine les causes de la crise boulangiste. Il montre comment le général Boulanger exploita dans la masse les passions basses et s'offrit comme le sauveur.

En fait, c'est à la foule que le général Boulanger a demandé le pouvoir, ou du moins cette popularité première qui était un des éléments du pouvoir, et qui ne tarda pas à se combiner avec l'intrigue réactionnaire. Ce n'est ni une intervention militaire, ni une démarche des généraux, qui l'avait porté au Ministère de la Guerre : et ce n'est pas une conspiration militaire qui l'acheminait vers la dictature. Nombreux étaient les chefs qui le jalousaient, le surveillaient et le détestaient. Quand, par ses habitudes de parade et par quelques mesures de détails grossies en une réclame de bateleur, il conquérait une sorte de popularité auprès des soldats, ce n'était pas surtout pour tenir mieux en main l'armée elle-même, c'était pour que, de la caserne, cette popularité facile se répandît dans la cité, et par ce détour encore c'est la foule badaude qu'il voulait capter. On peut dire d'une façon très large qu'il a beaucoup moins essayé d'agir sur la démocratie par les officiers que sur les officiers par la démocratie. S'il rêva d'entraîner l'armée dans une aventure, ce ne fut pas en surexcitant l'esprit de caste du commandement, mais en enveloppant les chefs, hésitants et divisés, de tout le tapage de sa force extérieure et de sa gloire démagogique. Il exploita dans la masse populaire deux passions basses. Il abusa de la lassitude provoquée en elle par la lenteur des réformes sociales, par la querelle stérile de l'opportunisme et du radicalisme, et il s'offrit à la paresse des esprits et des consciences comme le sauveur qui dispenserait de l'effort. Sauveur sans idée qui se chargeait sans doute de penser pour tous. Il exploitait aussi le goût de parade chauvine qui, dans les démocraties désabusées de l'idéal politique et social, est la corruption du patriotisme. Jamais n'éclata plus bassement la pusillanime vanité d'une politique de pseudo-revanche qui multiplie les gestes, mais qui ne va pas à l'action décisive et qui donne aux multitudes l'émotion facile du courage sans péril et de la fierté sans sacrifice.

(*L'Armée Nouvelle*, pages 293 et 294)

LA DÉMOCRATIE DOIT AVOIR FOI EN SOI-MÊME

Dès le début, il avait combattu l'aventure boulangiste. Dans un article de la *Dépêche de Toulouse* du 18 décembre 1888, il tire la leçon de la crise : ce qui manqua à la démocratie ce fut la confiance en soi-même ; le peuple s'est attroupé autour d'un nom propre. Il « ne s'est point senti de taille à faire lui-même la besogne ».

Je dirai, au risque d'étonner et malgré les prétentions démesurées de quelques hommes ou de quelques groupes, que ce qui manque à la démocratie, c'est la confiance en soi-même, c'est le sentiment de sa force, c'est l'ambition vraie.

L'immense foule des travailleurs, paysans et ouvriers, n'a point une suffisante espérance de voir se réaliser la justice ; elle n'a point surtout assez le sentiment que c'est par elle que la justice peut et doit être réalisée. Quand une personne, pleine de vie, est frappée de mort subite, nous avons peine à y croire, il nous semble qu'elle doit vivre. Inversement, il y a si longtemps que la justice absolue est à l'état de rêve, que le peuple a peine à croire que, demain, après-demain, elle puisse être une réalité palpable ; il a peine surtout à croire qu'il dépend de lui de lui donner la vie.

Voyez le mouvement boulangiste : écartez-en tous les éléments accessoires ou étrangers, la badauderie humaine, le tactique

F

électorale des réactionnaires, et allez au fond. Vous y trouverez deux choses : une aspiration confuse vers un ordre meilleur, et un acte de désespoir. Oui, la démocratie des champs et des villes est fatiguée de l'incohérence, de l'impuissance actuelle ; elle voit l'anarchie partout : dans le gouvernement, travaillé par des influences diverses, dans la Chambre coupée en partis hostiles, dans l'administration, qui, entre le ministère d'aujourd'hui et celui de demain, se réserve, doublant son respect d'hostilité et son hostilité de respect. Elle sent que, dans cette anarchie, viennent se perdre, comme en un bourbier, toutes les tentatives réformatrices.

Seulement, la démocratie oublie une chose, c'est qu'elle est la force et qu'elle peut être la lumière ; c'est qu'il dépend d'elle de restaurer le pouvoir central, organe nécessaire de la volonté nationale, instrument nécessaire d'une démocratie en travail, sans abandonner une parcelle de sa liberté. Il dépend d'elle d'élever le pouvoir exécutif au-dessus des coalitions étourdies et des basses compétitions, sans abdiquer jamais aux mains d'un homme.

Or, que fait-elle ? Elle s'attroupe autour d'un nom propre, elle acclame un soldat qui ne dit même pas le fond de sa pensée. Un grand mouvement était nécessaire : il pouvait se faire par le Peuple et pour le peuple, il se fait par un homme et pour un homme. Le paysan, qui cherche l'ordre, la stabilité, la probité, la paix et la justice, verra sortir une fois de plus de l'urne plébiscitaire, avec le nom du général à qui il se livre, la guerre civile et la guerre étrangère, la corruption systématique et l'iniquité.

Et pourquoi, encore une fois ? Parce que le peuple tout entier ne s'est point senti de taille à faire lui-même la besogne. Il ne s'est pas cru assez fort, sans secours étranger, pour détruire et pour reconstruire ; il passe l'outil à un autre, et cet outil, dès demain, s'abattra sur lui pour le punir de ne pas avoir espéré en soi-même, de ne pas avoir cru en soi-même.

(Œuvres de Jean Jaurès : *Études Socialistes*, T. I, pages 9 et 10)

LES LOIS SCOLAIRES DE LA RÉPUBLIQUE

Il faut défendre les lois de la République, et particulièrement les lois scolaires. Pour distinguer un républicain, dit Jaurès dans un article de la *Dépêche de Toulouse* du 23 août 1892, il faudra lui demander s'il accepte la laïcité « qui se confond avec le principe même de la République », puisqu'elle est « la liberté et la raison dans l'éducation des consciences ». En développant l'enseignement laïque, on pourra réaliser « une sorte d'unanimité morale ». On doit amener la masse catholique de l'Église à reconnaître que « l'enseignement ne doit pas être confessionnel ».

Pour dissiper toute équivoque, il suffira de poser cette simple question : « Acceptez-vous les lois scolaires ? Acceptez-vous la laïcité de l'enseignement à tous degrés ? » Et ce n'est même pas assez, pour les représentants de la démocratie républicaine, d'accepter le principe de la laïcité : ils ne doivent pas subir les écoles laïques, ils doivent les aimer, et travailler avec passion à leur développement. Beaucoup reste à faire, il faut améliorer la situation des maîtres par une meilleure répartition du personnel entre les diverses catégories. Il faut, en bien des points, améliorer aussi les locaux, tout à fait insuffisants ou insalubres. Il faut, enfin, être bien convaincu que l'enseignement du peuple ne doit pas être machinal et subalterne ou même simplement technique, qu'il doit, peu à peu, s'élever partout et former des hommes capables de penser et de vouloir par eux-mêmes, et de connaître les joies les plus nobles de la vie. Donc, serez-vous les amis, les serviteurs dévoués de l'enseignement laïque ? Voilà la question qu'il faut poser, car c'est la question décisive. Elle l'est pour trois raisons.

D'abord, elle permettra de reconnaître ceux qui de la République, n'acceptent que le nom, car la laïcité de l'enseignement se confond avec le principe même de la République. La laïcité de l'enseignement c'est la liberté et la raison dans l'éducation des consciences, et sans la raison, sans la liberté intime des esprits, que serait la République ?

En second lieu — et j'appelle sur ce point l'attention des républicains modérés qui seraient tentés de s'allier au parti clérical contre la démocratie — arrêter le développement de l'enseignement laïque et de l'esprit laïque dans le peuple, c'est préparer la révolution violente.

Déjà, il n'est que trop aisé de le voir, des ferments de colère et d'impatience s'accumulent au cœur des travailleurs d'élite, qui ont rêvé l'émancipation de leur classe. Et s'ils s'irritent ainsi et sont parfois tentés de déserter les voies légales, ce n'est pas seulement parce que les réformes promises ne sont pas réalisées, parce que la liberté des syndicats n'est pas protégée, et que même la liberté politique des travailleurs est violée par de malfaisantes tyrannies, parce que rien encore de décisif n'a été fait, ni pour la réglementation du travail épuisant ni pour l'organisation des retraites. Non, ce qui les irrite le plus, c'est que, parmi les travailleurs eux-mêmes, il en est d'inertes, d'accablés, qui ont parfois des sursauts de violence, mais qui n'ont pas la force de penser avec suite à l'avenir et de le préparer avec fermeté. Et alors, ils sont tentés parfois par le désespoir, et ils songent tout bas à recourir à la force, suprême ressource des minorités résolues. Mais leur courage se raffermit et leur sagesse se réveille quand ils se disent : Patience, il y a au moins, dans notre société engourdie ou inique, une force qui travaille pour nous, c'est l'enseignement donné au Peuple ; les esprits seront excités ; les consciences seront redressées ; nos enfants vaudront mieux que nous, il n'y aura en eux ni indifférence, ni servilisme ; et ils travailleront tous, avec ensemble, à l'émancipation sociale qui se refuse aujourd'hui aux efforts isolés des meilleurs d'entre nous.

Mais si la République, se trahissant elle-même, permettait à l'esprit clérical de pénétrer et de s'étendre à nouveau dans l'enseignement des travailleurs, si elle ne lui disputait pas et ne lui arrachait pas peu à peu tous les enfants du peuple ; si l'école, au lieu d'éveiller les esprits à la liberté et, par elle, à la justice, les façonnait à la routine, à la soumission irraisonnée, à l'acceptation passive des formules dictées par les puissants ; si, au lieu d'être le vestibule des temps nouveaux elle redevenait l'antichambre des servitudes anciennes ; si l'instrument unique de libération était un instrument d'oppression, alors, certainement, dans les cœurs les plus ardents et les plus nobles, les grands espoirs trompés tourneraient en de déplorables violences. Si donc nous ne voulons pas que la violence aveugle, abominable, d'autant plus abominable qu'elle jette parfois au crime des hommes bons, se mêle aux revendications sociales du peuple, il faut avant tout maintenir, ou plutôt développer l'enseignement laïque. Il est la seule voie ouverte au progrès pacifique et légal.

Unanimité morale

Enfin, en maintenant, ou plutôt en développant notre enseignement laïque, nous réaliserons dans notre pays une sorte d'unanimité morale, car j'ose dire, sans paradoxe, que si nous ne faiblissons pas, nous amènerons la masse catholique de l'Église elle-même à reconnaître que l'enseignement ne doit pas être confessionnel, et, ce jour-là, il y aurait accord entre tous les Français, non seulement sur la forme gouvernementale, mais sur les institutions vitales de la République et sur la direction des sociétés modernes.

Oh ! je ne me fais pas la moindre illusion ; ce n'est pas par de belles démonstrations théoriques ou philosophiques que nous amènerons le parti catholique à reconnaître que l'enseignement national doit être affranchi de tout dogme, qu'il doit être la libre culture de la raison. S'il n'y avait eu que des démonstrations de cet ordre pour convertir à la République les conservateurs, ils en seraient encore les ennemis insolents. Mais la République s'est défendue et elle a grandi, et, pour ceux-là même qui, dans leurs préjugés étroits ou leurs passions coupables, ne voyaient pas en elle la force sacrée du droit, elle a su avoir la force incontestable du fait, et, après avoir usé contre elle leurs sophismes, leurs fureurs et leurs entreprises, les conservateurs se sont dit : « Elle est la force, qui sait si elle n'est pas le droit ? Qui sait s'il n'y a pas, selon l'expression pontificale, une légitimité de la République ? »

De même, que l'enseignement laïque, soutenu avec passion par le gouvernement républicain et les municipalités, se développe ; que les résistances, beaucoup plus politiques que religieuses, du parti conservateur apparaissent de plus en plus vaines ; que la concurrence des écoles congréganistes soit peu à peu découragée par la beauté de nos écoles, par la valeur de nos maîtres, par l'excellence de nos méthodes, par tous les secours que la puissance politique peut et doit apporter aux écoles publiques : et les catholiques se diront : « Qui sait s'il ne vaut pas mieux, après tout, que l'école n'enseigne aux enfants d'un même pays que ce qui les rapproche ? Qui sait même, si la foi éclairée, vivante, personnelle ne gagnera pas à une éducation rationnelle et libre ? »

En fait, l'Église elle-même, qu'elle le veuille ou non, en acceptant la République a accepté pour une échéance plus ou moins prochaine, la laïcité de l'enseignement. La République c'est le droit de tout homme, quelle que soit sa croyance religieuse, à avoir sa part de la souveraineté. Dès lors, comment faire d'une croyance religieuse quelconque la base de l'éducation, quand elle n'est pas la base de la souveraineté ? En répudiant la monarchie chrétienne, l'Église répudie l'enseignement chrétien, au sens sectaire et dogmatique du mot.

En acceptant la République après l'avoir combattue, l'Église, sans le vouloir, mais nécessairement, accepte l'œuvre accomplie par la République. La distinction entre la constitution et la législation est subtile, et les masses, même catholiques, ne la comprendront pas. C'est autour du mot de République qu'on avait groupé toutes leurs répugnances et toutes leurs haines contre l'œuvre accomplie par nous ; en les réconciliant avec le mot de République, la papauté, sciemment ou non, les réconcilie à demi avec les lois de la République.

Il dépend donc de nous, de notre vigilance, de notre persévérance et de notre fermeté, que les lois de laïcité scolaire soient acceptées un jour comme libérales et justes, par les catholiques, au même titre que la République elle-même. Défendons nos écoles laïques, et aimons-les passionnément, nous amènerons tout le monde, en France, à les aimer.

(*Action Socialiste*, pages 169 à 175 [1])

L'ÉCOLE LAÏQUE ET LA LIBERTÉ DE L'ESPRIT

Dans un discours sur l'enseignement laïque prononcé à la Chambre, le 11 février 1895, il parle avec un grand respect des aspirations religieuses. Mais l'enseignement laïque doit être fondé sur « la liberté souveraine de l'esprit ».

... Et d'abord, nous écarterons résolument ces docteurs retour de Rome qui nous prêchent le renoncement à la science et à la

[1] Cet article est reprodui dans *Jaurès*, par É. Vandervelde (pages 80 à 85).

raison, la docilité systématique, le silence prudent et respectueux. En ce qui me concerne, je n'ai aucun parti pris d'offense ou de dédain envers les grandes aspirations religieuses qui, sous la diversité des mythes, des symboles et des dogmes, ont soulevé l'esprit humain. Je ne m'enferme pas non plus, comme beaucoup de nos aînés dans la République, dans ce positivisme étriqué de Littré, qui n'est qu'une réduction médiocre du grand positivisme mystique d'Auguste Comte ; je comprends les impatiences et les ivresses de pensée des générations nouvelles qui cherchent, par les grandes philosophies de Spinoza et de Hegel, à concilier la conception naturaliste et la conception idéaliste du monde ; et si je ne souscris pas à ce spiritualisme enfantin et gouvernemental que Cousin, dans sa deuxième manière, avait imposé un moment à l'Université, je n'accepte pas davantage comme une sorte d'évangile définitif ce matérialisme superficiel qui prétend tout expliquer par cette suprême inconnue qui s'appelle la matière : je crois, Messieurs, que quelques explications mécanistes n'épuisent pas le sens de l'univers, et que le réseau des formules algébriques et des théorèmes abstraits, que nous jetons sur le monde, laisse passer le fleuve.

Je n'ai jamais cru que les grandes religions humaines fussent l'œuvre d'un calcul ou de charlatanisme. Elles ont été assurément exploitées dans leur développement par les classes et par les castes ; mais elles sont sorties du fond même de l'humanité, et non seulement elles ont été une phase nécessaire du progrès humain, mais elles restent encore aujourd'hui comme un document incomparable de la nature humaine, et elles contiennent, en un sens, dans leurs aspirations confuses, des pressentiments religieux et des appels à l'avenir qui seront peut-être entendus.

Voilà, ce me semble, dans quel esprit, qui n'est pas l'esprit nouveau, mais l'esprit de la science elle-même depuis un siècle, voilà dans quel esprit doit être abordé par la démocratie le problème du monde et de l'histoire qui domine le problème de l'éducation.

Mais ce qu'il faut sauvegarder avant tout, ce qui est le bien inestimable conquis par l'homme à travers tous les préjugés, toutes les souffrances et tous les combats, c'est cette idée qu'il n'y a pas de vérité sacrée, c'est-à-dire interdite à la pleine investigation de l'homme ; c'est cette idée que ce qu'il y a de plus grand dans le monde, c'est la liberté souveraine de l'esprit ; c'est cette idée qu'aucune puissance ou intérieure, ou extérieure, aucun pouvoir et aucun dogme ne doit limiter le perpétuel effort et la perpétuelle recherche de la raison humaine ; cette idée que l'humanité dans l'univers est une grande commission d'enquête dont aucune intervention gouvernementale, aucune intrigue céleste ou terrestre ne doit jamais restreindre ou fausser les opérations ; cette idée que toute vérité qui ne vient pas de nous est un mensonge ; que, jusque dans les adhésions que nous donnons, notre sens critique doit toujours rester en éveil et qu'une révolte secrète doit se mêler à toutes nos affirmations et à toutes nos pensées ; que si l'idée même de Dieu prenait une forme palpable, si Dieu lui-même se dressait, visible, sur les multitudes, le premier devoir de l'homme serait de refuser l'obéissance ou de le traiter comme l'égal avec qui l'on discute, mais non comme le maître que l'on subit.

Voilà ce qui est le sens et la grandeur et la beauté de notre enseignement laïque dans son principe, et bien étranges sont ceux qui viennent demander à la raison d'abdiquer, sous prétexte qu'elle n'a pas et qu'elle n'aura même jamais la vérité totale ; bien étranges ceux qui, sous prétexte que notre démarche est incertaine et trébuchante, veulent nous paralyser, nous jeter dans la pleine nuit, par désespoir de n'avoir pas la pleine clarté.

(*Action Socialiste*, pages 275 à 285 [1])

---

[1] Des passages importants de ce discours sont reproduits dans *Pages Choisies* (pages 103 à 108) et dans *Jaurès*, par É. Vandervelde (pages 85 à 93).

CHAPITRE III

RÉVOLUTION FRANÇAISE

Le socialiste Jean Jaurès, patriote et républicain, est tout pénétré de la Révolution française. Non seulement il s'en est fait l'historien, mais, dans ses articles comme dans ses discours, les références aux événements de 1789–1793 reviennent sans cesse. Il convenait de grouper un certain nombre d'extraits permettant de dégager l'image qu'il s'est formée de ce grand drame, le jugement qu'il porte sur quelques-uns de ses acteurs et la place qu'il lui attribue dans l'évolution de l'humanité.

L'ARDEUR PATRIOTIQUE

En un tableau singulièrement vivant, Jaurès a su faire revivre l'atmosphère ardente de septembre 1792 : la Patrie en danger, la naissance de la Convention nationale.

Au travers des compétitions et des intrigues arrivaient les nouvelles impatiemment attendues des frontières. Longwy est-il pris ? Verdun résistera-t-il ? Ah ! que la France soit comme une fournaise et que la Convention forge le glaive ! Souvent les opérations électorales étaient interrompues ; c'étaient des dons patriotiques qui affluaient, des lettres chargées d'assignats, des bijoux, des bracelets, ceux de la fière paysanne et ceux de la riche bourgeoise : que tout cet or soit fondu pour la liberté ! Pendant que les femmes se réunissaient dans les églises, non pour prier, ou tout au moins la prière était courte, mais pour travailler aux effets d'équipement, aux tentes, aux habits, à la charpie aussi. Qu'on lise les journaux de Paris : toutes les églises étaient pleines de femmes patriotes qui voulaient, suivant le beau mot de la Commune, ennoblir leurs mains au service de la patrie. Qu'on lise les lettres de Lebas et de son père ; partout dans le Pas-de-Calais, dans le Nord, les femmes réunies le soir à l'église et y portant sans doute les pauvres lumières accrochées d'habitude au manteau de la cheminée, tricotaient, cousaient, effilaient le linge pour les blessés, tendaient parfois l'oreille dans le silence de la nuit aux rumeurs incertaines qui venaient de la frontière : est-ce le canon de l'ennemi qui gronde déjà aux environs de Lille ? Parfois un homme entrait, un révolutionnaire du bourg ou du village, et il haranguait ces femmes, il les conviait à la constance contre les périls prochains, à l'héroïque courage. Mères, c'est la patrie qui est la grande mère, la patrie de la liberté !

Parfois celui qui leur avait parlé d'abord familièrement, presque du seuil de l'église où l'avait appelé une clarté, gravissait, à la demande des femmes, les degrés de la chaire. Et pour aucune de ces femmes, restées pourtant presque toutes chrétiennes, il n'y avait là ironie ou profanation. Une harmonie toute naturelle s'établissait dans leur âme entre les émotions religieuses de leur enfance et de leur jeunesse, douces encore au cœur endolori, et les hautes émotions sacrées de la liberté, de la patrie, de l'avenir. Mais celles-ci étaient plus vivantes. Si le prêtre s'insurge contre la liberté, que le prêtre soit frappé ; si la religion ancienne tente d'obscurcir la foi nouvelle, la foi à l'humanité libre, que la vieille religion s'éteigne, et que la lampe mystique soit remplacée dans l'église même par la lampe du travail sacré, celui qui vêt, abrite, protège les défenseurs de la liberté et du droit.

Ainsi jaillissaient des pensées nouvelles, ainsi grandissaient de subites révoltes qui relevaient les fronts inclinés de jadis et faisaient, si je puis dire, éclater la voûte basse des vieilles églises accoutumées aux sourdes paroles de résignation. Les hommes aux camps ou dans les Hôtels de Ville, combattant ou élisant, c'est-à-dire combattant encore, les femmes travaillant dans les églises d'un travail plus fervent qu'une prière, c'est de tous ces foyers aux lueurs convergentes que jaillit l'ardente Convention.

(*Histoire Socialiste de la Révolution Française*, T. IV (*La République*), pages 309 et 310)

LES OUVRIERS DE LA RÉVOLUTION ET LA PATRIE

Ces ouvriers, ces prolétaires français qui vont défendre le pays envahi sont passionnément patriotes, mais non sans conditions. Le patriotisme ouvrier est « passionné de démocratie, d'égalité, de justice sociale ». Dans un article de la *Petite République* du 26 décembre 1901, Jaurès a analysé magistralement ce sentiment ; et il l'a fait de façon d'autant plus heureuse que son patriotisme à lui était de même nature.

On peut résumer l'état d'esprit des ouvriers, ces prolétaires français de 1789 à 1795, en disant qu'ils étaient passionnément patriotes, mais qu'ils ne l'étaient pas sans condition. Ils étaient patriotes parce qu'ils étaient passionnés pour la Révolution et qu'à cette date, dans la France révolutionnaire, la patrie et la Révolution se confondaient. La Révolution n'avait pas suscité la patrie, mais elle lui avait donné une ampleur et une profondeur jusque-là inconnues. Par elle, la diversité des ordres, des provinces, des cités, des corporations se fondait en une magnifique et ardente unité, l'unité de la vie nationale. Par elle aussi, la patrie, représentée jusqu'alors en vertu d'une sorte de délégation historique par une famille, la famille royale, devenait la chose de tous, puisque c'était la volonté expresse de la nation qui faisait la loi.

Ainsi, la patrie apparaissait comme le support de la Révolution, la Révolution apparaissait comme l'exaltation de la patrie, et son accomplissement. Patriote et révolutionnaire, dans le langage du temps, étaient synonymes ; et cette unité de la Révolution et de la patrie prit un sens grandiose et poignant lorsque, contre la seule France révolutionnaire, se coalisèrent toutes les forces rétrogrades de l'univers.

Or, bien que la Révolution fût avant tout la Révolution de la bourgeoisie, bien qu'elle assurât d'abord le développement et la primauté de la classe bourgeoise, seule en état d'en recueillir tout le bénéfice et d'en exercer toute la puissance, le peuple ouvrier, les prolétaires, comme on les appelait déjà, y adhéraient de tout leur cœur et de toute leur force. Ils sentaient très bien que la destruction du régime féodal et de l'arbitraire monarchique, et l'avènement de la démocratie, même bourgeoise, étaient pour eux une garantie nécessaire et une espérance.

Ils n'avaient pas, ils ne pouvaient pas avoir une profonde conscience de classe ; ils ne concevaient guère, dans l'ensemble, un autre type de propriété que celui de la bourgeoisie : ils ne pouvaient donc engager contre celle-ci une lutte délibérée et systématique. Mais ils devinaient bien qu'en se mêlant à la Révolution, en la soutenant de toute leur force et en la passionnant de toute leur ardeur, ils tireraient pour eux-mêmes tous les avantages, immédiats ou lointains, qu'un régime de démocratie tenait en réserve. Aussi, malgré les conseils chagrins de Marat, prêchant parfois une sorte d'abstention morose et de défiance douteuse ou irritée, malgré les premiers attentats oligarchiques de la bourgeoisie, les prolétaires se jetèrent dans tous les mouvements de la Révolution.

Ce sont des ouvriers charpentiers qui au 14 juillet coupent de leur hache les chaînes du pont-levis de la Bastille et montent à l'assaut ; et parmi les combattants qui furent frappés à mort, il y eut bien des patriotes obscurs dont nul ne put reconnaître le cadavre. Non, quoi qu'en ait pu dire Marat, les ouvriers qui combattirent en cette décisive journée n'étaient pas dupes, et bien qu'en effet ils n'aient guère délivré que des nobles, bien qu'ils aient délivré notamment le chevalier de Solages, un des ascendants du marquis qui a violenté les ouvriers de Carmaux, je ne suis pas prêt à dire que les prolétaires du 14 juillet ont manqué à leur devoir de classe. Qu'importe qu'au lendemain même de la victoire remportée par eux et pour elle, la bourgeoisie se soit tournée contre eux ! Ils avaient mis d'emblée la force du peuple dans la force de la Révolution, et l'une ne pouvait plus grandir sans que l'autre grandît.

Non, les prolétaires de Paris, hommes et femmes, n'étaient pas dupes encore lorsqu'aux 5 et 6 octobre ils marchaient sur Versailles et imposaient au roi la promulgation de la Déclaration des Droits de l'Homme. Car quoique la bourgeoisie révolutionnaire les rapetissât bien vite à n'être en effet que les droits de la bourgeoisie, ils restaient cependant comme une promesse du droit humain intégral. Les travailleurs s'appuient dès 1791 sur les Droits de l'Homme pour résister aux patrons et entrepreneurs. Ils s'appuient sur eux en 1792 et en 1793 pour conquérir le suffrage universel, et pour proclamer le droit de tous à la vie, supérieur au droit étroit de propriété.

Ainsi, pas un moment, malgré les déceptions premières, malgré les violences ou les ruses de l'esprit d'oligarchie et de privilège bourgeois, pas un moment les prolétaires ne firent divorce avec la Révolution, c'est-à-dire avec la patrie révolutionnaire. Ils savaient qu'ils l'emporteraient enfin dans leur propre mouvement. Et c'est d'un cœur héroïque, mais c'est aussi d'un esprit clair-voyant et haut qu'en 1792, quand la France révolutionnaire menacée fit appel au libre dévouement des gardes nationaux, c'est-à-dire de la bourgeoisie, les prolétaires s'inscrivirent en masse sur des registres supplémentaires, irrégulièrement annexés aux registres légaux des enrôlements bourgeois. Dans la patrie ils défendaient la Révolution, et dans la Révolution présente ils défendaient les promesses d'une Révolution agrandie où le peuple ouvrier trouverait sa part de droit et sa part de bonheur.

Patriotisme prolétarien

Dès lors, et quoique le prolétariat n'eût pas encore une nette pensée de classe, le patriotisme ouvrier, le patriotisme prolétarien de 1789 à 1795 a sa marque propre : il est passionné de démo-cratie, d'égalité, de justice sociale ; il est tourné vers l'avenir ; il est gros des espérances confuses et des futures victoires du travail. Ces héroïques volontaires ouvriers de 1792 et 1793 auraient crié au blasphème, si on leur avait dit que la patrie avait, en soi et pour soi, une valeur absolue, indépendante des formes politiques et sociales par lesquelles elle s'exprimait.

Non, elle n'était pas pour eux l'idole qui communique à toute injustice, à tout privilège, un caractère sacré. Ils ne la séparaient pas de la liberté, de la démocratie, d'un commencement d'égalité sociale. S'ils sauvaient la nation, s'ils la fortifiaient et l'exaltaient, c'était pour qu'elle fût juste, pour qu'elle assurât le droit de tous, droit à la souveraineté, droit à l'existence. Ils ne savaient pas — et même avec Babeuf ce fut une minorité infime qui entrevit le communisme et l'avenir — que leur libération entière était liée à l'avènement d'un nouveau système de propriété ; mais ils voulaient créer pour tous un ensemble de garanties si puissant que la démocratie politique se continuait en effet dans leur pensée et s'achevait en démocratie sociale.

Ils n'étaient ni des collectivistes ni des « partageux », mais ils voulaient que le droit à la vie et au travail fût assuré. Et de l'idée de la loi agraire, ils retenaient une chose : c'est que la nation devait assurer une partie du sol aux travailleurs qui ne trouvaient pas dans l'exercice de leur métier le moyen de vivre. C'était, sous la forme agrarienne propre à cette époque, la garantie universelle de la propriété.

Oui, l'idéal de la démocratie ouvrière, qui dépassait Robespierre sans aller d'ensemble jusqu'à Babeuf, se formulait par le suffrage universel, l'éducation universelle, l'armement universel, le droit universel au travail et à la vie. A chaque citoyen un bulletin de vote, un fusil, un livre, un métier ou un champ. Voilà ce que dès 1792, signifiaient, pour les prolétaires, la Révolution et la patrie.

Et que de rêves encore, que de projets d'organisation du travail étaient prêts à éclore, comme des germes puissants, de l'ardeur révolutionnaire du prolétariat ! Quelle merveilleuse anticipation de l'avenir chez ces ouvriers qui, par leur pétition à la Convention, demandent l'assurance mutuelle contre la vieillesse et la maladie, une libre et fraternelle discipline permettant à l'ouvrier qui s'absente de l'atelier, de toucher son salaire à condition que ses camarades accomplissent sa part de travail, le droit pour les ouvriers de nommer eux-mêmes les contremaîtres et chefs d'atelier, enfin la journée de neuf heures, dont huit heures de travail, et une heure, la première, consacrée à la lecture en commun des papiers publics.

C'est cela, ce sont toutes les espérances, toutes les semences d'avenir que le peuple ouvrier défendait et sauvait, et dans la profondeur de la conscience prolétarienne, c'est cela dès lors qui est la patrie : cela, et pas autre chose. C'est cela que, le 29 novembre 1792, Saint-Just traduisait à la tribune de la Convention, en donnant à la pensée populaire le tour orgueilleux de sa propre pensée : « *Un peuple qui n'est pas heureux n'a pas de patrie*, il n'aime rien. On n'a point de vertus patriotiques sans orgueil, et on n'a point d'orgueil dans la détresse. » Ainsi, pour les hommes de 1792 et de 1793, la patrie n'est pas une valeur inconditionnelle. Elle n'existe pas sans l'universel bien-être, sans l'universel orgueil du bonheur, sans la fraternité superbe des citoyens égaux et libres.

Voilà, dès que le prolétariat commence à jouer un rôle historique, son idée de la patrie. Qu'advint-il de cette idée à mesure que les forces démocratiques de la Révolution furent refoulées, et que dans la société nouvelle, se précisa l'antagonisme de la bourgeoisie étroitement victorieuse et du prolétariat ? C'est dans le Manifeste communiste de Marx et d'Engels, de 1847, que j'irai chercher la réponse. C'est la deuxième étape de l'idée prolétarienne de la patrie.

(Œuvres de Jean Jaurès : *Les Alliances Européennes*, pages 280 à 284)

PAS DE CONQUÊTES

Le patriotisme de 1792-93 était pur de toute idée de conquête. Carnot ne voulait pas d'annexion ; il était hostile à la prétention sur la rive gauche du Rhin.

Un arrière-souvenir et comme un arrière-orgueil de despotisme national se glissait dans les victoires humaines de la liberté. Donner la liberté au monde par la force est une étrange entreprise pleine de chances mauvaises. En la donnant, on la retire. Et les peuples gardent rancune du don brutal qui les humilie. Le poète allemand s'écriera plus tard : « Cette liberté que vous nous ameniez comme une fiancée, vos soldats l'avaient d'abord baisée sur la bouche ».

Oui, je sais cela, et Robespierre l'avait pressenti ; il l'avait annoncé lorsque seul, aux Jacobins, en 1792, il luttait avec une obstination héroïque contre le parti de la guerre, contre l'entraînement belliqueux du peuple que son besoin d'action révolutionnaire poussait aux grandes aventures, bien au delà de l'intrigue et des roueries de la Gironde. Il prédisait aux hommes impatients d'aller à la liberté par le chemin hasardeux de la guerre, les convulsions contre-révolutionnaires qui sortiraient sans doute de la défaite, la dictature militaire qui sortirait de la victoire. Il leur montrait le reste du monde encore incapable de se libérer lui-même, destitué d'une bourgeoisie audacieuse, livré à l'ignorance, résigné à la tyrannie des nobles et des rois ; il criait aux exaltés cette magnifique parole : « Ce n'est pas à la pointe des baïonnettes qu'on porte aux peuples la Déclaration des Droits de l'Homme ».

Grandes leçons et qu'il faut retenir pour préserver à jamais les peuples en révolution des tentations de la guerre, même s'ils croient par là brusquer dans le monde la victoire de l'idée.

Mais pourquoi beaucoup, parmi les révolutionnaires les meilleurs, n'écoutèrent-ils point alors les prophétiques avertissements de Robespierre ? Pourquoi n'épuisèrent-ils pas toutes les chances de paix avant de provoquer l'explosion de l'orage que, d'ailleurs, accumulaient lentement les rois ? Pourquoi se hâtèrent-ils de mettre la guerre probablement inévitable au service de la Révolution menacée du dedans et du dehors ? Parce qu'ils se croyaient sûrs de leur propre cœur et que leur fièvre ne dégénérerait pas en une fièvre de conquête. Les fumées d'orgueil qui passaient sur leur idéal ne le voilaient pas encore, et il leur semblait que douter d'eux-mêmes, c'eût été douter de lui. Les profondes défiances de Robespierre étaient réfutées par les plus hauts élans de leur âme. Même les bouffées de vanité chauvine et de déclamation guerrière qui montaient dans les paroles leur semblait émaner d'un foyer ardent et pur. Ce fut la grande tentation de la Révolution française, mais c'est son honneur d'avoir cru qu'elle pourrait goûter aux violences enivrantes de la guerre sans que l'idéal de la liberté française, se sauvant elle-même et sauvant le monde, fût compromis. Si, de 1792 à 1795, le destin avait proposé à ces hommes ce choix : « *Ou bien vous briserez la coalition des despotes, et en sauvant votre liberté vous libérerez les autres peuples, mais vous n'aurez pas un pouce de terre de plus, et pas la moindre primauté ; dans la paix définitive et la liberté commune, le peuple de France sera l'égal des autres peuples. Ou bien, par une fortune toute contraire, marchant derrière les aigles romaines d'un général victorieux devenu votre maître, vous serez les dominateurs et les exploiteurs superbes de l'univers* », le second terme de l'alternative leur eût fait horreur. Peut-être auraient-ils ressenti du premier coup, au fond de leur âme, un mouvement d'orgueilleuse surprise que la France révolutionnaire et libératrice pût être demain et à jamais un peuple comme les autres, mais ils auraient eu honte de cette surprise même ; ils auraient opté passionnément pour le droit, pour la liberté du monde ; leur enthousiasme n'eût pas été refroidi d'un degré.

Malgré les griseries de la force et de l'ambition, malgré la sollicitation confuse des passions brutales ou basses, c'est bien cette pure idée qui, aux jours d'épreuve et de péril, fut vraiment l'inspiratrice. Elle fut le principe moteur, elle fut aussi le principe organisateur. Carnot qui, dès le commencement de l'été de 1793, gouverne les armées, ne perd rien de son crédit auprès d'elles pour répéter sans cesse, et dans les combats mêmes, que la

République ne voulait point d'annexion, que même elle devait renoncer à la vieille prétention sur la rive gauche du Rhin, que sa force vraie, durable, serait dans la modération et dans la justice, dans le respect des peuples même vaincus. C'est la négation la plus absolue de toute idée de conquête qui poussait à la victoire les armées de la Révolution. Quand il entraînait les soldats à Wattignies et enlevait le formidable camp de Maubeuge, c'est le seul orgueil de la liberté et du droit qui fanatisait les âmes. *« S'ils emportent ce camp, avait dit le général autrichien, j'avoue que ce sont de fiers républicains, et je le deviendrai comme eux. — Il le sera donc »*, avaient répondu les soldats révolutionnaires. Et leur seule ambition était de montrer que le plus pur dévouement à la patrie libre peut susciter des énergies incomparables et réaliser l'impossible. En se jetant au péril avec une vigueur et un élan qui avaient raison de tout, ils voulaient faire la preuve de la noblesse de la Révolution.

(*L'Armée Nouvelle*, pages 74 à 76)

HOCHE ET RABELAIS

Les chefs militaires se sentaient portés « au niveau des plus belles œuvres ». Dans une page magnifique de l'*Armée Nouvelle*, Jaurès nous parle de Hoche qui, dans sa prison, lit Rabelais dans l'œuvre duquel palpite la foi en la science, en la raison, en la liberté.

... ils se sentaient portés, par les grands événements pleins de pensée, au niveau des plus grandes œuvres. Hoche, persécuté, méconnu, emprisonné, cherche dans l'étude de hautaines consolations. Et quels sont les livres qu'il demande à ses geôliers ? Sénèque, Montaigne, Rabelais. « Il ne s'arrête pas à Sénèque ; Montaigne ne lui suffit pas ; il va à Rabelais. » C'est Gambetta qui parle ainsi dans un discours sur Hoche, qui est vraiment admirable. Et dans cette démarche de l'esprit de Hoche, je reconnais précisément toute la grande intelligence révolutionnaire. Le stoïcisme du moraliste romain convenait à une humanité fatiguée et fière, qui savait vivre et mourir sans espérance. Il ne convenait pas à cette humanité révolutionnaire, qui portait

G

jusque dans la mort son audace et son élan et qui saluait, au delà
de la vie individuelle précaire et menacée, la certitude de l'avenir
humain.

Si Montaigne, après Sénèque, ne contenta point le général
Hoche, ce n'est pas, sans aucun doute, qu'il l'ait trouvé médiocre
et débile, ou d'un entretien affaiblissant dans les grandes épreuves
de la vie. L'épicurisme facile de Montaigne est une légende. Il a
toujours eu le sens et le goût de la grandeur, et sa liberté d'esprit
sceptique l'aidait surtout à la comprendre sous toutes ses formes.
Sur le mol oreiller du doute, il rêvait plus aisément à toutes les
grandes choses. Il avait été d'abord fortement épris des stoïciens,
et c'est par là que son esprit s'était joint d'une si étroite amitié
avec le christianisme stoïque de la Boétie. Puis il avait compris
qu'une vertu moins tendue et moins âpre convenait mieux à la
vie humaine, si diverse et si mêlée et attestait peut-être plus de
force vraie. L'air naturel et aisé de Socrate le ravissait, mais dans
cette familiarité socratique, quelle hauteur ! Et précisément dans
le sens de la hauteur, Montaigne ne marquait aucune limite à
l'âme humaine. Il se refusait à douter d'un acte d'héroïsme par
la seule raison qu'il paraissait dépasser de trop haut les forces
communes. Il ne voulait être dupe et serf d'aucune formule, et
on dirait parfois qu'il ne détruit tous les mensonges de l'orgueil
humain, toutes les illusions de la fausse grandeur, que pour
laisser à la grandeur vraie tout son jeu et son prix. Il a fallu l'étroit
parti pris janséniste de Pascal, et l'habitude de simplification
outrée de son génie constructif, pour ne voir en Montaigne que
la faiblesse de l'homme. On peut dire, au contraire, qu'il a
désencombré les abords de la vraie grandeur de toutes les contre-
façons, de toutes les vanités qui la masquaient. Et son esprit, en
quête d'expériences sur l'homme, se plaisait particulièrement aux
choses de la guerre, où l'âme se découvre du plus haut au plus
bas, du plus bas au plus haut. C'est là que férocité et générosité,
lâcheté et courage, légèreté et prévoyance, inconsistance et
fermeté, se marquent le plus fortement. L'homme serré par les
événements donne sa vraie mesure. Dans les exemples multipliés
par Montaigne, dans la haute et sereine leçon de courage qui
émane des *Essais*, Hoche, menacé du supplice par la Révolution
à laquelle il s'était donné tout entier, aura trouvé sans aucun
doute un réconfort à la mesure de son âme et de son destin.

Montaigne, lui aussi, dans l'affreux péril quotidien des guerres civiles prolongées, sous la menace constante des brutalités les plus meurtrières et les plus humiliantes, avait gardé le calme de son cœur et la liberté de sa raison.

Ce qui manquait à Montaigne, ce que Hoche y chercha en vain, c'est non pas l'au-delà chrétien et mystique, dont Hoche ne se souciait point, mais l'au-delà humain, l'au-delà révolutionnaire. Or, c'est cette magnifique espérance humaine, cette foi admirable en la science, en la raison, en la liberté, qui palpite dans Rabelais. Il a entrevu les jours lointains où les hommes, après d'innombrables épreuves, vivront dans la lumière et dans la douceur, dans la noble politesse d'esprit et de manières qui convient entre égaux. Il a magnifié la conquête des mers par la voile toujours plus hardie des navires ailés. Il a pressenti, il a annoncé la conquête de l'espace supérieur et la montée de l'homme vers les étoiles. Et il écarte du lit des mourants, en une des pages les plus audacieuses de son livre, l'importunité des noirs oiseaux rapaces, il éclaire la mort de l'homme qui va finir d'une incomparable sérénité. Une lumière intérieure d'espérance humaine monte aux yeux qui vont s'éteindre, comme si l'esprit qui défaille confiait sa lueur à l'universelle clarté de l'esprit qui ne défaillira pas.

Tandis que Montaigne, n'osant pas plus interroger l'avenir des hommes que le sien propre, « se laissait tomber dans la mort, stupidement et sans pensée, comme en une profondeur muette pleine d'insipidité et d'indolence », Rabelais, sans paraître scruter le problème et descendre dans l'abîme, l'éclairait jusqu'en son fond par un invincible rayonnement d'espoir et de pensée. C'est pourquoi Hoche, menacé de mort, et de la mort la plus inique, demandait à Rabelais de l'aider à mourir dans la grande espérance, sans maudire la vie si déconcertante et les hommes si insensés. Il avait démêlé le vrai sens du maître. Il en avait reconnu la force. Les hommes mêlés à la grande action reçoivent de la vie des lumières pénétrantes sur les grandes œuvres de l'esprit où circule une vie secrète. Toutes les forces de l'esprit humain et de l'action humaine se rejoignent, se complètent, s'interprètent les unes les autres. Rabelais aide Hoche à rester fidèle jusqu'au bout à la pensée de la Révolution, et la Révolution nous aide, par l'expérience de l'âme de Hoche, à mieux comprendre Rabelais.

(*L'Armée Nouvelle*, pages 266 à 268)

DANTON

Dans l'*Histoire Socialiste de la Révolution Française*, Jaurès fait
revivre tous les héros du drame. Il ne s'attache pas comme le
portraitiste de métier au détail minutieux et fignolé. Au milieu
de la fresque il détache un personnage et l'illumine d'un faisceau
de lumière.

Sans avoir pour Danton une admiration aveugle, il éprouve
pour lui une sympathie profonde — que l'école robespierriste
trouve excessive. Cette sympathie éclate dans le récit des
journées de juillet 1792 qui précédèrent la chute de la royauté.
Il loue Danton d'avoir été « l'admirable juriste de l'audace
révolutionnaire » en faisant abolir la distinction des citoyens
passifs et des citoyens actifs.

Danton, en ces décisives journées, eut une action réelle plus
grande que son action visible. Il ne pouvait donner un signal
public d'insurrection, car les mouvements populaires n'ont
chance d'aboutir que lorsqu'ils jaillissent, pour ainsi dire, d'une
passion générale et spontanée. Mais la journée du 20 juin, les
incertitudes de la Gironde, les combinaisons trop savantes et un
peu factices de Robespierre, tout avertissait Danton que la force
populaire trancherait l'inextricable nœud. Il était convaincu que
la déchéance était nécessaire et que l'heure était venue de l'imposer
par tous les moyens ; et, autant qu'il dépendait de lui, il animait
vers ce but les sections des faubourgs déjà passionnées et
remuantes.

Il est difficile, dans ce vaste et terrible mouvement, de
retrouver la trace exacte de son action personnelle. Depuis les
persécutions qui avaient suivi la journée du Champ-de-Mars, le
club des Cordeliers était bien diminué, et beaucoup de ses éléments avaient, après l'orage, rejoint le club des Jacobins. Mais
Danton avait laissé en beaucoup d'esprits l'empreinte de sa force
et l'élan de sa volonté. Ce n'est pas en vain que pendant deux
années, en toutes les occasions périlleuses, il avait répandu autour
de lui l'esprit d'audace, avant les journées des 5 et 6 octobre
contre le *veto*, puis contre le décret arbitraire d'arrestation dont
était frappé Marat, et encore contre le roi fugitif et la royauté
même après Varennes.

Depuis, il avait gardé son énergie intacte ; il ne l'avait pas
laissé prendre aux mille liens subtils qui enlaçaient les Girondins.
Il ne l'avait pas non plus laissé refroidir par l'esprit de légalité
un peu abstrait de Robespierre ; et maintenant, il était prêt à
l'action directe et décisive. Il fallait frapper la royauté au visage.
Aussi bien il ne craignait pas de se jeter, de sa personne, au
premier rang de la mêlée. Et c'est par son initiative, c'est sous sa
présidence que, le 30 juillet, la section du Théâtre-Français prit
la délibération fameuse par laquelle elle abolissait la distinction
aristocratique des citoyens actifs et des citoyens passifs et appelait
à elle tous les citoyens. C'était en réalité une violation première
de la Constitution. C'était un acte insurrectionnel. Danton et sa
section signifiaient par là qu'ils voulaient, avant tout, restituer
le peuple dans son droit, la Nation dans sa souveraineté, et que
d'hypocrites formules constitutionnelles, faussées et comme
emplies de mensonge par la mauvaise foi de la Cour, ne les
arrêteraient pas. Et si, au nom du danger de la patrie, qui exigeait
le concours de tous les citoyens, une loi électorale de privilège
pouvait être abolie, à plus forte raison, devant le même intérêt
supérieur de la liberté et de la patrie, devait tomber une monarchie
de trahison.

... Il était, si je puis dire, l'admirable juriste de l'audace
révolutionnaire. Il excellait à interpréter, dans le libre sens du
peuple et de ses droits, la Constitution elle-même ; il en faisait
jaillir l'esprit, il en suscitait ou en transformait le génie. C'est par
un coup de légiste hardi, procédé d'interprétation et d'extension,
qu'il s'empare de la Déclaration suprême de la Constituante,
confiant au courage de tous la défense de la Constitution, pour
appeler tous les Français dans la cité. Mais surtout c'est par une
sublime inspiration qu'il fait du danger de la patrie un titre à tous
les Français. Ce n'est pas au nom des pauvres, c'est au nom de la
patrie qu'il demande pour tous les citoyens l'égalité politique.
La patrie et la liberté menacées ont droit au courage de tous, à
l'énergie de tous, aux lumières de tous, et c'est désarmer la patrie,
c'est désarmer la liberté que de ne pas donner à tous les citoyens
des droits égaux pour leur défense.

Comme on distribue des piques à tous, à tous il faut distribuer
le pouvoir politique, qui est une arme aussi, la plus terrible de
toutes contre les ennemis de la liberté, c'est-à-dire de la patrie.

Ainsi Danton, rattachant les unes aux autres les plus hautes paroles, les plus hautes pensées de la Constituante et de la Législative, en tirait une magnifique jurisprudence révolutionnaire.

(*Histoire Socialiste de la Révolution Française*, T. IV (*La
République*), passim, pages 110 à 112)

Un grand et large souffle

Les mesures vigoureuses de défense nationale que propose
Danton, le 28 août 1792, provoquent l'enthousiasme de Jaurès.

C'était un grand et large souffle. Danton avait cette méthode
souveraine d'emporter, de noyer les difficultés, les rivalités et les
haines dans le torrent de l'action. Il ne récrimine pas, il ne
discute pas. Il n'oppose pas l'Assemblée à la Commune et la
Commune à l'Assemblée ; il ne dresse pas comme Roland un
cahier de griefs et de doléances. Il appelle toutes les énergies au
salut de la Patrie et de la liberté, et c'est en les tournant toutes
vers ce but sublime qu'il espère les réconcilier sans leur parler
même de leurs querelles. Il sait en des paroles à la fois ardentes
et calculées exalter les passions les plus généreuses et ménager les
intérêts inquiets.

Tout devient, à l'heure du péril, le patrimoine de la patrie ;
mais les citoyens seront indemnisés de tout ce que la patrie aura
saisi dans leurs mains pour sa défense. Et quelle est sa manière
de mettre un terme à ce qu'il y avait d'arbitraire et d'irrégulier
dans le pouvoir de la Commune ? Ce n'est pas de gronder et de
chicaner. Il se proclame le ministre « révolutionnaire » et il
rattache ainsi son pouvoir au même événement d'où la Commune
révolutionnaire est sortie. Il la couvre du titre même dont il se
réclame, et il paraît ainsi confondre sa cause avec la cause de la
Commune. Mais en même temps il invite l'Assemblée à agir, à
nommer des commissaires qui iront dans toute la France assister
les commissaires du pouvoir exécutif.

N'est-ce point par cette vigueur d'action que l'Assemblée
rétablira à son profit l'équilibre des pouvoirs sans que la Commune puisse se plaindre ? Enfin Paris, à s'isoler, à vivre enfermé
dans le cercle de défiance et de prohibition que la Commune a
tracé, risque de s'affaiblir et de s'enfiévrer. Il n'est pas sain à une

grande cité ardente de vivre ainsi comme dans une muraille de soupçons. Il n'est pas sain d'habituer Paris, par cette clôture étroite, à se considérer comme un monde à part, comme une sphère contractée et impénétrable. Il n'est pas bon d'habituer la France à vivre aussi comme si Paris était séparé d'elle par un abîme.

Que les communications soient rétablies entre Paris et la France. Mais au moment où Danton semble condamner ainsi le système de surveillance jalouse institué par la Commune, il lui donne une satisfaction éclatante en ordonnant des perquisitions, des visites domiciliaires dans tout Paris. Après cette grande mesure de salut national, qui osera chicaner la Commune pour ses initiatives plus timides depuis le 10 août ? Et cette grande mesure de police révolutionnaire, la responsabilité en sera répartie entre le pouvoir exécutif qui la propose, l'Assemblée qui la vote, la Commune qui l'exécute. Toutes les forces discordantes et hostiles s'unissent, se pénètrent et se compromettent à la fois dans le même acte.

Mais quoi ? Danton ne va-t-il pas concentrer en une ou deux journées toutes les violences révolutionnaires ? Ne va-t-il pas livrer à toutes les frénésies du soupçon les citoyens forcés dans le secret de leur domicile ? Mais remarquez comme, après avoir parlé de saisir les traîtres, Danton parle surtout de saisir les armes. C'est donc surtout au profit de la patrie, c'est pour réquisitionner les armes que la Révolution va, pendant deux ou trois jours, fouiller Paris. Et les soldats de la France révolutionnaire iront en chantant vers la frontière, emportant peut-être, pour les épurer au feu de l'ennemi, les passions haineuses des partis qui déchiraient la cité.

C'est tout cela que j'entends gronder et frissonner dans la parole de Danton comme dans un torrent tumultueux et clair qu'alimente l'eau des cimes. Pas une seule pensée venimeuse ou basse ; pas une insinuation calomnieuse. C'est Marat, c'est Robespierre qui disaient qu'il y aurait péril peut-être à désarmer Paris de ses défenseurs. Danton rassure ces esprits inquiets : il faut que de Paris comme de toute la France le peuple se précipite en masse sur l'ennemi. Mais s'il tente de dissiper cette excessive défiance de Marat et de Robespierre, il ne les accuse point de manquer de patriotisme, tandis que le journal de Brissot écrit venimeusement le 31 août : « Malgré les efforts de Robespierre et de Marat pour amortir le zèle guerrier des citoyens et les empêcher de voler au secours de leurs frères d'armes, Paris ne se déshonorera pas par un lâche égoïsme ». Ah ! comme l'âme de Danton est grande et comme son esprit est haut à côté de ces misérables pensées !

(*Histoire Socialiste de la Révolution Française*, T. IV (*La République*), pages 223 et 224 [1])

ROBESPIERRE

Il ne dissimule ni ses antipathies ni ses sympathies. Mais il s'efforce toujours d'être équitable. Il n'aime guère Marat, mais sait, le cas échéant, lui rendre justice. Le caractère de Robespierre est fort différent du sien. Mais il comprend la grandeur de « l'Incorruptible ».

A propos des discussions sur le budget des cultes (novembre 1792), Jaurès fait l'éloge de Robespierre pour la façon dont il a défendu le maintien des subventions au clergé constitutionnel. Robespierre ne veut pas rudoyer les préjugés populaires. « C'est par ce respect profond et délicat pour le peuple » qu'il est grand.

Les autres révolutionnaires, notamment les orateurs jacobins que j'ai cités tolèrent, si je puis dire, de haut, les préjugés du peuple. Ils déclarent qu'ils ne veulent point les violenter, mais au moment même où ils se résignent à les subir, ils les rudoient et les outragent. Robespierre ne consent pas à regarder de haut même les erreurs du peuple ; il s'accommode à elles et semble se mettre à leur niveau. D'abord, lui-même, disciple de Jean-Jacques, a foi dans un Dieu personnel et conscient, gouvernant le monde par sa grandeur, et dans l'immortalité de l'âme humaine ; et il s'applique à retrouver sous l'enveloppe chrétienne des croyances populaires ces deux dogmes de la religion naturelle. Il se persuade qu'après tout le peuple est d'accord avec la pensée de Rousseau qui valait bien les Encyclopédistes. Qui sait si, du haut de ces idées, qui sont pour Robespierre les vérités domi-

[1] Cité dans *Jean Jaurès*, par Ch. Rappoport (pages 179 à 181).

nantes, le point de vue le plus élevé sur l'univers et sur la vie, le peuple n'aurait point le droit de regarder avec quelque dédain ceux qui affectent orgueilleusement de tolérer son infirmité d'esprit ?...

Robespierre... avertit nettement qu'il ne connaît d'autre dieu que celui de l'humanité libre. Mais il parle du « fils de Marie » avec une sorte de respect équivoque ; il ne veut point déchirer brusquement le voile de divinité sous lequel le peuple adore, sans y prendre garde, les plus hautes espérances et les plus hautes vertus de son propre cœur. Il espère sans doute que bientôt le peuple s'apercevra de lui-même de cette confusion, et qu'il s'affranchira de ce qui reste de superstition et d'erreur dans sa croyance sans que les notions de justice et les espérances d'immortalité qui en forment le fond soient compromises...

Voilà ce que Robespierre attendait, à une date que son esprit n'assignait pas, du clergé constitutionnel. Il aurait voulu que le peuple passât de la foi chrétienne au déisme rationnel, sans être un moment embarrassé et comme humilié de lui-même. Et il s'irritait qu'une motion de finances vînt compromettre cette profonde et paisible évolution des consciences. Il se scandalisait que par l'amorce d'une économie, d'une réduction d'impôt, on tentât d'égarer le peuple hors des voies de la croyance et qu'on parût fixer le tarif d'un reniement universel que la conscience seule n'aurait point dicté. C'est par ce respect profond et délicat pour le peuple que Robespierre était grand. Et c'est par là, malgré ses défauts et ses vices, malgré ses ignorances, ses vanités, ses jalousies et ses haines, c'est par là qu'il allait au cœur du peuple. Il remuait en lui des fibres profondes que les autres ne touchaient pas. Dans un terrible portrait de Robespierre, que fait le 9 novembre le journal de Condorcet, ce qu'il y a en lui du prêtre est fortement marqué...

Oui, il y avait en lui du prêtre et du sectaire, une prétention intolérable à l'infaillibilité, l'orgueil d'une vertu étroite, l'habitude tyrannique de tout juger sur la mesure de sa propre conscience, et envers les souffrances individuelles la terrible sécheresse de cœur de l'homme obsédé par une idée et qui finit peu à peu par confondre sa personne et sa foi, l'intérêt de son ambition et l'intérêt de sa cause. Mais il y avait aussi une exceptionnelle probité morale, un sens religieux et passionné de la vie, et une sorte de scrupule inquiet à ne diminuer, à ne dégrader aucune des facultés de la nature humaine, à chercher dans les manifestations les plus humbles de la pensée et de la croyance l'essentielle grandeur de l'homme.

Son pessimisme

Robespierre était en outre incliné vers la pensée chrétienne par une sorte de pessimisme profond, analogue au pessimisme chrétien et au pessimisme de Jean-Jacques. Le christianisme n'est pas pleinement et définitivement pessimiste, puisqu'il ouvre à l'homme des horizons surnaturels ; mais il juge sévèrement la nature et la société. Livré à lui-même, et sans le secours des grâces divines, l'homme n'est que ténèbres et malice ; et les progrès extérieurs qu'il réalise par la science et l'art n'atteignent point le fond de son être malade. Livrées à elles-mêmes, les sociétés ne réalisent jamais un équilibre naturel de justice qui dispense l'homme des espérances surnaturelles. Plus amèrement que la pensée chrétienne et avec plus d'inquiétude, la pensée de Jean-Jacques est pessimiste aussi. L'homme, selon lui, va d'un état de nature où il y a tout ensemble innocence et violence, simplicité et ignorance, à un état policé où le progrès des lumières est inséparable d'un progrès de la corruption. Jamais le système social ne réalisera la justice. Il est douteux que la démocratie absolue puisse convenir aux grands États modernes, et Rousseau, quand il définit la souveraineté du peuple, semble désespérer qu'elle devienne jamais une réalité. En outre, comment, en dehors du communisme primitif dès longtemps aboli, établir l'égalité ? Et comment ramener ce communisme dans les sociétés corrompues et divisées ? Ainsi Jean-Jacques s'enfiévrait de douleur et d'impuissance à porter un rêve de perfection humaine et sociale qu'à aucun moment de l'histoire, ni dans le passé, ni dans le présent, ni dans l'avenir, la réalité n'accueillait. Il se jetait ainsi hors des temps dans un déisme passionné et presque chrétien qui lui promettait, en un ordre inconnu, les harmonies de justice que le monde immense refusait à son cœur tourmenté.

Robespierre n'avait pas pris de Jean-Jacques tout son pessimisme, puisqu'il croyait la démocratie applicable aux grands États modernes. Mais il se disait que même après l'institution de l'entière démocratie, bien des maux accableraient l'homme. Il lui

semblait impossible de corriger suffisamment les inégalités
sociales, il lui semblait impossible de ramener toutes les fortunes
et toutes les conditions à un même niveau, sans arrêter, sans
briser les ressorts humains, et il prévoyait ainsi la renaissance
indéfinie, de génération en génération, de l'orgueil et de l'égoïsme
des uns, de la souffrance et de l'envie des autres. Il n'avait aucun
pressentiment du socialisme ; il n'entrevoyait pas la possibilité
d'un ordre nouveau où toutes les énergies humaines se déploie-
raient plus harmonieusement.

Ainsi l'œuvre révolutionnaire, si loin qu'on la poussât, si
entier qu'on en espérât le triomphe, lui apparaissait bien courte
et bien superficielle, à moitié flétrie d'avance par les inégalités
sociales subsistantes et par les vices de tout ordre qui en procèdent
nécessairement. Aussi éprouvait-il quelque respect pour l'action
chrétienne qui lui semblait avoir pénétré parfois dans les âmes
humaines à des profondeurs où l'action révolutionnaire n'attein-
drait point. Et il se faisait scrupule d'arracher aux hommes des
espérances surhumaines de justice et de bonheur dont la Révolution lui paraissait incapable à jamais d'assurer l'équivalent.

Là est, dans la pensée de Robespierre, le grand drame ; là est,
dans cette âme un peu aride, l'émotion profonde et la permanente
mélancolie. Il travaille à une œuvre très difficile à accomplir et
dont il sait d'avance que, même accomplie, elle satisfera à peine
le cœur de l'homme ; et il ne veut pas détruire des réserves
d'espérance léguées par le passé à l'heure même où, pour instituer
l'ordre nouveau de liberté et de justice, il faut qu'il combatte
les puissances du passé. Ferons-nous un grief à Robespierre, nous
socialistes, d'avoir souffert des imperfections cruellement res-
senties de la Révolution démocratique et bourgeoise et d'avoir
cherché dans une sorte d'adaptation moderne du christianisme
un supplément de force morale et de joie qu'en son pessimisme
social il n'attendait pas du progrès naturel des sociétés ? Oui, il
y avait là une grande et triste pensée, je ne sais quel jour profond,
mystérieux et sombre, ouvert sur les douleurs et les injustices
que la Révolution ne guérissait pas.

(*Histoire Socialiste de la Révolution Française*, T. VI (*La
Gironde*), passim, pages 39 à 45 [1])

[1] Cité dans *Jean Jaurès*, par Ch. Rappoport (pages 170 à 175).

IL FAUT CHOISIR

Examinant la politique de Robespierre en juin 1793, il ne peut
s'empêcher de prendre parti, et avec lyrisme. Il est aux côtés
du grand Maximilien dans sa lutte contre Hébert et les Enragés.
A ce moment, Robespierre « a toute l'ampleur de la Révolution ». C'est sa politique qui « sert le mieux toute la démocratie ». Voilà ce que Jaurès a su comprendre, avant même
qu'aient été publiés les principaux travaux d'Albert Mathiez
et de l'école robespierriste.

Robespierre, assidu aux Jacobins, vigilant, courageux, s'obstine
à déjouer la manœuvre, à prévenir les mesures hâtives qui sous
prétexte de révolutionner l'armée la livreraient désorganisée et
sans chefs à l'ennemi. Il s'applique à maintenir l'autorité de la Convention et du Comité de salut public, à fondre toutes les forces
de la Révolution, à créer contre le péril intérieur et extérieur la
dictature de la France révolutionnaire appuyée sur Paris, et à
écarter la dictature étroite de Paris qui aurait été bientôt précipitée dans le vide. Sommes-nous donc avec lui contre tous,
contre Jacques Roux tout à l'heure, maintenant contre Hébert ?
    A vrai dire, nous ne sommes pas obligés de prendre parti avec
cette rigueur. L'histoire est une mêlée étrange où les hommes
qui se combattent servent souvent la même cause. Le mouvement
politique et social est la résultante de toutes les forces. Toutes les
classes, toutes les tendances, tous les intérêts, toutes les idées,
toutes les énergies collectives ou individuelles cherchent à se
faire jour, à se déployer, à se soumettre l'histoire.
    Et, dans cette universelle action et réaction, il est impossible
de définir l'effort propre de chacun. Le vainqueur serait autre
s'il n'avait pas été combattu et il y a toujours quelque chose du
vaincu dans l'acte du vainqueur. Toute victoire est une conces-
sion partielle. Sans Jacques Roux, sans Hébert, la ligne politique
et sociale de la Révolution eût été autre. Elle a dû tenir compte
des problèmes qu'ils formulaient, des énergies qu'ils suscitaient,
des appétits qu'ils déchaînaient. Réduire l'effort de vingt-six
millions d'hommes à la politique et aux combinaisons d'un
homme serait puéril.
    Les vivants, les combattants ne peuvent pas s'élever au-dessus

d'eux-mêmes ; ils ne peuvent pas faire d'avance la synthèse de leur propre force et des forces adverses. Mais la mort délivre l'action de tout homme de sa forme étroitement individuelle : et l'histoire met en lumière l'inconsciente et profonde collaboration de ceux qui furent des ennemis ou des rivaux. C'est le devoir de l'histoire de comprendre toutes les idées, de sympathiser en quelque mesure avec toutes les forces, de démêler tous les germes, de deviner les concordances secrètes sous l'apparente contrariété. Son devoir, c'est de donner à tous les partis, à tous les individus leur juste part de lumière.

Ai-je donc desservi Jacques Roux ? Je lui ai fait large mesure de clarté et d'espace. Et, sans doute, je n'ai point diminué Hébert en dégageant son système. Je l'ai haussé au-dessus des jurons du *Père Duchesne*. Mais on a beau regarder les événements du point de vue de l'histoire. Il est impossible de développer ce grand drame sans s'y mêler. On va réveillant les morts et, à peine réveillés, ils vous imposent la loi de la vie, la loi étroite du choix, de la préférence, du combat, du parti pris, de l'âpre et nécessaire exclusion. Avec qui es-tu ? Avec qui viens-tu combattre et contre qui ?

Michelet a fait une réponse illusoire : « Je siégerais entre Cambon et Carnot : je ne serais pas Jacobin, mais Montagnard ».

C'est une échappatoire... Cambon et Carnot : l'un organisait les finances, l'autre organisait la guerre. Sur eux ne pèse aucune responsabilité directe des décisions terribles ; et il est commode de s'établir entre eux. Mais, comment Cambon aurait-il pu gouverner les finances, comment Carnot aurait-il pu précipiter tout ensemble et discipliner l'élan des armées si des hommes politiques n'avaient assuré, au prix de douloureux efforts et de responsabilités effroyables, la puissance et l'unité de l'action révolutionnaire ?

Si grands qu'ils aient été, Cambon et Carnot ont été des administrateurs, non des gouvernants. Ils ont été des effets ; Robespierre était une cause. Je ne veux pas faire à tous ces combattants qui m'interpellent une réponse évasive, hypocrite et poltronne. Je leur dis : Ici, sous ce soleil de juin 93 qui échauffe votre âpre bataille, je suis avec Robespierre, et c'est à côté de lui que je vais m'asseoir aux Jacobins.

Toute l'ampleur de la Révolution en Robespierre

Oui, je suis avec lui parce qu'il a à ce moment toute l'ampleur de la Révolution. Je suis avec lui parce que, s'il combat ceux qui veulent rapetisser Paris à une faction, il a gardé le sens révolutionnaire de Paris. Il empêchera l'hébertisme de confisquer l'énergie populaire ; mais il ne rompt pas avec cette énergie ; il défend le ministre Bouchotte, il défend le général Rossignol, il défend les officiers sortis du peuple ; mais il veut qu'ils soient jugés et surveillés de haut par la Révolution de France, non pas par l'insurrection de Paris. Il n'a pas peur de Paris, et la preuve, c'est qu'il conseille aux sans-culottes parisiens de ne pas s'enrôler en masse pour les frontières, de rester armés au cœur de Paris pour préserver la capitale de toute surprise contre-révolutionnaire.

S'il avait eu contre la Commune de mauvais desseins, il aurait fait le vide autour d'elle : il aurait expédié en Vendée ou en Flandre, ou en Roussillon, ou sur les bords du Rhin, les patriotes véhéments. Il s'applique, au contraire, à les retenir et il supplie la Commune de se servir de cette force populaire non pour subordonner, non pour violenter ou menacer la Convention, mais pour la protéger au contraire, pour lui donner la confiance invincible qu'elle communiquera à la France et aux armées.

Ainsi, il n'est pas plus le sectaire de la Convention que le sectaire de la Commune : il ne veut pas plus une coterie de salut public qu'une coterie des bureaux de la guerre. La Convention est le centre légal et national de la force et de la pensée révolutionnaires. Quiconque maintenant la menace ou l'affaiblit ou la discrédite est un ennemi public et refait le crime de la Gironde.

Par la Convention loyalement unie à une Commune ardente, mais respectueuse de la loi, c'est toute la France qui gouverne, qui administre, qui combat. Paris est le foyer le plus vaste, le plus ardent et le plus proche où la Révolution se réchauffe : il n'est pas à lui tout seul la Révolution. La démocratie est donc pour Robespierre à la fois le but et le moyen : le but, puisqu'il tend à rendre possible l'application d'une Constitution en qui la démocratie s'exprime ; le moyen, puisque c'est avec toute la force révolutionnaire nationale, concentrée, mais non mutilée, qu'il veut accabler l'ennemi. Hors de lui, le reste est secte. Ô socialistes, mes compagnons, ne vous scandalisez pas. Si le socialisme était une secte, si la victoire devait être une victoire de secte, il devrait porter sur l'histoire un jugement de secte, il devrait donner sa sympathie aux petits groupements dont les formules semblent le mieux annoncer les siennes, ou à ces factions ardentes qui, en poussant presque jusqu'au délire la passion du peuple, semblaient rendre intenable le régime que nous voulons abolir. Mais ce n'est pas d'une exaspération sectaire, c'est de la puissante et large évolution de la démocratie que le socialisme sortira : et voilà pourquoi, à chacun des moments de la Révolution française, je me demande : quelle est la politique qui sert le mieux toute la Révolution, toute la démocratie ?

Or, c'est maintenant la politique de Robespierre.

Babeuf, le communiste Babeuf, votre maître et le mien, celui qui a fondé en notre pays, non pas seulement la doctrine socialiste, mais surtout la politique socialiste, avait bien pressenti cela dans sa lettre à Coupé de l'Oise ; et voici que quinze mois après la mort de Robespierre, quand Babeuf cherche à étayer son entreprise socialiste, c'est la politique de Robespierre qui lui apparaît comme le seul point d'appui.

A Bodson, à ce Cordelier ardent qui assistait aux séances du club dans la tragique semaine de mars 1794, où l'hébertisme prépara son mouvement insurrectionnel contre la Convention, à Bodson, resté fidèle au souvenir d'Hébert, Babeuf ne craint pas d'écrire, le 29 février 1796, qu'Hébert ne compte pas, qu'il n'avait su émouvoir que quelques quartiers de Paris, que le bonheur commun devait avoir pour organe toute la communauté et que Robespierre seul, au delà des coteries, des sectes, des combinaisons artificielles et étroites, a représenté toute l'étendue de la démocratie.

(*Histoire Socialiste de la Révolution Française*, T. VIII (*Le Gouvernement Révolutionnaire*), pages 175 à 179)

LES MASSACRES DE SEPTEMBRE

Il faut choisir . . . Telle est la règle de Jaurès. De fait il choisit toujours. Il ne craint pas de blâmer sans détour les massacres de Septembre. Il se refuse aux « vagues et lâches apologies ».

... à quoi bon tracer en minutieux détails ce tableau lugubre ?

A quoi bon aussi philosopher longuement sur ces tristes choses ?
Le droit de la Révolution n'en est pas diminué d'une parcelle.
Car l'immense changement social qui s'accomplissait ne peut
être jugé sur une brève exaltation de fureur. Mais je n'aime pas
non plus les vagues et lâches apologies. Il est certain que ce
massacre de prisonniers désarmés, s'il s'explique par les rumeurs
sinistres qui affolaient les esprits, suppose un obscurcissement de
la raison et de l'humanité.

Il était insensé de supposer qu'après le départ des volontaires
Paris serait à ce point dégarni de patriotes que quelques centaines
de contre-révolutionnaires y pourraient faire la loi. Il y a donc
là une suggestion inepte de la peur ; et la peur, même quand elle
s'épanouit lugubrement en brutalité sanglante, n'est pas une force
révolutionnaire. Si les hommes qui tuaient à l'Abbaye, à la Force,
à la Conciergerie avaient conservé quelque lucidité d'esprit,
quelque équilibre de raison, ils se seraient demandé, en un éclair
de rapide conscience : Ces meurtres ajoutent-ils à la force de la
Révolution ? et ils auraient pressenti le long frisson de dégoût
de l'humanité. Ils auraient deviné aussi que, par une sorte d'obsession maladive, les partis reviendraient, si je puis dire, rôder
autour du sang répandu, s'accusant les uns les autres. Aussi, il
ne s'agit pas de savoir si, individuellement, les hommes qui
s'improvisèrent juges et bouchers étaient dignes d'estime. Je
n'aime pas beaucoup les plaidoyers hypocrites des contemporains
qui s'extasient sur « l'esprit de justice » du peuple parce qu'il a
épargné et élargi les prisonniers pour dettes. A moins de n'être
plus que des brutes et incapables de tout discernement, les
meurtriers de septembre ne devaient pas confondre avec les
prisonniers politiques, seule cause de leurs alarmes, les pauvres
diables qui avaient été incarcérés pour n'avoir pas payé les mois
de nourrice de leurs enfants. Il est assez puéril de leur faire un
mérite de cet « acte de justice ».

D'ailleurs, encore une fois, il se peut très bien que beaucoup
des hommes qui tuèrent ainsi, lâchement, inutilement, fussent
des patriotes honnêtes, dévoués et braves. Il est fort possible
qu'ils aient cru servir la Révolution et la patrie et qu'ils fussent
prêts à braver la mort après l'avoir donnée. Mais la question n'est
pas là. Ce n'est pas leur caractère qui est en cause, c'est leur acte ;
or leur acte procède de la peur et des férocités aveugles que

suscite la peur. Par là il est vil ; et aussi il est sot, car il a fait à
la Révolution, dans le monde, dans l'histoire, infiniment plus
de mal que n'en auraient pu faire, même lâchés dans Paris, les
prisonniers qu'on égorgea.

(*Histoire Socialiste de la Révolution Française*, T. IV (*La
République*), pages 234 et 235)

L'ARBITRAGE DE LA GUILLOTINE

Jaurès a horreur de la violence. Il pense que les violences de
la Révolution de 1793 sont un héritage inévitable du passé, et
qu'elles seront épargnées à la Révolution prolétarienne. Mais,
avec la sérénité d'un grand esprit, il tente d'expliquer comment
les révolutionnaires ont été conduits à se tuer les uns les autres.

Ce qui est effrayant et triste, ce n'est pas que tous ces révolutionnaires, combattants de la même cause, se soient tués les uns les
autres. Quand ils entrèrent dans ce combat, ils acceptèrent
d'avance l'hypothèse de la mort. Elle était entre eux l'arbitre
désigné ; et les partis qui se disputaient la direction de la Révolution n'avaient pas le temps de ménager d'autres solutions. Dans
ces heures si pleines, si prodigieusement concentrées, où les
minutes valent des siècles, la mort seule répond à l'impatience
des esprits et à la hâte des choses. On ne sait à quel autre procédé
les factions rivales auraient pu recourir pour régler leurs litiges.
On imagine mal girondins, hébertistes, dantonistes, accumulés
dans la prison du Luxembourg. Ils auraient formé avant peu un
Parlement captif, un Parlement d'opposition où Vergniaud,
Danton, Hébert, auraient dénoncé d'une même voix la tyrannie
robespierriste. Et nul n'aurait pu dire avec certitude où siégeait
la Convention, aux Tuileries ou au Luxembourg. Autour de cette
Convention de prisonniers illustres se seraient groupés tous les
mécontentements et toutes les forces hostiles au gouvernement
révolutionnaire.

Dans les périodes calmes et lentes de la vie des sociétés, il
suffit d'enlever le pouvoir aux partis qui ne répondent pas aux
nécessités présentes. Ces partis dépossédés peuvent préparer leur
lente revanche, sans paralyser le parti en possession. Mais, quand

H

un grand pays révolutionnaire lutte à la fois contre les factions
intérieures armées et contre le monde, quand la moindre hésitation ou la moindre faute peuvent compromettre pour des siècles
peut-être le destin de l'ordre nouveau, ceux qui dirigent cette
entreprise immense n'ont pas le temps de rallier les dissidents,
de convaincre leurs adversaires. Ils ne peuvent faire une large
part à l'esprit de dispute ou à l'esprit de combinaison. Il faut
qu'ils combattent, il faut qu'ils agissent, et pour garder intacte
toute leur force d'action, pour ne pas la disperser, ils demandent
à la mort de faire autour d'eux l'unanimité immédiate dont ils
ont besoin. La Révolution n'était plus à ce moment qu'un canon
monstrueux, et il fallait que ce canon fût manœuvré sur son affût,
avec sûreté, rapidité, et décision. Les servants n'avaient pas le
droit de se quereller. Ils n'en avaient pas le loisir. A la moindre
dispute qui s'élève entre eux, c'est comme si la Révolution était
enclouée. La mort rétablit l'ordre et permet de continuer la
manœuvre.

(*Histoire Socialiste de la Révolution Française*, T. VIII (*Le
Gouvernement Révolutionnaire*), pages 352 et 353)

LE DRAPEAU ROUGE DU 10 AOÛT

Il est toujours avec le peuple en lutte. Il célèbre les révolutionnaires du 10 août 1792 s'emparant du drapeau rouge dont
ils font « l'emblème d'un pouvoir nouveau ».

Et le drapeau rouge, qui fut le drapeau de la loi martiale, le
symbole sanglant des répressions bourgeoises, les révolutionnaires du 10 août s'en emparent. Ils en font un signal de révolte,
ou plutôt l'emblème d'un pouvoir nouveau.

A quel moment précis l'idée vint-elle au peuple révolutionnaire de s'approprier le drapeau de la loi martiale et de le tourner
contre ses ennemis ? Il semble que ce soit aux environs du 20 juin.
Quand Chaumette, dans ses mémoires, raconte les préparatifs du
20 juin, quand il montre que les citoyens des faubourgs Saint-
Antoine et Saint-Marceau « s'enorgueillissant d'être appelés sans-
culottes par les aristocrates à dentelles », se préparaient à aller
trouver le roi pour lui imposer la sanction des décrets, il ajoute :

« D'un autre côté, les patriotes les plus chauds et les plus éclairés se rendaient au Club des Cordeliers et de là passaient les nuits ensemble à se concerter.

« Il y eut entre autres un Comité où l'on fabriqua un drapeau rouge portant cette inscription : LOI MARTIALE DU PEUPLE CONTRE LA RÉVOLTE DE LA COUR, et sous lequel devaient se rallier les hommes libres, les vrais républicains qui avaient à venger un ami, un fils, un parent, assassiné au Champ-de-Mars le 17 juillet 1791. »

D'autre part, Carra racontant les préparatifs non plus du 20 juin mais du 10 août, écrit :

« Ce fut dans ce cabaret du Soleil d'Or (où se réunissait le Directoire insurrectionnel) que Fournier l'Américain nous apporta le drapeau rouge dont j'avais proposé l'invention et sur lequel j'avais fait écrire ces mots : *Loi martiale du peuple souverain contre la rébellion du pouvoir exécutif.* Ce fut aussi dans le même cabaret que j'apportai cinq cents exemplaires d'une affiche où étaient ces mots : *Ceux qui tireront sur les colonnes du peuple seront mis à mort sur-le-champ.* »

Ainsi l'idée de s'approprier le drapeau rouge semble être venue au peuple avant le 20 juin, dès que l'ère des mouvements populaires contre la royauté s'annonça. Mais il paraît bien qu'au 20 juin le drapeau rouge ne fut pas déployé, soit que le temps eût fait défaut pour en préparer un nombre suffisant avec les inscriptions révolutionnaires, soit plutôt que Petion, qui chercha à légaliser le mouvement du 20 juin, eût obtenu de ses amis qu'ils renonçassent à le déployer. Mais la pensée persista et au 10 août le rouge drapeau flotta çà et là sur les colonnes révolutionnaires. Il signifiait :

« C'est nous, le peuple, qui sommes maintenant le droit. C'est nous qui sommes maintenant la loi. C'est en nous que réside le pouvoir régulier. Et le roi, la Cour, la bourgeoisie modérée, tous les perfides qui, sous le nom de Constitutionnels, trahissent en effet la Constitution et la patrie, ceux-là sont les factieux. En résistant au peuple, ils résistent à la vraie loi, et c'est contre eux que nous proclamons la loi martiale. Nous ne sommes pas des révoltés. Les révoltés sont aux Tuileries et contre les factieux de la Cour et du modérantisme nous retournons, au nom de la patrie et de la liberté, le drapeau des répressions légales. »

Ainsi, c'était plus qu'un signe de vengeance. Ce n'était pas le drapeau des représailles. C'était le drapeau splendide d'un pouvoir nouveau ayant conscience de son droit, et voilà pourquoi, depuis lors, toutes les fois que le prolétariat affirmera sa force et son espérance, c'est le drapeau rouge qu'il déploiera.

A Lyon, sous Louis-Philippe, les ouvriers exténués par la faim, déploient le drapeau noir, drapeau de la misère et du désespoir. Mais, après février 1848, quand les prolétaires veulent illustrer d'un symbole à eux la Révolution nouvelle, ils demandent au gouvernement provisoire d'adopter le drapeau rouge.

Pour qu'il surgît ainsi de nouveau comme une haute flamme longtemps cachée sous les cendres, il fallait que la tradition révolutionnaire du 10 août se fût continuée pendant un demi-siècle dans les pauvres maisons des faubourgs, de la bouche du père à l'oreille et au cœur du fils. Et Lamartine commettait un oubli étrange lorsqu'au peuple assemblé devant l'Hôtel de Ville il disait : « Le drapeau rouge n'a fait que le tour du Champ-de-Mars traîné dans les flots de sang du peuple ».

Pourquoi le peuple ne répondit-il pas : « Oui, mais ce drapeau, teint du sang du peuple au 17 juillet 1791, conduisit le peuple contre les Tuileries au 10 août 1792. Et l'espérance ouvrière est mêlée en sa splendeur à la victoire républicaine. » ?

(*Histoire Socialiste de la Révolution Française*, T. IV (*La République*), pages 140 à 142)

LA SIGNIFICATION DE LA RÉPUBLIQUE

Il s'entend à préciser le sens et la portée des événements. Un des plus importants, c'est, pour lui, la proclamation de la République, en septembre 1792. Ce fut une « affirmation glorieuse » et un « défi ».

Il y avait eu des républiques aristocratiques ou fondées sur le travail des esclaves, sur toute une hiérarchie de la conquête. Il y avait eu des républiques barbares, courtes associations militaires où le courage suscitait et désignait les chefs. Il y avait de petites républiques oligarchiques, comme celles des cantons suisses. Il y avait la république des exilés, des proscrits, celle que, sur le sol vierge de l'Amérique, où il n'y avait aucune racine de monarchie, formèrent les descendants des puritains. Mais qu'un grand et vaste peuple, policé et riche, chargé de dix siècles d'histoire, qui avait grandi avec la monarchie et qui, hier encore, la jugeait nécessaire même à la Révolution, que ce peuple, où il n'y avait pas d'esclaves, où il n'y avait plus de serfs et où, depuis le 10 août, tous les citoyens étaient égaux, s'élevât à la République, et qu'il devînt vraiment, tout entier, dans tous ses éléments, un peuple de rois, voilà en effet la grande nouveauté et la grande audace.

Les révolutionnaires en avaient la conscience très nette. Eux, que l'on a si souvent et si sottement accusés d'être des écoliers et des rhéteurs fascinés par les souvenirs de l'antiquité mal comprise et égarés par elle, ils savaient très bien et ils disaient que leur œuvre n'avait pas de précédent dans l'histoire et qu'aucune leçon du passé ne leur suffirait à conduire l'expérience nouvelle.

... Ainsi, pour cette République toute neuve, il faudra que la Nation se fasse une âme toute neuve, une âme de liberté, d'égalité et de lumière. Tous les conventionnels, quelle que fût leur origine, eurent comme un tressaillement à la grande nouveauté qui sortait d'eux. Certes elle était comme l'accomplissement de ce qui, depuis trois années, se développait. Quand les Constituants avaient formulé les Droits de l'Homme et du Citoyen, quand ils avaient affirmé la souveraineté de la Nation, quand ils avaient dit que la loi était l'expression de la volonté générale ; ils avaient, par là même, condamné et éliminé d'avance tout ce qui serait contraire à la souveraineté de la Nation et à l'exercice de sa volonté. Et, dans la logique profonde des choses, c'est de ce jour-là que datait la République. Mais l'esprit de l'homme se dérobe volontiers à la pure logique de la pensée. Même en ses jours de hardiesse, il ne va pas jusqu'au bout de ses principes ; ou il n'en voit pas les conséquences extrêmes, ou bien, parce qu'elles l'éloigneraient trop de ses habitudes et de la forme présente des choses, il espère qu'il n'y sera point entraîné. Il est d'ailleurs autorisé et encouragé à ces transactions par l'histoire humaine qui est une série de compromis, une perpétuelle violation de la logique abstraite. Or, voici que pour les Constituants entrés à la Convention cette conséquence extrême apparaissait ; tout le décor de la royauté constitutionnelle, qui leur masquait

depuis trois ans les perspectives infinies et troublantes, tombait
soudain ; et toute leur pensée se révélait enfin à eux-mêmes, en
une immensité qu'ils n'avaient point prévue ou dont leur esprit
effrayé s'était détourné jusque-là. Être ainsi dépassé par soi-même
et voir son œuvre grandir plus haut que soi, c'est une des plus
fortes émotions de la conscience humaine. Les Girondins aussi
étaient émus ; ils étaient plus familiers avec l'idée de République
et leur esprit avait joué avec cette hypothèse. Mais ils s'étaient
accoutumés aux combinaisons, aux ajournements ; ils avaient été
les ministres de la royauté et ils s'étaient parfois accommodés, au
fond de leur pensée, de l'idée d'une République à enseigne royale,
ouverte surtout aux plus brillants des hommes d'État, aux plus
diserts des orateurs, à une « élite » républicaine. Et voici que la
République était devant eux, soudain réelle, immense, portant
en elle toute la force rude du peuple enfin éveillé. Pour eux aussi
c'était un contact émouvant.

Robespierre, plus démocrate jusque-là que républicain, et qui
abritait volontiers le vaisseau de la Révolution dans la rade de
l'ancienne monarchie, était maintenant avec toute la Nation,
entraîné au large ; la démocratie s'agrandissait, se déroulait ;
quelles tempêtes et quels naufrages réservait cet océan ? Et comment, sur cette grande étendue découverte, couler les fortunes
rivales qui faisaient voile avec la sienne ?

Un défi

Mais surtout, pour tous et pour les nouveaux venus comme pour
ceux qui avaient déjà lutté, c'était l'impression tragique de
l'irréparable rupture avec le passé. C'était la lutte à outrance
contre tout le vieux monde au dedans et au dehors. C'était une
nouveauté sublime et menacée qui, par sa hardiesse même,
déclarait tacitement la guerre à toute servitude et à toute forme
incertaine et incomplète de la liberté. C'était une affirmation
glorieuse et c'était un défi. Que d'efforts ne faudrait-il pas
déployer, pour soutenir la noble gageure ! Et que de périls
assumer ! Les cœurs montaient, et comme le dit en une grande
image un écrivain de ce temps (*Révolutions de Paris*, septembre
1792), pour l'œuvre herculéenne pressentie par tous, les muscles
mêmes se tendaient :

« Un célèbre antiquaire disait que toutes les fois qu'il passait devant la statue d'Hercule il se trouvait grandi de plusieurs pieds. Tous ses membres se raidissaient ; son pas devenait plus grave, plus sûr, sa voix plus mâle, le mouvement de toutes ses artères plus sensible. Voilà de quelle trempe doivent être nos législateurs. »

Baudot, bien des années après, au fond de la défaite et de l'exil, définissait en quelques paroles impersonnelles le Conventionnel intrépide : « Il a osé marcher sur la crête de la Montagne sans que sa tête ait tourné ». C'est à l'affirmation de la République que commence la ligne de faîte hasardeuse. Combien dont la tête tournera ! Combien dont le pied glissera ! Combien aussi, que la haine violente ou sournoise précipitera dans l'abîme ! Mais, un moment, par la commune sublimité de l'affirmation républicaine, ils sont tous « sur la crête de la Montagne », réconciliés peut-être avec les autres et avec eux-mêmes par l'ampleur d'une émotion inconnue et découvrant au loin la Nation vaillante et troublée, l'humanité incertaine, esclave ou hostile, un immense horizon splendide et âpre, un champ presque illimité d'espérance et d'épreuve, de liberté et de combat, qu'une aube violente et douce illumine et qu'à larges ombres coupe la mort.

Les Conventionnels, pour traduire ces impressions grandioses, étaient inépuisables d'images. Cambon a noté merveilleusement la disparition brusque de tout ce qui était factice, obscur, équivoque, la soudaine et éblouissante entrée du jour. Bien des années après et dans l'ombre même de la défaite et de l'exil, c'est par une grande irruption de lumière qu'il caractérisait la Convention :

« La Révolution, voici ce que j'en sais : l'Assemblée constituante avait allumé un grand flambeau à côté d'un saint, dans un temple ; la lueur du flambeau faisait voir tous les défauts du saint. A l'Assemblée législative, nous avons renversé le saint. A la Convention nationale il n'est resté bribe ni du saint ni du flambeau, mais nous avons cassé toutes les vitres du temple et le peuple a vu clair de toutes parts, le jour est entré partout. »

(*Histoire Socialiste de la Révolution Française*, T. IV (*La République*), pages 375 à 379)

LA MORT DE LOUIS XVI

Quant à la sentence de mort de Louis XVI, elle est juste non seulement du point de vue révolutionnaire, mais du point de vue du roi qui, en acceptant la Constitution, avait « reconnu le droit nouveau ». Après avoir discuté les arguments de ceux qui croient qu'en surexcitant la pitié, les Conventionnels régicides ont fait le jeu de la Monarchie, Jaurès conclut que la mort de Louis XVI a été un coup décisif porté au passé. La France est « éternellement régicide ».

Le coup pourtant demeure, que la Révolution porta ce jour-là à la monarchie et au passé : coup profond et décisif, et les émotions de la pitié, les passagers retours de contre-Révolution ne prévaudront pas contre la force de cet acte souverain. Les rois pourront un moment revenir. Quoi qu'on fasse, ils ne seront plus désormais que des fantômes. La France, leur France est éternellement régicide. Ce n'est pas, comme en Angleterre, à la suite d'un conflit de droits partiels, de prérogatives et de privilèges, que la tête d'un roi est tombée ; c'est parce qu'entre l'ancien droit monarchique et le droit nouveau de la souveraineté populaire, l'opposition a été irréductible.

C'est donc la Nation elle-même qui, avec la force de son principe nouveau, a frappé, et le coup porté par elle se prolonge à l'infini comme le principe même au nom duquel elle a frappé. Il y aura des heures étranges où il pourra sembler à des observateurs superficiels que toutes les institutions politiques de la Révolution, que tous ses souvenirs mêmes sont abolis. Que signifie ou que paraît signifier en 1815 ou en 1816 le mot de République, de démocratie, de suffrage universel, de droit populaire ? Que signifient ou que paraissent signifier les survivants, maintenant dispersés, de la grande tourmente ? Et pourtant ils sont encore les hommes qui ont tué le roi, parce que le roi trahissait.

On dirait qu'un jour, au fond d'une obscure et lointaine forêt, ils ont participé à un mystère terrible. Mais, dans ce mystère, l'inviolabilité royale fut frappée à jamais. La royauté restaurée se meut, quoi qu'on fasse, dans l'ombre d'un échafaud ; et la terre même de France, qui n'a pas oublié ces choses et qui garde encore la tragique saveur du sang qu'elle a bu, ne prend pas tout à fait au sérieux les revenants de la monarchie. A l'heure même où la multitude frivole les acclame, elle sait qu'il fut un jour où, en la personne d'un roi jusque-là sacrée, elle les jugea tous. Le peuple a contracté avec la monarchie des habitudes de familiarité terrible et que rien n'effacera.

Même la légende pieuse qui enveloppa la mémoire du roi « martyr » a été, en un sens profond, funeste à la monarchie française. Elle la haussa, si je puis dire, aux régions surnaturelles, mais elle la détacha de la réalité. Le roi, presque béatifié par une mort sainte, emporta aux cieux la royauté : « Je vais échanger, disait-il, une couronne mortelle pour une couronne immortelle ». Ce fut un échange à peu près définitif et qui valut pour ses descendants comme pour lui. Maintenant, c'est surtout à « la couronne immortelle » qu'ils peuvent prétendre. Le testament de Louis XVI était un adieu à la terre et à l'histoire, pour toute sa race. Pas un moment il n'y parle en représentant de la royauté, en souverain vaincu par la Révolution, qui a ou des revanches à prendre sur elle ou des malentendus à dissiper avec elle. Pas un moment il ne se demande par quelles séries de fautes ou d'erreurs ou de méprises il a été conduit à cette extrémité terrible. Pas un moment il n'interroge l'avenir de la France, pour savoir ce qu'elle attendrait de son fils et ce qu'elle aurait le droit d'en attendre. A quelles conditions se pouvait faire la réconciliation de la Révolution et de la monarchie ? Il n'y songe pas. Il semble que n'ayant pu résoudre le problème pour lui-même, il évite même de le poser pour son fils. Contre les hésitations d'une volonté obstinée tout ensemble et débile, il ne trouve de refuge que dans la certitude de la mort.

C'est bien, au fond, une pensée d'absolutisme qu'il lègue à son fils, et « le bon maître » est resté son idéal. Mais il lui lègue cet idéal comme un fardeau dont il semble souhaiter que l'accablement soit désormais épargné à sa race.

« Je recommande à mon fils, *s'il avait le malheur de devenir roi*, de songer qu'il se doit tout entier au bonheur de ses concitoyens, qu'il doit oublier toute haine et tout ressentiment, et nommément tout ce qui a rapport aux malheurs et aux chagrins que j'éprouve ; qu'il ne peut faire le bonheur du peuple qu'en régnant suivant les lois ; mais en même temps qu'un roi ne peut les faire

respecter et faire le bien qui est dans son cœur qu'autant qu'il a
l'autorité nécessaire, et qu'autrement, étant lié dans ses opérations
et n'inspirant point de respect, il est plus nuisible qu'utile ».

A ces regrets du pouvoir absolu d'autrefois (car des lois qui
ne lient pas les opérations du roi ne sont pas des lois), se mêlent,
comme on l'a vu, des pensées de détachement absolu. Il recommande encore à ses enfants de ne « regarder les grandeurs de ce
monde, *s'ils sont condamnés à les éprouver*, que comme des biens
dangereux et périssables ».

Décidément la monarchie française est finie. Entre la fange de
Louis XV et le renoncement dévot et débile de Louis XVI elle
n'a pas su trouver le large chemin de la vie moderne et de la
démocratie. Louis XVI affirme surtout sa fidélité à l'Église, il
s'accuse d'avoir sanctionné la Constitution civile du clergé. Et
tout son testament est un acte de foi envers cette Église qui l'a
perdu, un acte de pénitence pour le concours forcé qu'il a prêté
contre elle à la Révolution. Mais quoi ! si, dans le testament
même du roi, la monarchie n'est presque rien et l'Église tout,
c'est donc que la seule force historique du passé qui soit capable encore de résistance et de vie, c'est l'Église ; la royauté
est bien morte, et ce testament, plus religieux que politique,
et plus dévot que royal, est comme une croix sur la fosse de la
monarchie.

(*Histoire Socialiste de la Révolution Française*, T. VI (*La
  Gironde*), pages 376 à 379)

LES FAUTES DES GIRONDINS

Jaurès, considéré à tort comme un socialiste modéré, juge
très sévèrement les Girondins. D'aucuns estiment que les
antagonismes sociaux ont joué, dans la bataille entre Gironde
et Montagne, un rôle plus décisif qu'il ne le croit, et considèrent que « le sourd conflit des classes » était, en réalité,
le fond de « la lutte politique des partis ». Mais son analyse du
caractère des Girondins — « ces hommes ambitieux et légers »
— est singulièrement pénétrante. Il leur reproche d'avoir
calomnié la « force active du peuple », d'avoir voulu « souffler
à la France » la haine de Paris. Et il conclut en affirmant sans

ambages qu'en 1793 les Girondins, quelle que fût leur valeur
intellectuelle, perdaient la Révolution.

Il n'y avait rien dans les conceptions premières des Girondins,
rien dans leurs attaches sociales qui rendît absolument impossible
leur accord avec Danton et avec la Montagne. Même la Commune
de Paris ne menaçait pas essentiellement la propriété bourgeoise.
Mais les Girondins, survenus après la disparition de la grande
Constituante, ne connaissaient aucune discipline politique. La
grande force collective qui se dégageait des cahiers des États
Généraux, et qui s'était manifestée d'une façon imposante dans
l'œuvre organique de la première Assemblée, s'était ou affaiblie
ou dissoute. Dans la Constituante à son déclin les factions et les
coteries pullulaient, et elle ne put léguer à l'esprit de la Révolution
aucune impulsion vaste et ferme, aucune forme précise.

D'autre part, les prolétaires naissaient à peine à la vie politique.
Ils n'avaient pas encore la puissance politique que leur donnera
leur effort du 10 août et leur participation véhémente à la guerre
sacrée pour la liberté. Il n'y avait donc, quand la Gironde surgit,
aucune coordination des forces françaises, aucune organisation
définie et stable des énergies. Même les clubs, comme celui des
Jacobins, semblaient, à la fin de 1791, affectés, comme la Révolution elle-même, d'un commencement de dissolution. Le schisme
des Feuillants, l'incertitude du plan politique (serait-on monar-
chiste ou républicain ?) avait brisé ou tout au moins affaibli pour
un temps les ressorts de la Société jacobine. Aussi, quand les
Girondins apparurent, quand ils se levèrent soudain à l'horizon,
c'était un groupe mal lié d'individualités brillantes. Ils étaient
comme de jeunes dieux se mouvant sans obstacle dans les inter-
valles de mondes peu résistants. Il n'y avait, si je puis dire, dans
la constitution du monde politique et social ni densité monarchique ni densité populaire et, parmi tous les pouvoirs ou en
dissolution ou en formation, la vanité et l'ambition girondines
circulaient étourdiment.

Ces hommes ambitieux et légers, qui sentaient que de grandes
choses restaient à faire et qui ne voyaient pour les accomplir,
d'autre force que la leur, crurent un moment qu'ils portaient en
eux, dans leur génie facile, dans leur audace un peu inconsistante,
dans leur éloquence toujours prête, toute la Révolution. Peut-

être, s'ils étaient restés abandonnés à eux-mêmes, si chacune de
ces individualités avait suivi sa loi un peu incertaine, se seraient-
ils répartis bientôt entre des tendances diverses, et leur caprice
ne se serait pas consolidé et alourdi en coterie.

Mais, ce fut toujours le rêve de Mme Roland de gouverner par
un petit groupe d'hommes, elle l'exprime obstinément dans ses
lettres de 1791 : il lui paraît que les événements iront à la dérive
tant qu'une association d'amis ne les dirigera pas. Funeste
tentation ! L'influence que donna à Mme Roland son passage au
ministère, le lien d'amour douloureux et amer dont elle lia
l'orgueilleux Buzot, tout lui permit d'imposer peu à peu une
sorte de discipline de coterie à ces hommes qui ne connaissaient
pas la grande discipline politique et sociale. Associés très vite, par
l'entrée de plusieurs Girondins au ministère, aux responsabilités du pouvoir, obligés ou entraînés à des compromis, à des
transactions, ils ne tardèrent pas à être dépassés par le mouvement
des forces.

La guerre même qu'ils avaient suscitée déchaîna la brutale
énergie du peuple. Des forces neuves, dont Paris était le centre,
se manifestèrent, et les pouvoirs nouveaux parurent à la Gironde
tout à la fois un reproche et une usurpation. Tout l'espace
lumineux cessait d'appartenir à ces esprits infatués. De là leur
révolte, le jour où l'habitude de domination exclusive et irres-
ponsable qu'ils avaient contractée dans la période de dispersion
révolutionnaire et d'individualisme éclatant se heurta à des
organisations résistantes, aux Jacobins reconstitués, à la démocratie parisienne, à l'influence robespierriste, aux groupes
véhéments qui se formaient et circulaient autour de Danton, à
la Commune. Voilà le vrai principe des conflits entre la Gironde
et la Montagne. Il n'est pas dans des antagonismes sociaux : il
est dans la puissance des passions humaines les plus communes,
l'ambition, l'orgueil, la vanité, l'égoïsme du pouvoir. Tout
naturellement, et par la critique même qu'elle appliquait aux
forces nouvelles de démocratie, la Gironde se constitua des thèses
politiques et sociales. Mais ces thèses n'étaient pas le fondement originel de la politique girondine. Elles étaient le prétexte,
trouvé après coup, d'une opposition dénigrante, orgueilleuse et
aigre.

Sans doute, le sourd conflit des classes ne tarda pas à se mêler à la lutte politique des partis. Mais, à cette date, il n'en est pas le fond. La Montagne, préoccupée avant tout de sauver la Révolution et de refouler l'invasion menaçante, avait une complaisance toute naturelle pour le peuple immense et robuste qui se précipitait aux armées. Elle était toute disposée à assurer par des moyens économiques la vie de ce peuple, par la taxation du blé, par l'emprunt forcé progressif sur les riches. Mais elle ne voulait pas engager une lutte systématique contre la bourgeoisie. C'étaient là des mesures de combat révolutionnaire, et elles étaient destinées, au fond, à servir contre le vieux monde menaçant les intérêts de la bourgeoisie elle-même, qui ne pouvait être puissante que par la victoire de la Révolution...

Les hommes d'action qui, par leur brusque surgissement et par leur organisation révolutionnaire, avaient refoulé au second plan la Gironde incohérente et parleuse, ayant marqué leur sympathie à la force active du peuple, les Girondins calomnièrent cette force active, et ils rétrogradèrent jusqu'à une sorte de bourgeoisie feuillantine, non par esprit de classe, mais pour avoir une clientèle politique à opposer à une autre...

La Gironde et Paris

Les Girondins combattaient ce qu'il y a d'outré dans l'influence de Paris ; et aujourd'hui toute la France républicaine sait faire équilibre, quand il le faut, aux erreurs de Paris, à ses fantaisies césariennes et à ses entraînements chauvins. Mais cet équilibre des forces ne ressemble en rien à cette haine que la Gironde voulait souffler à la France. Ce n'est pas la destruction ou la diminution de Paris ; c'est au contraire l'élargissement, c'est l'extension de la lumière et de la vie qui réduit Paris à n'être qu'un des foyers. Aussi bien, les Montagnards, disciples de Jean-Jacques, n'avaient pas le fanatisme de Paris ; mais Paris était dans leurs mains le seul instrument possible de la défense nationale et de la grande action révolutionnaire.

Oui, la Gironde a protesté contre ce qu'il y avait d'étroit dans la sévérité affectée ou sincère d'une partie de la Montagne : elle a ouvert devant la Révolution de splendides perspectives de richesse ; mais une grande partie des Montagnards répudiait les paradoxes de Jean-Jacques et avait le culte de la civilisation la plus large tout ensemble et la plus fine. N'est-ce pas le Conventionnel Baudot qui, dans un des projets d'épitaphe qu'il avait faits pour lui-même, se définit : *republicanus Periclidis more ?* (républicain à la manière de Périclès). Et c'est le socialiste Lassalle qui a le plus vigoureusement rejeté le « sans-culottisme » sordide, grossier et jaloux. Ce serait rabaisser la démocratie que de faire honneur à la seule Gironde de l'ampleur de pensée qui s'est développée peu à peu de la force des démocraties. Je n'oublie pas les magnifiques rayons de richesse et d'art que Vergniaud, dans son discours sur la Constitution, a projetés sur tout l'avenir de la République française. Mais, en 1793, le vrai moyen de sauver la civilisation, c'était de sauver la Révolution, et les Girondins la perdaient.

(*Histoire Socialiste de la Révolution Française*, T. VII (*La Montagne*), passim, pages 526 à 532)

LES BOURGEOIS DE LA CONVENTION

Jaurès, qui n'est point un marxiste orthodoxe, a pourtant étudié les aspects économiques de la Révolution française mieux qu'aucun des historiens qui l'ont précédé. Il place les faits économiques au premier plan et ne perd pas de vue les conflits de classes.

Dans son examen de la composition de la Convention (où ne siégeait qu'un ouvrier, Noël Pointe, sur lequel il a fait d'intéressantes recherches), il dégage les conceptions sociales des Conventionnels, « bourgeois légistes ». Selon lui, on ne peut parler d'une « bourgeoisie de classe, nettement opposée aux prolétaires ». Cette bourgeoisie révolutionnaire est bien différente de la bourgeoisie capitaliste.

Ni la bourgeoisie ni la société bourgeoise elle-même ne sont un bloc impénétrable. Le mot de bourgeoisie désigne une classe non seulement complexe et mêlée, mais changeante et mouvante. Des bourgeois révolutionnaires de la Convention aux bourgeois censitaires de Louis-Philippe, il y a, à coup sûr, bien des idées communes et des intérêts communs. Contre le communisme, contre la refonte sociale de la propriété, les bourgeois légistes de la Convention auraient été aussi animés que les bourgeois

capitalistes de Louis-Philippe. Et pourtant c'est un autre idéal,
c'est une autre âme qui était en eux. Légistes de la Révolution
ils venaient organiser la grandeur bourgeoise ; mais ils ne
venaient pas organiser l'égoïsme bourgeois. Ils ne voulaient
point toucher au principe de la propriété individuelle, telle que
le droit romain, la décomposition du système féodal et la croissance de la bourgeoisie l'avaient constituée. Mais ils étaient
parfaitement capables, dans l'intérêt de la Révolution et pour le
salut de la société nouvelle, de demander aux possédants de
larges sacrifices, de refouler leur cupidité, de violenter leur
égoïsme et de payer au peuple, en puissance politique et en
garanties sociales, son concours nécessaire à la Révolution. Ils
étaient les légistes de la bourgeoisie plus encore qu'ils n'étaient
la bourgeoisie elle-même. Et si la Révolution n'envoya ni à la
Constituante, ni à la Législative, ni à la Convention, qu'un
nombre infime de négociants, ce n'est pas seulement parce que
négociants et industriels ne pouvaient aisément quitter leurs
affaires qui n'étaient point comme aujourd'hui concentrées à
Paris par les conseils d'administration des sociétés anonymes ;
ce n'est pas seulement parce que industriels et commerçants
n'avaient pas autant que les hommes de loi l'habitude de la
parole si nécessaire dans les démocraties ; c'est parce que,
d'instinct, la Révolution ne voulait pas marquer sa grande
œuvre d'une marque de classe trop étroite ; c'est que, suscitée
par la croissance économique de la bourgeoisie mais aussi par
tout le mouvement de la pensée humaine, elle entendait que le
vœu général de la Nation et la vaste compréhension des rapports
humains s'exprimassent dans la loi. Ainsi, plus aisément sans
doute que ne l'eût fait une assemblée de bourgeois industriels,
de capitalistes et de fabricants obsédés par la hiérarchie de l'usine,
la Législative, après le 10 août, proclama le suffrage universel.
Et les légistes de la Convention portent en eux la Nation tout
entière *dans tous ses états*, comme le dit l'ouvrier Pointe ; ils portent
en eux toute la démocratie révolutionnaire, et l'ouvrier
stéphanois, expression de la partie la plus ardente, la plus
consciente du prolétariat français à cette époque, ne s'adresse
point aux légistes bourgeois de la Convention comme à des
hommes d'une autre classe, mais comme à des associés un peu
gâtés par la fortune et la subtilité du talent, qui ont besoin qu'une

force révolutionnaire toute neuve et toute directe ranime leur énergie et rompe leurs complications.

(*Histoire Socialiste de la Révolution Française*, T. IV (*La République*), pages 306 et 307)

LES PAYSANS ET LA RÉVOLUTION

Il s'est penché sur les cahiers des États Généraux et il a tracé un tableau saisissant de la paysannerie française en 1789 : la « vaste mer paysanne » ébranlée par le « surgissement révolutionnaire ».

De même que les petits fermiers et journaliers ne protestent pas seulement contre le régime féodal et l'arbitraire fiscal qui les écrasent, mais aussi contre le capitalisme agricole grandissant, de même les vignerons ne s'élèvent pas seulement contre la dîme, contre l'impôt, contre les droits d'aides ou les suppléments exagérés de taille par lesquels ils se rachètent de ces droits : ils jettent à coup sûr un regard de colère sur les grands marchands et propriétaires qui emmagasinent le plus clair du profit de tous. Je note qu'en 1792 les possesseurs de grands chais seront accusés d'accaparement pour le vin, comme les riches laboureurs et fermiers pour le blé. La lutte sourde contre « le riche » est engagée dans les campagnes : et si on ne notait pas ce trait, si on ne relevait pas, dans les Cahiers paysans, tous les mots de violence et de haine contre les accapareurs, contre les grands propriétaires « seigneurs ou autres », contre les agioteurs et capitalistes, on ne comprendrait pas la suite de la Révolution, on ne comprendrait pas comment les forces démocratiques et populaires de Paris ont pu, après l'écrasement de la bourgeoisie modérée, gouverner avec le concours des paysans. Ce qui est vrai, c'est que, dès 1789, le divorce entre la bourgeoisie et le peuple est beaucoup plus marqué dans les campagnes que dans les villes. Ou plutôt dans les villes il y a, au début, unanimité du Tiers État bourgeois et ouvrier. Entre le paysan et le bourgeois des villes il y a un commencement de défiance...

Est-ce à dire que les paysans vont entreprendre une lutte du même ordre, et, pour ainsi dire, du même plan contre le bourgeois et contre le noble ? Pas le moins du monde. D'abord, ce qui écrase le plus les campagnes ce sont bien les droits et privilèges des nobles et des prêtres, la dîme, le champart, l'exonération d'impôt des privilégiés : et le bourgeois dans une certaine mesure aidera le paysan à s'affranchir.

Et puis, si importune, si jalousée que soit cette propriété bourgeoise qui vient s'installer à côté de la propriété noble et réduire encore la part de terre du paysan, elle procède d'actes relativement récents d'achat et de vente : elle repose, après tout, sur les mêmes bases légales que la propriété paysanne elle-même : et les paysans, « les laboureurs », seraient obligés de nier leur propre propriété s'ils niaient la propriété bourgeoise : ils peuvent au contraire arracher de leur champ la dîme et le champart sans déraciner leur propre droit de propriété ! C'est seulement au nom du communisme qu'ils auraient pu attaquer la propriété bourgeoise comme la propriété noble : ils n'y étaient point préparés.

C'est donc bien contre l'ancien régime que va leur principal effort : mais on devine que dans leur mouvement de libération ils ne consulteront pas les convenances bourgeoises : ils ne seraient même pas fâchés que la bourgeoisie soit secouée un peu par l'orage qui emportera la noblesse, et la fermentation de toutes ces passions mêlées donne aux Cahiers paysans une force extraordinaire : je parle surtout des Cahiers des paroisses qui ont un accent révolutionnaire paysan beaucoup plus marqué que les Cahiers des bailliages atténués par la bourgeoisie.

C'est comme un merveilleux cadastre passionné et vivant, tout bariolé d'amour et de haine...

... déjà, dans la Révolution de 1789 fermente le levain des Révolutions futures. Ce n'est pas le respect superstitieux de la « propriété individuelle » et de « l'initiative individuelle » qui arrête les paysans de 1789. Nous avons vu comment pour la limitation des grands fermiers ils appellent l'intervention de l'État : et les Cahiers abondent qui demandent que le commerce privé du blé soit interdit avec l'étranger, que seul l'État soit chargé d'acheter et de vendre du grain au dehors afin d'assurer le pays contre la famine. Mais ils ne pouvaient concevoir encore une formule sociale qui permît de faire évanouir la propriété bourgeoise tout en assurant la pleine indépendance du travail paysan : ils souffraient en attendant et se plaignaient et s'aigrissaient.

Mais ils réservaient leurs coups immédiats à ce qu'ils pouvaient atteindre et détruire tout de suite : le privilège du noble, le système féodal, la fiscalité royale. Ils n'ont pu jeter toute la semence de leurs Cahiers au sillon de la Révolution bourgeoise : tout au fond du sac du semeur paysan des germes sont restés pour des sillons nouveaux.

Souvent, sous le regard des seigneurs ou de leurs hommes d'affaires, les paysans étaient gênés pour dire toute leur pensée...

Mais presque partout l'élan était si fort, la souffrance si grande qu'ils surent parler haut et clair : et si leur cri de misère et de révolte fut atténué de suite et amorti, ce fut par la prudence des bourgeois des villes qui tout en étant prêts à utiliser contre l'ancien régime et l'absolutisme le mouvement des campagnes s'effrayaient un peu de la violence des paysans.

Mais dans les paroisses et communautés, où les vues générales et hardies de la bourgeoisie pour la Constitution se concilient avec l'âpre revendication paysanne, l'esprit de la Révolution apparaît dans sa plénitude et dans sa force : c'est le cas, par exemple, de la paroisse des Fosses, dont je devrais citer tout entier l'admirable Cahier : je n'en puis, faute d'espace, détacher que quelques articles, d'un accent de révolte incomparable, et si l'on rejoint ce Cahier paysan, où la terre crie sa souffrance et sa colère, au Cahier de Paris, si lumineux et si vaste, on aura en raccourci tout le cycle de la pensée révolutionnaire...

Ainsi, c'est une passion vibrante qui, de tous les points de la France rurale, répondra aux premiers actes de la Révolution. Et non seulement la bourgeoisie révolutionnaire, si puissante par la force économique et la force de l'idée, ne sera point désavouée par le vaste peuple des campagnes : mais celui-ci aura comme un surcroît de colère, prêt à déborder au delà même des limites que le Tiers État des villes aurait marquées. Quand une grande île surgit du sein de l'Océan, elle ébranle au loin les vastes flots, et les flots, par un irrésistible mouvement de retour, viennent battre ses rives soudainement dressées.

De même, le brusque surgissement révolutionnaire ébranlera au loin toutes les passions, toutes les colères, toutes les espérances de la vaste mer paysanne dormante depuis des siècles : et l'énorme flot paysan viendra déferler sur les rivages de la Révolution bourgeoise, leur jetant les débris du vieux système féodal.

(*Histoire Socialiste de la Révolution Française*, T. I (*La Constituante*), passim, pages 254 à 264)

LA RÉVOLUTION, ŒUVRE DE LA MAJORITÉ

La Révolution française n'a abouti que parce que l'immense majorité du pays la voulait. Jaurès insiste sur cette idée dans un article de la *Petite République* du 13 août 1901.

Une société n'entre dans une forme nouvelle que lorsque l'immense majorité des individus qui la composent réclame ou accepte un grand changement.

Cela est évident pour la Révolution de 1789. Elle n'a éclaté, elle n'a abouti que parce que l'immense majorité, on peut dire la presque totalité du pays, la voulait. Qu'étaient les privilégiés, haut clergé et noblesse, en face du Tiers-État des villes et des campagnes ? Un atome : deux cent mille contre vingt-quatre millions ; un deux centième. Et encore le clergé et la noblesse étaient divisés, incertains. Il y a des privilèges que les privilégiés renoncent à défendre. Eux-mêmes doutaient de leurs droits, de leurs forces, et semblaient se livrer au courant. La royauté même, acculée, avait dû convoquer les États-Généraux, tout en les redoutant.

Quant au Tiers-État, au peuple immense des laboureurs, des paysans, des bourgeois industriels, des marchands, des rentiers, des ouvriers, il était à peu près unanime. Il ne se bornait pas à protester contre l'arbitraire royal ou le parasitisme nobiliaire. Il savait comment il y fallait mettre un terme. Les cahiers s'accordent à proclamer que l'homme et le citoyen ont des droits, et qu'aucune prescription ne peut être invoquée contre ces titres immortels. Et ils précisent les garanties nécessaires : Le roi continuera à être le chef du pouvoir exécutif, mais c'est la volonté nationale qui fera la loi. Cette volonté souveraine de la nation sera exprimée par des assemblées nationales permanentes et périodiquement élues. — L'impôt ne sera exigible que si les assemblées de la nation l'ont voté. Il frappera également tous les citoyens. Tous les privilèges de caste seront abolis. Nul ne sera exonéré de l'impôt. Nul n'aura un droit exclusif de chasse. Nul ne relèvera de tribunaux spéciaux. Même loi pour tous, même impôt pour tous, même justice pour tous. — Les droits féodaux contraires à la dignité de l'homme, ceux qui sont le signe d'un antique servage seront abolis sans indemnité. Ceux qui grèvent et immobilisent la propriété rurale seront éliminés par le rachat. — Tous les emplois seront accessibles à tous et les plus hauts grades de l'armée seront ouverts au bourgeois et au paysan comme au noble. — Toutes les formes de l'activité économique seront également ouvertes à tous. Pour entreprendre tel ou tel métier, créer telle ou telle industrie, ouvrir telle ou telle boutique, il ne sera plus besoin ni d'une permission corporative, ni d'une autorisation gouvernementale. Les corporations elles-mêmes cesseront d'exister ; et par conséquent l'Église, maintenue comme service public, cessera d'avoir une existence corporative. Elle cessera par conséquent d'avoir une propriété corporative. — Et le domaine d'Église, les milliards de biens fonciers qu'elle détient, n'ayant plus de propriétaires, puisque la corporation possédante est dissoute, feront de droit retour à la nation, sous réserve par celle-ci d'assurer le culte, l'enseignement et l'assistance.

Il est bien vrai que la Révolution dut recourir à la force : 14 juillet, 10 août : prise de la Bastille, prise des Tuileries. Mais, qu'on le note bien, la force n'était pas employée à imposer à la nation la volonté d'une minorité. La force était employée au contraire à assurer contre les tentatives factieuses d'une minorité la volonté presque unanime de la nation. Au 14 juillet, c'est contre le coup d'État royal ; au 10 août, c'est contre la trahison royale que marche le peuple de Paris ; et il portait en lui le droit, la volonté de la nation. Ce n'était pas par soumission stupide au fait accompli que toute la France acclamait le 14 juillet, que presque toute la France ratifiait le 10 août. C'est uniquement parce que la force d'une partie du peuple s'était mise au service de la volonté générale trahie par une poignée de privilégiés, de courtisans et de félons. Ainsi le recours à la force ne fut nullement un coup d'audace des minorités, mais la vigoureuse sauvegarde des majorités.

(Œuvres de Jean Jaurès : *Études Socialistes*, T. II, pages 301 à 303 [1])

RÉVOLUTION FRANÇAISE ET SOCIALISME

Il n'a cessé de chercher, dans la Révolution française, les traces de socialisme. Non seulement il les a trouvés chez Babeuf, chez les communistes et chez les plus avancés des Montagnards, mais il se plaît à découvrir, chez un Girondin comme Condorcet, les lignes qui conduisent au socialisme.

Au début de sa carrière, dans son désir de prouver aux démocrates bourgeois que le socialisme est l'aboutissant logique de la République, il se laisse aller à écrire que « la Révolution contient le socialisme tout entier ».[2] Mais son contact de plus en plus étroit avec le mouvement prolétarien et la pratique ouvrière l'amènent peu à peu à voir de façon plus critique les insuffisances de la Révolution « bourgeoise ». Dans une Conférence, faite en 1902, *La Justice dans l'Humanité*, il explique que la Révolution s'est trompée à ses débuts en donnant à l'idée de justice « un contenu trop étroit ». Cependant, les événements des siècles antérieurs n'ont de sens pour la Révolution que dans la mesure où ils préparent la réalisation de la justice. Et les socialistes doivent être les héritiers de la Révolution « non pour la plagier mais pour la faire vivre en l'élargissant ».

... Comme en 1789 la classe bourgeoise était seule prête par son éducation intellectuelle, encyclopédique, et par la puissance économique de ses intérêts accrus, à pouvoir revendiquer tout le profit et tirer tout le parti de l'ordre nouveau, la Révolution française trop souvent n'a compris la justice et le droit que sous la forme de la société bourgeoise ; elle a cru qu'elle avait assez fait en éliminant l'absolutisme monarchique, le privilège féodal, et elle n'a pas pressenti la prodigieuse croissance de la grande

---

[1] Cet article fait partie du recueil publié par Jaurès, *Études Socialistes* (Édition Ollendorff, pages 44 à 47).

[2] *Dépêche de Toulouse*, 22 octobre 1890 (Œuvres de Jean Jaurès : *Études Socialistes*, T. I, page 45).

propriété capitaliste qui allait dans le monde nouveau rompre
l'équilibre de justice ; elle n'a pas, du moins, à cette première
heure et à cette première période, avant l'extrême pensée de la
Montagne et avant Babeuf, elle n'a pas pressenti qu'une organisation nouvelle de la propriété fondée sur la communauté des
moyens de produire, des moyens de travailler, serait la condition
nécessaire de la réalisation du droit et de l'égalité politique et
sociale. Elle s'est donc trompée en donnant à l'idée de justice
proclamée par elle un contenu trop étroit, une substance trop
limitée, et c'est dans ce sens que nous sommes les héritiers de la
Révolution, non pour la plagier, mais pour la faire vivre en
l'élargissant. C'est à nous de développer peu à peu, à la mesure
des besoins nouveaux, le contenu positif, la substance sociale
que la Révolution avait incorporés à l'idée de justice.

Mais, si elle s'est trompée au début, en limitant arbitrairement
le contenu prochain de l'idée de justice, ce fut sa grandeur de
proclamer cette idée même, ce fut sa grandeur de proclamer que
l'homme et le citoyen avaient des droits, que ces droits étaient
imprescriptibles, que la durée des privilèges les plus anciens
n'était pas un titre contre ces droits ; c'est l'honneur de la
Révolution française d'avoir proclamé qu'en tout individu
humain, l'humanité avait la même excellence native, la même
dignité et les mêmes droits, et lorsqu'elle a proclamé ce symbole
de justice, lorsqu'elle a déclaré que les gouvernements, les sociétés
devaient être soumis à des règles positives tirées de cette idée du
droit humain, la Révolution n'a pas seulement façonné un monde
nouveau, elle a créé une nouvelle philosophie de l'histoire : elle a
fait du droit, elle a fait de la justice le ressort, l'aboutissant
suprême de l'histoire et du mouvement humain ; elle a créé une
nouvelle philosophie de l'histoire pour expliquer à la fois par
l'idée de justice l'avenir et le passé.

Pour l'avenir, tout le mouvement humain doit tendre, selon la
pensée de la Révolution, à réaliser de plus en plus la liberté et
l'égalité, et vous savez que si à l'origine elle a donné à ces mots un
sens trop étroit et un contenu trop exclusivement bourgeois,
elle-même bientôt, dans la nécessité de la lutte, quand il fallut
pour défendre l'ordre révolutionnaire naissant contre l'assaut de
toutes les tyrannies du monde coalisées, faire appel à la force des
prolétaires, la Révolution ne tarda pas à comprendre dès 1793

que le mouvement, accaparé d'abord par la bourgeoisie, devait aller au delà d'elle, et bientôt commencèrent à abonder dans la Révolution bourgeoise même les systèmes d'avenir, qui dépassaient l'horizon de la bourgeoisie ; en sorte que la Révolution commençait à tirer elle-même de sa propre formule, sous les éclairs des grands événements déchaînés, les conséquences lointaines d'une idée du droit que les premières générations révolutionnaires n'avaient pas entrevues d'abord dans toute leur ampleur, et la philosophie du droit humain et de la justice proclamée par la Révolution traçait en quelque sorte les lignes de l'avenir.

En même temps que la philosophie révolutionnaire de la justice et du droit, interprétée et agrandie par les événements, par la pensée hardie d'une partie de la Montagne, par Condorcet, par Babeuf, traçait les lignes de l'avenir, elle fournissait une interprétation nouvelle de l'histoire du passé ; la Déclaration des Droits de l'Homme dit que c'est l'oubli des droits de l'homme qui a été la cause de tous les malheurs du monde, et voilà l'explication idéaliste des épreuves par lesquelles l'humanité avait passé. De même, les événements des siècles antérieurs n'ont de sens pour la Révolution que dans la mesure où ils préparent, où ils commencent la promulgation et la réalisation de la justice, et tandis que dans la philosophie finaliste, transcendante et providentielle des siècles antérieurs, tout le mouvement de l'histoire humaine, interprétée par Bossuet, tendait à l'accomplissement et à la diffusion du christianisme, pour la Révolution, tout le mouvement humain dans les siècles obscurs et tourmentés de l'histoire primitive, dans la lueur mêlée du temps présent, dans la lueur plus rayonnante et plus pure des temps futurs, tout le mouvement humain a comme tendance, comme but et comme sens, l'accomplissement de l'universelle justice humaine.

(*Pages Choisies*, pages 229 à 231)

CHAPITRE IV

SOCIALISME

Le socialisme imprègne toute l'œuvre de Jaurès : il est le point d'aboutisse-
ment de la pensée humaine, c'est par lui seul que l'humanité peut se
réaliser pleinement. Dans tous les extraits des chapitres précédents, le
socialisme est sans cesse présent. Mais il fallait néanmoins grouper, dans
un chapitre distinct, des extraits permettant de comprendre nettement
comment Jaurès conçoit l'action et le but socialistes.

Ce chapitre s'insère logiquement après celui de la Révolution française,
puisque, selon Jaurès, le socialisme la continue.

DES DROITS DE L'HOMME AU SOCIALISME

Jaurès estime que « la domination d'une classe est un attentat
à l'humanité », que « c'est pour tous un devoir de justice d'être
socialistes ». Dans un article de la *Petite République* du 7 septembre 1901 : *Le Socialisme et la vie*, il développe ces idées et
marque l'importance de la Déclaration des Droits de l'Homme
pour la classe ouvrière. Il y a, dans la Déclaration, « une racine
de communisme ». Mais l'idée de droit est inefficace sans
l'action du prolétariat. Jaurès, partant de la Révolution
française, montre le développement du socialisme au XIXe
siècle, la croissance du prolétariat et aussi l'existence, au sein
même du capitalisme, des « moyens techniques de la réalisation
socialiste ». En ce raccourci de quelques pages, on trouve toute
la théorie jauressiste de l'évolution révolutionnaire.

C'est le socialisme seul qui donnera à la Déclaration des Droits
de l'Homme tout son sens et qui réalisera tout le droit humain.
Le droit révolutionnaire bourgeois a affranchi la personnalité
humaine de bien des entraves ; mais en obligeant les générations
nouvelles à payer une redevance au capital accumulé par les
générations antérieures, et en laissant à une minorité le privilège

de percevoir cette redevance, il frappe d'une sorte d'hypothèque au profit du passé et au profit d'une classe toute personnalité humaine.

Nous prétendons, nous, au contraire, que les moyens de production et de richesse accumulés par l'humanité doivent être à la disposition de toutes les activités humaines et les affranchir. Selon nous, tout homme a dès maintenant un droit sur les moyens de développement qu'a créés l'humanité. Ce n'est donc pas une personne humaine, toute débile et toute nue, exposée à toutes les oppressions et à toutes les exploitations, qui vient au monde. C'est une personne investie d'un droit, et qui peut revendiquer, pour son entier développement, le libre usage des moyens de travail accumulés par l'effort humain. Tout individu humain a droit à l'entière croissance. Il a donc le droit d'exiger de l'humanité tout ce qui peut seconder son effort. Il a le droit de travailler, de produire, de créer, sans qu'aucune catégorie d'hommes soumette son travail à une usure et à un joug. Et comme la communauté ne peut assurer le droit de l'individu qu'en mettant à sa disposition les moyens de produire, il faut que la communauté elle-même soit investie, sur ces moyens de produire, d'un droit souverain de propriété.

Marx et Engels, dans le *Manifeste communiste*, ont marqué magnifiquement le respect de la vie, qui est l'essence même du communisme :

« Dans la société bourgeoise, le travail vivant n'est qu'un moyen d'augmenter le travail accumulé dans le capital. Dans la société communiste, le travail accumulé ne sera qu'un moyen d'élargir, d'enrichir, de stimuler la vie des travailleurs.

« Dans la société bourgeoise, le passé règne sur le présent. Dans la société communiste, le présent régnera sur le passé. »

La Déclaration des Droits de l'Homme avait été aussi une affirmation de la vie, un appel à la vie. C'étaient les droits de l'homme vivant que proclamait la Révolution. Elle ne reconnaissait pas à l'humanité passée le droit de lier l'humanité présente. Elle ne reconnaissait pas aux services passés des rois et des nobles le droit de peser sur l'humanité présente et vivante et d'en arrêter l'essor. Au contraire l'humanité vivante saisissait pour le tourner à son usage tout ce que le passé avait légué de forces vives. L'unité française préparée par la royauté devenait, contre la royauté même, l'instrument décisif de révolution. De même les grandes forces de production accumulées par la bourgeoisie deviendront, contre le privilège capitaliste, l'instrument décisif de libération humaine.

La vie n'abolit point le passé : elle se le soumet. La Révolution n'est pas une rupture, c'est une conquête. Et quand le prolétariat aura fait cette conquête, quand le communisme aura été institué, tout l'effort humain accumulé pendant des siècles formera comme une nature bienveillante et riche, accueillant dès leur naissance toutes les personnes humaines, et leur assurant l'entier développement.

Ainsi, jusque dans le droit révolutionnaire bourgeois, dans la Déclaration des Droits de l'Homme et des droits de la vie, il y a une racine de communisme. Mais cette logique interne de l'idée de droit et d'humanité serait restée inefficace et dormante sans la vigoureuse action extérieure du prolétariat. Dès les premiers jours de la Révolution, il intervient. Il n'écoute pas les absurdes conseils *de classe* de ceux qui, comme Marat, lui disent : « Que fais-tu ? et pourquoi vas-tu prendre la Bastille, qui n'a jamais enfermé dans ses murs de prolétaires ? » Il marche ; il livre l'assaut ; il décide du succès des grandes journées ; il court aux frontières ; il sauve la Révolution au dehors et au dedans ; il devient une force nécessaire et il recueille en chemin le prix de son incessante action. D'un régime semi-démocratique et semi-bourgeois, il fait en trois ans, de 1789 à 1792, une démocratie pure, où parfois l'action des prolétaires est dominante. A déployer sa force, il prend confiance en lui-même, et il finit par se dire, avec Babeuf, qu'ayant créé une puissance commune, celle de la nation, il doit s'en servir pour fonder le bonheur commun.

Ainsi, par l'action des prolétaires, le communisme cesse d'être une vague spéculation philosophique pour devenir un parti, une force vivante. Ainsi, le socialisme surgit de la Révolution française sous l'action combinée de deux forces : la force de l'idée du droit, la force de l'action prolétarienne naissante. Il n'est donc pas une utopie abstraite. Il jaillit au point le plus bouillonnant, le plus effervescent des sources chaudes de la vie moderne.

Saint-Simon, Fourier, Proudhon

Mais voici qu'après bien des épreuves, des victoires partielles et des chutes, à travers la diversité des régimes politiques, le nouvel ordre bourgeois créé par la Révolution se développe. Voici que sous l'Empire, sous la Restauration, le système économique de la bourgeoisie, fondé sur la concurrence illimitée, commence à produire ses effets : accroissement incontestable de richesse, mais immoralité, ruse, perpétuel combat, désordre et oppression. Le trait de génie de Fourier fut de concevoir qu'il était possible de remédier au désordre, d'épurer et d'ordonner le système social sans gêner la production des richesses, mais, au contraire, en l'accroissant. Pas d'idéal ascétique : libre essor de toutes les facultés, de tous les instincts. La même association qui supprimera les crises multipliera les richesses en ordonnant, en combinant les efforts. Ainsi la nuance d'ascétisme dont la Révolution avait pu assombrir le socialisme s'évanouit. Ainsi le socialisme, après avoir participé, avec les prolétaires de la Révolution, et avec Babeuf, à toute la vie révolutionnaire, entre maintenant dans le grand courant des richesses et de la production moderne. Par Fourier, par Saint-Simon, il apparaît comme une force capable, non pas de refouler le capitalisme, mais de le dépasser.

Dans l'ordre nouveau qu'entrevoient ces grands génies, la justice ne sera pas achetée au prix des joies de la vie. Au contraire, la juste organisation des forces humaines ajoutera à leur puissance productive. La splendeur des richesses manifestera la victoire du droit, et la joie sera le rayonnement de la justice. Le babouvisme n'avait pas été la négation de la Révolution, mais, au contraire, sa pulsation la plus hardie. Le fouriérisme et le saint-simonisme ne sont pas la négation, la restriction de la vie moderne, mais au contraire son élargissement passionné. Partout donc et toujours le socialisme est une force vivante dans le sens et l'ardent courant de la vie.

Mais aux grands rêves d'harmonie et de richesse pour tous, aux grandes conceptions constructives de Fourier et de Saint-Simon, la bourgeoisie de Louis-Philippe répond par un redoublement d'exploitation de classe, par l'utilisation intensive et épuisante des forces ouvrières, par une orgie de concessions d'État, de monopoles, de dividendes et de primes. Il eût été au moins naïf d'opposer plus longtemps à cette audacieuse exploitation des rêves idylliques. C'est par l'âpre critique de la propriété, de la rente, du fermage, du profit, que répliqua Proudhon : et ici encore la parole qui devait être dite fut dite sous la dictée même et l'âpre inspiration de la vie.

Mais comment compléter l'œuvre de critique par une œuvre d'organisation ? Comment grouper en une vaste unité de combat tous les éléments sociaux que menaçait ou qu'opprimait la puissance de la banque, du monopole et du capital ? Proudhon démêla très vite que l'armée de la démocratie sociale était disparate, qu'elle était mêlée d'un prolétariat de fabriques encore insuffisant en nombre et en force, et d'une petite bourgeoisie industrielle et marchande, d'une artisanerie que la concentration et l'absorption capitaliste guettaient mais n'avaient pas abolie encore. De là, dans la partie positive de l'œuvre de Proudhon, des flottements et des contradictions ; de là un singulier mélange de réaction et de révolution selon qu'il s'applique à sauver par des combinaisons factices de crédit la petite bourgeoisie industrielle ou qu'il pressent l'avènement de la classe ouvrière, force de révolution. Il aurait voulu suspendre les événements, ajourner la crise révolutionnaire de 1848 pour donner à l'évolution économique le temps de dessiner plus nettement sa ligne, et de mieux orienter les esprits. Mais, ici encore, d'où viennent ces hésitations, ces scrupules ou même ces efforts contradictoires, sinon du contact de la sincère pensée socialiste avec la réalité complexe et encore incertaine ? C'est la vie du siècle qui sans cesse retentit en elle.

Et voici que depuis 1848 la grande force décisive et substantielle se manifeste et s'organise. Voici que la croissance de la grande industrie suscite un prolétariat ouvrier, toujours plus nombreux, toujours plus cohérent, toujours plus conscient. Ceux qui avec Marx ont salué l'avènement de cette puissance décisive, ceux qui ont compris que par elle le monde serait transformé ont pu s'exagérer la rapidité du mouvement économique. Ils ont pu, moins prudents que Proudhon, moins avertis que lui des forces de résistance et des ressources de transformation de la petite industrie, simplifier à l'excès le problème et grossir la puissance d'absorption du capital concentré.

Même avec toutes les réserves et restrictions que nous apporte l'étude de la réalité toujours compliquée et multiple, il reste vrai que la classe purement prolétarienne grandit en nombre, qu'elle représente une fraction toujours croissante des sociétés humaines, qu'elle est groupée en des centres de production toujours plus vastes ; il reste vrai qu'elle est toute préparée à concevoir, par la production en grand, la propriété en grand, dont la limite est la propriété sociale.

Ainsi, le socialisme, qui avec Babeuf fut comme le frisson le plus ardent de la Révolution démocratique, qui, avec Fourier et Saint-Simon, fut le plus magnifique agrandissement des promesses de richesse et de puissance que le capitalisme hardi prodiguait au monde, qui, avec Proudhon, fut l'avertissement le plus aigu donné aux sociétés que l'oligarchie bourgeoise dévorait, est maintenant, avec le prolétariat et en lui, la plus forte des puissances sociales, celle qui grandit sans cesse et qui finira par déplacer à son profit, c'est-à-dire au profit de l'humanité dont elle est maintenant l'expression la plus haute, l'équilibre du monde social.

Une grande force de vie

Non, le socialisme n'est pas une conception arbitraire et utopique ; il se meut et se développe en pleine réalité ; il est une grande force de vie, mêlée à toute la vie et capable bientôt d'en prendre la direction. A l'application incomplète de la justice et du droit humain que faisait la Révolution démocratique et bourgeoise, il a opposé la pleine et décisive interprétation des Droits de l'homme. A l'organisation de richesse incomplète, étroite et chaotique qu'essayait le capitalisme, il a opposé une magnifique conception de richesse harmonique où l'effort de chacun s'agrandissait de l'effort solidaire de tous. — A la sécheresse de l'orgueil et de l'égoïsme bourgeois, rapetissé en exploitation censitaire et monopoleuse, il a opposé l'amertume révolutionnaire, l'ironie provocante et vengeresse, la meurtrière analyse qui dissout le mensonge. Et voici enfin qu'à la primauté sociale du capital il oppose l'organisation de classe, tous les jours plus forte, du prolétariat grandissant.

Comment le régime des classes pourrait-il subsister quand la classe opprimée et exploitée grandit tous les jours en nombre, en cohésion, en conscience, et quand elle forme le dessein, tous les jours plus net, d'en finir avec la propriété de classe ?

Or, en même temps que grandissent les forces réelles, substantielles, du socialisme, les moyens techniques de réalisation socialiste se précisent aussi. C'est la nation qui se constitue de plus en plus dans son unité et dans sa souveraineté et qui est obligée d'assumer de plus en plus des fonctions économiques, prélude grossier de la propriété sociale. Ce sont les grandes communes urbaines et industrielles où par les questions d'hygiène, de logement, d'éclairage, d'enseignement, d'alimentation, la démocratie entrera de plus en plus dans le vif du problème de la propriété et dans l'administration de domaines collectifs. Ce sont les coopératives de tout ordre, coopératives de consommation et coopératives de production, qui se multiplient. Ce sont les organisations syndicales et professionnelles qui s'étendent, s'assouplissent, se diversifient : syndicats, fédérations de syndicats, bourses du travail, fédérations de métiers, fédérations d'industrie.

Et ainsi, il est certain dès maintenant que ce n'est point par la pesante monotonie d'une bureaucratie centrale que sera remplacé le privilège capitaliste. Mais la nation, investie du droit social et souverain de propriété, aura des organes sans nombre, communes, coopératives, syndicats, qui donneront à la propriété sociale le mouvement le plus souple et le plus libre, qui l'harmoniseront avec la mobilité et la variété infinie des forces individuelles. Il y a donc une préparation technique du socialisme comme il y a une préparation intellectuelle et sociale. Ceux-là sont des enfants qui, s'enfiévrant de l'œuvre déjà accomplie, croient qu'il leur suffirait maintenant d'un décret, d'un *Fiat lux* prolétarien pour faire surgir d'emblée le monde socialiste. Mais ceux-là sont des insensés qui ne voient pas l'irrésistible force d'évolution qui condamne la primauté de la bourgeoisie et le régime des classes.

(Œuvres de Jean Jaurès : *Études Socialistes*, T. II, pages 354 à 359 [1])

---

[1] Cet article fait partie du recueil publié par Jaurès, *Études Socialistes* (Édition Ollendorff, pages 135 à 148).

RÉPUBLIQUE ET SOCIALISME

Le socialisme découle des Droits de l'Homme. Dans un discours prononcé à la Chambre, le 21 novembre 1893, Jaurès
montre comment la République conduit au socialisme. Au
président du Conseil réactionnaire Charles Dupuy, il explique
qu'on ne peut écraser le socialisme en prenant des mesures
contre les « meneurs », car le socialisme sort « de l'évolution
même des choses et de l'histoire ». Le mouvement socialiste est
issu à la fois de la République et du régime économique. Les
lois sur l'enseignement, la loi sur les syndicats, œuvres de la
République, amènent au socialisme.

... c'est devant ce mouvement universel qui entraîne à la fois
les peuples les plus divers, quels que soient le climat, le régime
politique et la race, que vous venez parler de quelques excitations
isolées ! Mais vous faites trop d'honneur, monsieur le président
du Conseil, à ceux que vous accusez ; vous donnez trop de puissance à ceux que vous appelez les meneurs. Il ne dépend pas
d'eux de déchaîner un mouvement aussi vaste et il ne suffit pas
du souffle débile de quelques bouches humaines pour soulever
cette houle du prolétariat universel.

Non, messieurs, la vérité, c'est que le mouvement sort des
profondeurs mêmes des choses ; c'est qu'il sort d'innombrables
souffrances qui jusqu'ici ne s'étaient point concertées, mais qui
ont trouvé dans une formule libératrice leur point de ralliement.
La vérité, c'est qu'en France même, dans notre France républicaine, le mouvement socialiste est sorti tout à la fois de la
République, que vous avez fondée, et du régime économique qui
se développe dans ce pays depuis un demi-siècle.

Vous avez fait la République, et c'est votre honneur ; vous
l'avez faite inattaquable, vous l'avez faite indestructible, mais
par là vous avez institué entre l'ordre politique et l'ordre
économique dans notre pays une intolérable contradiction.

Dans l'ordre politique la nation est souveraine et elle a brisé
toutes les oligarchies du passé ; dans l'ordre économique la
nation est soumise à beaucoup de ces oligarchies, et, entre
parenthèses, monsieur le président du Conseil, il ne suffisait pas
de dire à la Chambre, ce qu'elle sait amplement sans vous, que

la question de la Banque de France se posera devant elle ; il fallait lui dire de quelle façon le gouvernement entendait qu'elle fût résolue.

Oui, par le suffrage universel, par la souveraineté nationale, qui trouve son expression définitive et logique dans la République, vous avez fait de tous les citoyens, y compris les salariés, une assemblée de rois. C'est d'eux, c'est de leur volonté souveraine qu'émanent les lois et le gouvernement ; ils révoquent, ils changent leurs mandataires, les législateurs et les ministres ; mais, au moment même où le salarié est souverain dans l'ordre politique, il est dans l'ordre économique réduit à une sorte de servage.

Oui, au moment où il peut chasser les ministres du pouvoir, il est, lui, sans garantie aucune et sans lendemain, chassé de l'atelier. Son travail n'est plus qu'une marchandise que les détenteurs du capital acceptent ou refusent à leur gré.

Il peut être chassé de l'atelier, il ne collabore pas aux réglements d'atelier qui deviennent tous les jours plus sévères et plus captieux, et qui sont faits sans lui et contre lui.

Il est la proie de tous les hasards, de toutes les servitudes et, à tout moment, ce roi de l'ordre politique peut être jeté dans la rue ; à tout moment, s'il veut exercer son droit légal de coalition pour défendre son salaire, il peut se voir refuser tout travail, tout salaire, toute existence par la coalition des grandes compagnies minières. Et, tandis que les travailleurs n'ont plus à payer, dans l'ordre politique, une liste civile de quelques millions aux souverains que vous avez détrônés, ils sont obligés de prélever sur leur travail une liste civile de plusieurs milliards pour rémunérer les oligarchies oisives qui sont les souveraines du travail national.

Et c'est parce que le socialisme apparaît comme seul capable de résoudre cette contradiction fondamentale de la société présente, c'est parce que le socialisme proclame que la République politique doit aboutir à la République sociale, c'est parce qu'il veut que la République soit affirmée dans l'atelier comme elle est affirmée ici, c'est parce qu'il veut que la nation soit souveraine dans l'ordre économique pour briser les privilèges du capitalisme oisif, comme elle est souveraine dans l'ordre politique, c'est pour cela que le socialisme sort du mouvement républicain.

C'est la République qui est le grand excitateur, c'est la République qui est le grand meneur : traduisez-la donc devant vos gendarmes !

« La vieille chanson qui berçait la misère humaine »

Et puis, vous avez fait des lois d'instruction. Dès lors, comment voulez-vous qu'à l'émancipation politique ne vienne pas s'ajouter, pour les travailleurs, l'émancipation sociale quand vous avez décrété et préparé vous-mêmes leur émancipation intellectuelle ? Car vous n'avez pas voulu seulement que l'instruction fût universelle et obligatoire : vous avez voulu aussi qu'elle fût laïque, et vous avez bien fait.

Vous n'avez pas, comme vous en accusent souvent des adversaires passionnés, ruiné les croyances chrétiennes, et ce n'était pas votre objet. Vous vous proposiez simplement d'instituer dans vos écoles une éducation rationnelle. Ce n'est pas vous qui avez ruiné les croyances d'autrefois ; elles ont été minées bien avant vous, bien avant nous, par les développements de la critique, par la conception positive et naturaliste du monde, par la connaissance et la pratique d'autres civilisations, d'autres religions, dans l'horizon humain élargi. Ce n'est pas vous qui avez rompu les liens vivants du christianisme et de la conscience moderne ; ils étaient rompus avant vous. Mais ce que vous avez fait, en décrétant l'instruction purement rationnelle, ce que vous avez proclamé, c'est que la seule raison suffisait à tous les hommes pour la conduite de la vie.

Par là même, vous avez mis en harmonie l'éducation populaire avec les résultats de la pensée moderne ; vous avez définitivement arraché le peuple à la tutelle de l'Église et du dogme ; vous avez rompu, non pas ces liens vivants dont je parlais tout à l'heure, mais les liens de passivité, d'habitude, de tradition et de routine qui subsistaient encore.

Mais qu'avez-vous fait par là ? Ah ! je le sais bien, ce n'était qu'une habitude et non pas une croyance qui survivait encore en un grand nombre d'esprits ; mais cette habitude était, pour quelques-uns tout au moins, un calmant et un consolant. Eh bien ! vous, vous avez interrompu la vieille chanson qui berçait la misère humaine... et la misère humaine s'est réveillée avec des cris, elle s'est dressée devant vous et elle réclame aujourd'hui sa

K

place, sa large place au soleil du monde naturel, le seul que vous n'ayez point pâli.

De même que la terre perd, par le rayonnement nocturne, une partie de la chaleur que le jour y a accumulée, une part de l'énergie populaire se dissipait par le rayonnement religieux dans le vide sans fond de l'espace.

Or, vous avez arrêté ce rayonnement religieux, et vous avez ainsi concentré, dans les revendications immédiates, dans les revendications sociales, tout le feu de la pensée, toute l'ardeur du désir ; c'est vous qui avez élevé la température révolutionnaire du prolétariat, et, si vous vous épouvantez aujourd'hui, c'est devant votre œuvre !

Les syndicats

Et de même, quand vous avez fondé les syndicats ouvriers, qu'avez-vous prétendu faire ?

L'autre jour, un homme politique considérable — qui rappelait qu'il a été lui-même collaborateur de Gambetta et de Ferry, et qui viendra dire peut-être à cette tribune s'il a trouvé, en effet, dans votre déclaration cet écho de sa propre parole qu'il s'attendait à y percevoir — disait que les syndicats ouvriers avaient été détournés de leur véritable destination.

Qu'est-ce que cela signifie pour un esprit aussi positif et aussi clair que le sien ? Est-ce que vous vous imaginiez, lorsque vous avez fait la loi sur les syndicats ouvriers, qu'ils seraient simplement ou une société de secours mutuels ou je ne sais quelle ébauche de société coopérative de consommation ? Non, toutes ces institutions d'assistance et autres existaient à côté et en dehors des syndicats ouvriers, avant eux. En instituant les syndicats ouvriers, vous ne pouviez faire qu'une chose : donner aux travailleurs, dispersés jusque-là, le sentiment d'une force plus grande, par leur réunion et par leur cohésion... et lorsqu'ils auraient des revendications à produire, soit sur la durée de travail, soit sur les salaires, et qu'ils s'adresseraient au patronat, et que le patronat ne les écouterait pas, donner plus de cohésion et d'ensemble au movement de coalition par lequel les travailleurs pouvaient espérer la victoire.

Si vous n'avez pas voulu cela, je ne sais pas ce que vous avez voulu.

Et maintenant, parce que les travailleurs trouvent, en effet, dans ces syndicats le sentiment d'une force nouvelle, qui leur permet d'espérer la réalisation de la pleine justice sociale, vous vous effrayez, encore une fois, devant votre œuvre.

Et c'est chose étrange comme vous méconnaissez la situation présente. Je n'en veux d'autre témoignage que le langage de ce magistrat qui vous écrivait récemment et qui, assurément, n'imaginait pas vous déplaire en disant : « Les syndicats sortent de leur rôle, ils deviennent une sorte d'école, d'instrument de propagande socialiste ».

Messieurs, il n'y a que deux moyens pour les travailleurs d'obtenir l'amélioration de leur sort : ou bien des améliorations partielles, immédiates, précaires, par les coalitions, que vous appelez des grèves ; ou bien une amélioration durable, définitive, normale, par la conquête des pouvoirs politiques pour réaliser l'idée socialiste.

Et vous ne vous apercevez pas, lorsque vous faites un grief aux syndicats de se pénétrer de l'esprit socialiste et de sortir de la simple agitation professionnelle pour s'élever à une conception politique générale et supérieure, que c'est vous qui les acculez à la grève comme au seul moyen d'action, alors que le socialisme leur offre dans la conquête des pouvoirs politiques un moyen d'action plus efficace et beaucoup plus étendu.

Ainsi il se trouve, messieurs, que le mouvement socialiste est sorti tout à la fois de l'institution républicaine, de l'éducation laïque que vous avez décrétée, et des lois syndicales que vous avez faites ; et en même temps il résulte de plus en plus des conditions économiques qui se développent dans ce pays-ci depuis cinquante ans.

(Œuvres de Jean Jaurès : *Études Socialistes*, T. I, pages 233 à 238 [1])

DÉMOCRATIE ET SOCIALISME

Le socialisme revendique le droit nouveau créé par la Révolution française. La démocratie est pour le socialisme « une grande conquête ». Dans la conclusion de son *Histoire Socialiste*

[1] Ce discours se trouve également dans les *Pages Choisies*, page 313.

de la Révolution Française, écrite durant l'affaire Dreyfus, à
l'époque où tout en menant la lutte contre le nationalisme et la
réaction, il polémique avec des socialistes sur la participation
au pouvoir, Jaurès montre le socialisme sortant « comme d'une
fournaise de la Révolution et de la démocratie ».

Ce droit nouveau, le socialisme le revendique et s'y appuie. Il
est au plus haut degré un parti de démocratie, puisqu'il veut
organiser la souveraineté de tous dans l'ordre économique comme
dans l'ordre politique. Et, c'est sur le droit de la personne
humaine qu'il fonde la société nouvelle, puisqu'il veut donner à
toute sa personne les moyens concrets de développement qui
seuls lui permettront de se réaliser toute entière.

C'est en pleine lutte que j'ai écrit cette longue histoire de la
Révolution jusqu'au 9 thermidor : lutte contre les ennemis du
socialisme, de la République et de la démocratie : lutte entre les
socialistes eux-mêmes sur la meilleure méthode d'action et de
combat. Et plus j'avançais dans mon travail sous les feux croisés
de cette bataille, plus s'animait ma conviction que la démocratie
est, pour le prolétariat, une grande conquête.

Elle est tout ensemble un moyen d'action décisif et une forme-
type selon laquelle les rapports économiques doivent s'ordonner
comme les rapports politiques. De là, la joie passionnée avec
laquelle j'ai noté l'ardente coulée de socialisme qui sortait comme
d'une fournaise de la Révolution et de la démocratie.

Nous sommes, en un grand sens, au sens où l'entendait Babeuf
évoquant Robespierre, le parti de la démocratie et de la Révolution. Mais nous n'avons pas immobilisé et glacé celle-ci. Nous
ne prétendons pas figer la société humaine dans les formules
économiques et sociales qui prévalurent de 1789 à 1795 et qui
répondaient à des conditions de vie et de production aujourd'hui
abolies. Trop souvent les partis démocratiques bourgeois se
bornent à recueillir, au pied du volcan, quelques fragments de
lave refroidie, à ramasser un peu de cendre éteinte autour de la
fournaise. C'est dans des moules nouveaux que doit être coulé
l'ardent métal.

Le problème de la propriété ne se pose plus, ne peut plus se
poser comme en 1789 ou en 1793. La propriété individuelle
pouvait apparaître alors comme une forme et une garantie de la

personnalité humaine. Avec la grande industrie capitaliste,
l'association sociale des producteurs, la propriété commune et
collective des grands moyens de travail est devenue la condition
de l'universel affranchissement. Et, pour arracher la Révolution
et la démocratie à ce qu'il y a de suranné maintenant et de
rétrograde dans les conceptions bourgeoises, une forte action de
classe du prolétariat organisé est nécessaire.

De classe et non pas de secte, car c'est toute la démocratie, c'est
toute la vie que le prolétariat doit organiser, et il ne peut organiser
la démocratie et la vie qu'en s'y mêlant. Grande et libre action
sous la discipline d'un clair idéal. Politique de démocratie et
politique de classe, voilà les deux termes nullement contradictoires entre lesquels se meut la force prolétarienne, et que
l'histoire confondra un jour dans l'unité de la démocratie sociale.

Ainsi le socialisme se rattache à la Révolution sans s'y en-
chaîner. Et c'est pourquoi nous avons suivi d'un esprit libre et
d'un cœur fervent les héroïques efforts de la démocratie révolutionnaire.

(*Histoire Socialiste de la Révolution Française*, T. VIII (*Le
Gouvernement Révolutionnaire*), pages 415 et 416)

LA THÉORIE DE LA VALEUR

Jaurès est à la fois démocrate et révolutionnaire. On sait qu'il
n'est pas d'accord avec Bernstein et les revisionnistes qui
attachent plus d'importance au mouvement qu'au but final.
Il admet les théories essentielles du marxisme. Tout en pro-
posant une conciliation entre le matérialisme historique et
l'idéalisme, il estime que, dans le développement de l'histoire,
« ce sont les forces économiques dont l'action est dominante ».[1]
Il croit que la loi de concentration se vérifie ; la concentration
capitaliste « se produit et la direction du mouvement est
certaine ».[2] Il croit que la théorie de la valeur est « scientifique-

---

[1] *Bernstein et l'évolution de la méthode socialiste* (Études Socialistes, T. II
page 126).
[2] *Ibid.* page 132.

ment établie ».[1] Dans l'*Armée Nouvelle*, il a exposé cette théorie avec une clarté saisissante.[2]

Marx a montré que le travail seul, incorporé aux produits, créait la valeur du produit, et que le profit du capital ne pouvait être qu'un prélèvement opéré sur la valeur du travail. Si ce prélèvement se faisait directement, si, quand la substance du travail est passée dans le produit pour lui donner sa valeur d'échange, une partie de cette force de travail, de cette substance ouvrière convertie en valeur, était saisie manifestement par le capitaliste, il apparaîtrait à tous, et à la bourgeoisie elle-même, que c'est de la chair et du sang du prolétariat que sont faites les colossales fortunes. Mais l'opération n'est pas directe et simple. Le prélèvement ne se fait pas immédiatement du grand patron sur les ouvriers qu'il emploie lui-même. Le capital est soumis à la loi du marché, à la loi de la concurrence. Et comme la proportion entre le capital engagé dans une entreprise et la quantité de force ouvrière mise en œuvre par lui varie selon les industries, le capital ne se porterait pas sur les entreprises où la proportion du capital à la main-d'œuvre est la plus forte et où, par conséquent, la matière à profit est relativement faible, s'il ne s'établissait d'une entreprise à l'autre, d'un capitaliste à l'autre, une compensation et un équilibre. Chaque entreprise ne règle pas isolément son propre compte. Tous les entrepreneurs forment pour ainsi dire une immense coopérative de profit ; ils puisent tous, pour se payer, dans l'immense fonds commun des valeurs créées par le travail, et la plus-value qui se dégage quand le travail a été payé au-dessous de sa valeur, les capitalistes se la répartissent conformément aux lois de la concurrence, en proportion de la quantité de capital fixe engagée par chacun d'eux dans l'entreprise. Dès lors, ce qui détermine sur le marché le prix des produits, c'est le prix de la production, c'est-à-dire des salaires, l'amortissement du capital et le profit du capital, tel que le déterminent les jeux innombrables des lois de la concurrence.

[1] *Bernstein et l'évolution de la méthode socialiste* (Études Socialistes, T. II, page 123).
[2] « Je ne connais rien de plus lucide, de plus intelligent que le résumé, en quarante lignes, qu'il fait de cette théorie » (Vandervelde, *Jean Jaurès*, page 29).

Toutes ces combinaisons de surface seraient vaines s'il n'y avait pas une réserve immense de plus-values résultant de l'écart entre les valeurs que produit le travail et les valeurs qu'il reçoit. Mais elles suffisent à cacher le phénomène profond d'exploitation. Il semble que le capital reçoit, dans le prix des produits, ce qu'il y a mis lui-même, et non ce qu'y a mis le travail. Comme le prix, expression superficielle et déformée de la valeur, est déterminé en partie par la quantité du capital employé dans l'entreprise, c'est ce capital même qui semble, pour une part, constituer la valeur, et comme ce capital préexiste au groupement particulier de main-d'œuvre qu'il utilise, c'est le capital qui paraît, dans la constitution de la valeur, la force initiale et dominante. Le capitaliste lui-même s'y trompe. Toute l'opération, comme dit Marx, s'accomplit « derrière son dos ». Il ne s'imagine pas dépouiller le travail, il ne s'aperçoit pas qu'il le dépouille. Il croit être un individu créateur et autonome qui dispense aux ouvriers, en échange de leur travail, payé comme toutes choses au prix du marché, c'est-à-dire au juste prix, une partie des valeurs que son initiative a suscitées, que son capital fonde, et qu'ils n'auraient pu, sans lui, contribuer à former. Il ne se rend pas compte qu'il n'est qu'un élément dans un immense communisme d'exploitation capitaliste appliqué à toute la force du travail humain. Et parce que la proie se répartit entre les capitalistes suivant certaines règles, ils oublient que c'est une proie.

Travail, *élément permanent*

Je crois que la théorie de la valeur de Marx résiste à toutes les critiques quand on l'entend dans son vrai sens, c'est-à-dire comme une métaphysique sociale, comme une dialectique profonde de la valeur, non comme une théorie superficielle des prix. Mais même si on la juge arbitraire ou fausse, ou abstraite, si on constitue la valeur même par le coût de production, là encore toute l'action capitaliste semble combinée pour cacher aux capitalistes eux-mêmes l'exploitation qu'ils exercent. Dans les frais de production rentrent, en effet, des éléments de nature bien différente, mais qui semblent contracter une valeur de même ordre parce qu'ils concourent à déterminer, à constituer la valeur du produit. Les salaires et l'amortissement du capital d'un côté, le profit du capital de l'autre, quelle distance entre ces éléments !

quel abîme ! Tant que l'homme ne sera pas parvenu, si jamais il doit y parvenir, à ce degré de toute-puissance paresseuse où des mécanismes presque divins, pareils aux automates pensants que forgeait Vulcain aux forges de l'Olympe, feront toutes les besognes se réparant et s'entretenant eux-mêmes, où l'action humaine ne sera plus qu'un libre jeu et où la facilité infinie de la production absorbera l'échange et la valeur, tant qu'il y aura des valeurs, le travail appliqué à la production des objets sera, sous toutes les formes sociales imaginables, un élément essentiel de la valeur, même s'il n'en constitue pas le tout. Et dans le travail, je comprends, bien entendu, l'amortissement du capital qui peut se définir par la somme de travail nécessaire à reconstituer les mécanismes de production, usés par le temps et par leur service même.

Voilà donc, dans l'ordre de la valeur, un élément permanent, éternel. Au contraire, le profit du capital suppose un système social particulier, et qui peut n'être que transitoire. Que demain, par une révolution ouvrière, la propriété des moyens de production soit transférée des individus à la nation, la communauté sociale organisant la production déterminera les rapports de valeur des différents produits par la quantité de travail nécessaire à les produire, l'élément du profit sera éliminé de la valeur ; car, ou la communauté sociale répartirait également ce profit sur tous ses associés, et elle ne ferait que se restituer à elle-même le profit perçu sur elle-même, ou elle l'attribuerait aux groupements qui mettront en œuvre, sous le contrôle central de la nation, telle catégorie de la production. Mais comme la proportion du capital au travail serait variable suivant les industries et les groupements, c'est une sorte de capitalisme corporatif qu'elle instituerait ainsi, c'est-à-dire le plus injustifiable et le plus absurde des privilèges. L'élément profit du capital s'évanouira donc de la valeur quand sera réalisé un ordre social que les plus hauts penseurs ont annoncé et prévu, que des multitudes, toujours plus vastes et plus organisées, exigent d'heure en heure plus impérieusement, et que les démocraties, façonnées par un prolétariat immense, accompliront certainement selon un ordre d'évolution invincible.

(*L'Armée Nouvelle*, pages 318 à 321)

LA LUTTE DE CLASSE

On a vu, dans le chapitre *République et Démocratie*, que, si Jaurès estime nécessaire l'intervention de la classe prolétarienne dans le mouvement des autres classes, il pense que la classe bourgeoise et la classe prolétarienne sont deux classes « spécifiquement distinctes, spécifiquement antagonistes ». Ce sont ses propres expressions dans sa conférence sur *Bernstein et l'évolution de la méthode socialiste* (10 février 1900).

Dans sa controverse avec Jules Guesde, à l'Hippodrome de Lille (*Les Deux Méthodes*), huit mois plus tard (octobre 1900), il énumère très clairement les principes qui résultent, pour le prolétariat, du fait de la lutte de classe.

A mes yeux, citoyens, l'idée de la lutte de classe, le principe de la lutte de classe, est formé de trois éléments, de trois idées. D'abord, et à la racine même, il y a une constatation de fait, c'est que le système capitaliste, le système de la propriété privée des moyens de production, divise les hommes en deux catégories, divise les intérêts en deux vastes groupes, nécessairement et violemment opposés. Il y a, d'un côté, ceux qui détiennent les moyens de production et qui peuvent ainsi faire la loi aux autres, mais il y a de l'autre côté ceux qui, n'ayant, ne possédant que leur force travail et ne pouvant l'utiliser que par les moyens de production détenus précisément par la classe capitaliste, sont à la discrétion de cette classe capitaliste.

Entre les deux classes, entre les deux groupes d'intérêts, c'est une lutte incessante du salarié, qui veut élever son salaire, et du capitaliste qui veut le réduire ; du salarié qui veut affirmer sa liberté et du capitaliste qui veut le tenir dans la dépendance.

Voilà donc le premier élément de la lutte de classe. La condition de fait qui le fonde, qui le détermine, c'est le système de la propriété capitaliste, de la propriété privée. Et remarquez-le bien ! comme ici il s'agit des moyens de travailler et, par conséquent, des moyens de vivre, il s'agit de ce qu'il y a pour les hommes d'essentiel, de fondamental, il s'agit de la vie privée, de la vie de tous les jours. Et, par conséquent, un conflit qui a, pour principe, la division d'une société en possédants et en non-possédants n'est pas superficiel ; il va jusqu'aux racines mêmes de la vie.

Mais, citoyens, il ne suffit pas pour qu'il y ait lutte de classe qu'il y ait cet antagonisme entre les intérêts. Si les prolétaires, si les travailleurs ne concevaient pas la possibilité d'une société différente, si tout en constatant la dépendance où ils sont tenus, la précarité dont ils souffrent, ils n'entrevoyaient pas la possibilité d'une société nouvelle et plus juste ; s'ils croyaient, s'ils pouvaient croire à l'éternelle nécessité du système capitaliste, peu à peu cette nécessité s'imposant à eux, ils renonceraient à redresser un système d'injustices. Cette tâche ne leur apparaîtrait pas comme possible.

Donc, pour qu'il y ait vraiment lutte de classe, pour que tout le prolétariat organisé entre en bataille contre le capitalisme, il ne suffit pas qu'il y ait antagonisme des intérêts entre les capitalistes et les salariés, il faut que les salariés espèrent, en vertu des lois mêmes de l'évolution historique, l'avènement d'un ordre nouveau dans lequel la propriété cessant d'être monopoleuse, cessant d'être particulière et privée, deviendra sociale, afin que tous les producteurs associés participent à la fois à la direction du travail et au fruit du travail.

Il faut donc que les intérêts en présence, prennent conscience d'eux-mêmes, comme étant, si je puis dire, déjà deux sociétés opposées, en lutte, l'une, la société d'aujourd'hui, inscrite dans le titre de la propriété bourgeoise, l'autre, la société de demain, inscrite dans le cerveau des prolétaires.

C'est cette lutte des deux sociétés dans la société d'aujourd'hui qui est un élément nécessaire à la lutte de classe.

Et enfin, il faut une troisième condition pour qu'il y ait lutte de classe. Si le prolétariat pouvait attendre sa libération, s'il pouvait attendre la transformation de l'ordre capitaliste en ordre collectiviste ou communiste d'une autorité neutre, arbitrale, supérieure aux intérêts en conflit, il ne prendrait pas lui-même en main la défense de la cause.

C'est ce que prétendent, vous le savez, les socialistes chrétiens dont quelques-uns reconnaissent la dualité, l'antagonisme des intérêts, mais qui disent au peuple : « Ne vous soulevez pas, ne vous organisez pas, il y a une puissance bienfaisante et céleste, la puissance de l'Église, qui fera descendre parmi nous, sans que vous vous souleviez, la justice fraternelle ».

Eh bien, si les travailleurs croyaient cela, ils s'abandonneraient à la conduite de cette puissance d'en haut et il n'y aurait pas de lutte de classe. Il n'y aurait pas de lutte de classe encore si les travailleurs pouvaient attendre leur libération de la classe capitaliste elle-même, de la classe privilégiée elle-même, cédant à une inspiration de justice.

Vous savez, citoyennes et citoyens, que tant qu'a duré la période, de ce que Marx et Engels ont appelé le « Socialisme utopique » les socialistes croyaient que la libération du prolétariat se ferait par en haut.

Robert Owen, le grand communiste anglais, faisait appel, pour réaliser la justice sociale, aux puissances de la Sainte-Alliance réunies au Congrès de Vienne. Fourier, notre grand Fourier, attendait tous les jours l'heure qu'il avait marquée, la venue du donateur généreux qui lui apporterait le capital nécessaire pour fonder la première communauté, et il espérait que le seul exemple de cette communauté radieuse, se propageant de proche en proche, étendant pour ainsi dire les cercles d'organisation et d'harmonie, suffirait à émanciper et à réjouir les hommes.

Et plus tard, à un autre point de vue, Louis Blanc s'imaginait que c'était la bourgeoisie, à condition qu'elle revînt à certaines inspirations de 1793, qui pourrait affranchir les prolétaires. A la fin de son Histoire de Dix ans, il invitait la classe bourgeoise à se constituer la tutrice du prolétariat.

Tant que le prolétariat a pu attendre ainsi des tuteurs, tuteurs célestes ou tuteurs bourgeois, tant qu'il a pu attendre son affranchissement d'autres puissances que de la sienne, d'autres forces que la sienne, il n'y a pas eu lutte de classe.

La lutte de classe a commencé le jour où, à l'expérience des journées de juin, le prolétariat a appris que c'était seulement dans sa force à lui, dans son organisation, qu'il portait l'espérance du salut.

C'est ainsi que le principe de la lutte de classe, qui suppose d'abord la division de la société en deux grandes catégories contraires, les possédants et les non-possédants ; qui suppose ensuite que les prolétaires ont pris conscience de la société de demain et de l'expérience collectiviste, c'est ainsi que la lutte de classe s'est complétée par la conviction acquise par le prolétariat qu'il devait s'émanciper lui-même et pouvait seul s'émanciper.

(Œuvres de Jean Jaurès : *Études Socialistes*, T. II, pages 191 à 193)

L'UNITÉ

Le prolétariat constitue une classe distincte. Il doit avoir son
parti politique dans lequel toutes les tendances socialistes sont
réunies. Jaurès, on le sait, fut l'apôtre infatigable de l'unité
socialiste. Dès 1897, alors que le socialisme était divisé au
moins en cinq fractions, il écrivait :

... Voici l'œuvre immédiate qui s'impose à nous. Il faut d'abord
préparer l'unité du Parti socialiste français. Il ne s'agit point d'une
unité despotique et morte : les diverses organisations socialistes
peuvent et doivent subsister, mais il faut qu'elles puissent
toujours se concerter et délibérer cordialement pour l'action
commune. En fait, ce résultat est beaucoup plus près d'être
atteint que ne l'imaginent nos ennemis. Tous, collectivistes ou
communistes, ont le même idéal social. Il est vrai qu'il se produit
des divergences sur la tactique, sur la méthode de combat. Mais
elles ne sont pas irréductibles, et d'ailleurs est-ce que tout
récemment encore, le Parti socialiste belge, malgré les tendances
contraires de ceux qui acceptaient les alliances électorales avec
les radicaux démocrates et de ceux qui les repoussaient, ne nous
a pas donné l'admirable et encourageant exemple de sa concorde,
de son esprit vraiment fraternel ? De même, il n'importe que
parmi nous les uns croient davantage à l'efficacité du suffrage
universel, les autres à la nécessité de l'action révolutionnaire ! Il
n'est personne parmi nous qui se refuse à la bataille électorale, et
il n'est personne aussi qui entende barrer la route aux poussées
imprévues de l'histoire et enfermer le socialisme dans l'urne du
scrutin. La substitution de la propriété sociale à la propriété
capitaliste est une révolution économique trop profonde, elle met
en jeu trop de passions contraires, trop d'espérances et trop de
craintes pour qu'il soit permis à personne de tracer d'avance avec
certitude la route par où passera le prolétariat. L'essentiel, c'est
que chacun soit résolu à tirer parti de toutes les forces, politiques
et économiques, qui peuvent préparer l'ordre nouveau. L'essentiel
est que nul ne se grise de sa propre action ; tous ceux qui travaillent à l'organisation économique, tous ceux qui fondent, gèrent,
développent des syndicats ou des coopératives, tous ceux qui
répondent à l'appel des travailleurs en lutte, tous ceux qui

arrachent au capital un lambeau du pouvoir municipal et du pouvoir législatif, tous ceux qui dans la bataille parlementaire portent des coups et déploient le drapeau dans l'enceinte même où l'ennemi forge ses armes, tous ceux-là sont les soldats de la même armée, les combattants du même combat, les frères de la même espérance. Et la force des choses, le groupement même de nos adversaires, la persécution capitaliste également acharnée contre les partis politiques et les groupes économiques, contre la Verrerie Ouvrière au Midi, contre le prolétariat roubaisien au Nord, tout nous amènera peu à peu à cette unité socialiste qui décuplera l'action de notre Parti.

(Cité dans *Jean Jaurès*, par Ch. Rappoport, page 49, et dans *Jaurès*, par É. Vandervelde, pages 18 et 19)

Et en 1900, après la rupture de la première tentative d'unité socialiste, il ne craignait pas de dire, au cours de sa controverse de Lille avec Jules Guesde (*Les Deux Méthodes*) :

... quels que soient les dissentiments, quelles que soient les difficultés, quelles que soient les polémiques d'un jour, entre socialistes on se retrouve.

Nous reviendrons, non plus pour batailler, non plus pour polémiquer, mais quand le Parti sera organisé, pour chercher ensemble, en loyaux camarades, quel est le meilleur moyen de servir les intérêts du Parti...

Eh ! oui, il y aura entre nous, longtemps peut-être des dissentiments de méthode et de tactique. Mais il y en a en Belgique, en Allemagne ; cela ne les empêche pas d'être unis, de discuter loyalement, en camarades.

Et c'est ainsi que nous voulons discuter encore ; et nous voulons préparer au grand jour la grande unité socialiste, la grande fraternité socialiste, par la lumière, par la raison, par l'organisation ; et cela pour faire d'abord œuvre de réforme et dans la réforme, œuvre commençante de révolution ; car je ne suis pas un modéré, je suis avec vous un révolutionnaire.

(Œuvres de Jean Jaurès : *Études Socialistes*, T. II, passim, pages 206 et 208)

LA RÉVOLUTION SOCIALE ŒUVRE D'UNE MAJORITÉ

Le but socialiste est une réalité. Le prolétariat doit faire sa révolution. Mais cette révolution ne peut être que l'œuvre d'une majorité. Jaurès repousse la conception blanquiste des minorités agissantes. Dans un article de la *Petite République* du 26 août 1901, il explique que si la Révolution française n'a pas été l'œuvre d'une minorité, ce doit être plus vrai encore de la grande transformation socialiste : pour accomplir celle-ci, il faudra l'immense majorité de la nation.

La minorité socialiste et révolutionnaire ne se trouverait pas devant une « masse inerte et passive ». Depuis la Révolution française, les énergies humaines « ont été animées prodigieusement ». La petite bourgeoisie est agissante. Les petits propriétaires paysans, qui sont une des « forces vives » de la République, « ne toléreraient nullement un grand mouvement social qui se ferait sans eux ». S'ils ne sont pas avec les socialistes, ils seront contre eux. En outre, « les classes privilégiées d'aujourd'hui ont infiniment plus d'autorité, et par conséquent de puissance que les classes privilégiées d'avant 1789 ». Mais surtout la transformation socialiste sera « beaucoup plus vaste, beaucoup plus profonde, et beaucoup plus subtile » que celle accomplie par la bourgeoisie révolutionnaire.

En 1789, c'est une forme de propriété étroitement définie que frappait la Révolution. Quand elle nationalisait les biens du clergé, c'est une propriété corporative bien déterminée qu'elle absorbait...

De même, quand la Révolution abolit les droits féodaux, c'était aussi une mesure précise, aux effets connus d'avance et limités...

Au contraire, la propriété capitaliste est essentiellement diffuse. Elle n'a pas de limites certaines et connues. Elle n'est pas concentrée aux mains d'une corporation comme l'Église, ou d'une caste comme la noblesse. Les titres qui la représentent sont assurément bien loin d'être répandus autant que le dit l'optimisme de commande des économistes bourgeois. Mais enfin ils ne sont pas réservés à telle catégorie de titulaires, et ils sont assez largement disséminés. Il y a de petits possesseurs jusque dans les villages. Et si un coup de minorité abolissait un moment la propriété capitaliste, partout s'allumeraient des foyers de résistance imprévus. C'est seulement par des transactions nuancées et précises, où leur intérêt sera pleinement sauvegardé, qu'on amènera les moyens et petits possesseurs à consentir à une transformation de la propriété capitaliste en propriété sociale. Or, ces transactions ne peuvent être ménagées, ces garanties ne peuvent être instituées que par la calme délibération et la volonté légale de la majorité de la nation.

De même, la transformation de la propriété agraire et son évolution vers un système largement communiste seront impossibles tant que les paysans propriétaires ne seront pas pleinement rassurés. L'adhésion des paysans propriétaires est d'autant plus nécessaire que par rapport à leur nombre le nombre des propriétaires ruraux va diminuant. Mais cette adhésion, ils ne la donneront pas à un mouvement soudain, dont ils n'auront pu calculer les effets. Ils ne la donneront qu'à un mouvement délibéré avec eux, et qui en accroissant tous les jours leur force de production et leur bien-être, les rassurera pleinement sur le but et le terme de l'action socialiste.

Ce n'est pas tout. En 1789, la Révolution n'avait à accomplir, dans l'ordre de la propriété, qu'une œuvre négative. Elle supprimait, elle ne créait pas. Elle abolissait la propriété d'Église ; mais, ce domaine d'Église, elle le mettait en vente. Elle le convertissait immédiatement en propriétés particulières d'un type déjà connu. De même, quand elle supprimait les droits féodaux, elle libérait la propriété paysanne d'une charge. Elle n'en modifiait pas le fond. Le paysan devenait plus pleinement propriétaire de ce qu'il possédait déjà. Mais la Révolution ne suscitait aucune forme nouvelle de propriété. Elle n'imaginait aucun type social nouveau. Son œuvre libératrice revenait à briser des entraves. Elle n'avait pas à créer, elle n'avait pas à organiser : la société ne lui demandait que des destructions ; une fois ces destructions accomplies, c'est la société qui d'elle-même continuait, allègrement, la marche commencée.

Au contraire, il ne suffit pas à la Révolution socialiste d'abolir le capitalisme : il faut qu'elle crée le type nouveau selon lequel s'accomplira la production et se régleront les rapports de propriété. Supposez que demain tout le système capitaliste soit supprimé. Supposez que tout prélèvement capitaliste cesse, que le grand-livre de la dette publique soit anéanti, que les locataires ne payent plus de loyers, que les fermiers ne payent plus de fermages, que les métayers ne remettent plus au propriétaire bourgeois la moitié des fruits de la terre, que toute rente du sol, tout bénéfice commercial, tout dividende et profit industriel soient abolis ; si à cette destruction du capitalisme ne s'ajoutait pas immédiatement une organisation socialiste, si la société ne savait pas d'emblée comment, par qui, sera conduit le travail, quelle sera l'action de l'État, celle de la commune, celle du syndicat, comment, d'après quels principes seront rémunérés les producteurs, si elle n'était pas, en un mot, capable d'assurer le fonctionnement d'un système social nouveau, elle tomberait dans un abîme de désordre et de misère, et la Révolution serait perdue en un jour.

Mais ce système social nouveau, ce ne peut être une minorité qui le crée et qui l'inspire. Il ne peut fonctionner qu'avec le consentement de l'immense majorité des citoyens. Et c'est la majorité des citoyens qui en multipliera peu à peu les ébauches et les germes. C'est elle qui, du chaos capitaliste, fera surgir graduellement des types variés de propriété sociale, coopérative, communale et corporative, et elle n'abattra les derniers pans du système capitaliste que lorsque les fondements de l'ordre socialiste seront assurés, lorsque l'édifice nouveau pourra mettre les hommes à l'abri. A cette œuvre immense de construction sociale, c'est l'immense majorité des citoyens qui doit concourir.

Qu'on n'oublie pas le caractère nouveau et grandiose de la Révolution socialiste. Elle sera faite pour tous. Pour la première fois depuis l'origine de l'histoire humaine, un grand changement social aura pour objet non pas la substitution d'une classe à une autre, mais la destruction des classes, l'avènement de la commune humanité.

Dans l'ordre socialiste, ce n'est pas l'autorité d'une classe sur une autre qui maintiendra la discipline, la coordination des efforts : c'est la libre volonté des producteurs associés.

Comment un système qui suppose la libre collaboration de tous pourrait-il être institué contre la volonté, ou même sans la volonté du plus grand nombre ? Toutes ces forces ou réfractaires ou inertes alourdiraient tellement la production socialiste, useraient en d'innombrables chocs ou frottements tant d'énergies et de ressorts, que le système ferait faillite. Il ne peut réussir que par la volonté générale et presque unanime.

Destiné à tous, il doit être préparé, accepté presque par tous, et même, pratiquement, par tous ; car il vient une heure où la force d'une majorité immense décourage les dernières résistances. Ce qui fait la noblesse du socialisme, c'est qu'il ne sera pas un régime de minorité. Il ne peut donc pas, il ne doit donc pas être imposé par une minorité.

(Œuvres de Jean Jaurès : *Études Socialistes*, T. II, pages 327 à 329 [1])

SOCIALISME N'EST PAS ÉTATISME

Comme Marx et ses disciples, Jaurès ne veut pas déterminer d'avance les modes précis de la société collectiviste ou communiste. Mais il s'est plu à dessiner, dans ses grandes lignes, l'organisation qui résultera de la victoire socialiste. Ce fut l'objet d'une série d'études, parue dans la *Revue Socialiste*, de mars 1895 à mai 1896. Et dans ces études, à maintes reprises, il met en garde contre la confusion entre étatisation et socialisation. Il revient sans cesse sur cette idée qu'on ne peut confondre l'État socialiste et l'État patron. Dans une étude de juin 1895, il écrit notamment :

Donc, que les travailleurs peinent pour l'État, les départements, les communes ou pour les particuliers, c'est toujours la même chose : que le patron s'appelle État ou Schneider, c'est toujours la même dépendance et la même misère, et si l'organisation socialiste devait être l'extension du patronat actuel de l'État, des services publics de travaux tels qu'ils fonctionnent aujourd'hui, elle ne serait qu'une immense duperie...

Bien loin que le patronat actuel de l'État soit le type de l'organisation socialiste, il n'existe que parce que l'État, comme producteur, subit les fatalités économiques de la société présente. L'État, les départements, les communes, ne sont en réalité, quand ils veulent produire, que des particuliers soumis à toutes les lois et à toutes les catégories économiques de l'ordre

[1] Cet article fait partie du recueil publié par Jaurès, *Études Socialistes* (Édition Ollendorff, pages 85 à 96).

L

capitaliste, à la concurrence, à l'offre et à la demande, au salariat, à l'intérêt de l'argent. La société n'ayant pas organisé le travail, l'État, dans la sphère du travail, est subordonné tout comme un entrepreneur privé. Tandis qu'il règle et organise selon son idéal la justice, l'éducation et que là il exerce sa souveraineté, il n'est pas dans l'ordre du travail un souverain, mais un sujet, le sujet des forces aveugles qu'il n'a pas encore disciplinées...

... l'État, tant qu'il n'aura pas brisé par une organisation nouvelle l'engrenage capitaliste, y sera pris comme les producteurs privés : sa main souvent despotique est impuissante contre ces formidables rouages d'acier, et il devient ainsi nécessairement, de fait ou de complicité, un servant de l'ordre social actuel de la brutale machine qui foule et pressure le travail comme un pressoir à vapeur foule le raisin, et qui, faisant jaillir la richesse pour les heureux du monde, ne laisse au peuple qu'un stérile résidu de peine et de misère. Aussi, quand bien même l'État, en France, deviendrait propriétaire des chemins de fer, comme il l'est en Allemagne, ou des mines, dont quelques-unes en Allemagne aussi et en Russie appartiennent à l'Empire, la fatalité économique qui pèse sur le travail ne serait pas conjurée ; car pour racheter les chemins de fer et les mines il faudrait emprunter, et pour le service de ces emprunts il faudrait arracher aux travailleurs de la voie ferrée ou de la mine une large part du produit de leur travail : le nom des bénéficiaires serait changé : ils ne s'appelleraient plus des actionnaires ou des obligataires, ils seraient des rentiers d'État, mais le prélèvement serait le même. Ce n'est pas qu'il ne puisse y avoir intérêt pour l'avènement du socialisme à ce que l'État rachète les chemins de fer ou les mines. Il matera ainsi les oligarchies qui abusent dans l'ordre politique de leur puissance économique et qui contrarient le développement légal de la démocratie. De plus, il pourra être utile d'essayer, même d'une façon grossièrement approximative, le mécanisme de l'organisation socialiste dans les chemins de fer ou les mines. Nous examinerons cela plus tard. Mais, quel que soit l'heureux artifice imaginé par lui, il n'échappera pas à l'ordre économique actuel par des tentatives partielles, et le rachat des chemins de fer ou des mines n'aura quelque portée que s'il est un premier symptôme et comme un commencement d'une transformation universelle. Ce n'est donc pas en devenant patron que l'État réalisera le socialisme, mais en préparant l'abolition complète du patronat, aussi bien du patronat de l'État que du patronat des particuliers, c'est-à-dire en supprimant les conditions économiques qui rendent possible et nécessaire le patronat sous toutes ses formes, sous la forme publique, comme sous la forme privée...

Ainsi, pas plus pour la production industrielle que pour la condition du fonctionnaire, il ne faut préjuger de la société future par quelques traits de la société présente. Il n'y aura pas amplification d'un détail ou d'un organe de l'ordre actuel : car ce n'est pas un être vivant qui surgirait, mais une monstruosité inhabile à vivre. C'est faute de comprendre la hardiesse créatrice du socialisme qu'on lui oppose bien souvent des objections puériles. Il n'ira pas, avec une timidité enfantine et inepte, emprunter à l'ordre actuel un rouage qui ne peut fonctionner qu'avec lui et le grossir en l'isolant. Il ne fera pas d'une pièce de la vieille demeure tout l'édifice nouveau. Il ne prendra pas à la société qui s'écroule ses fonctionnaires hiérarchisés et aplatis, son patronat d'État dur au salarié et compliqué d'aridité fiscale pour bâtir avec ces deux pierres usées la maison fraternelle. Non, il entend introduire dans la société un principe nouveau et de ce principe dériver en tout sens des applications nouvelles, et les parties mêmes de l'ordre social actuel qui semblent avoir quelque analogie avec l'ordre nouveau et le préfigurer seront transformées comme tout le reste.

(Œuvres de Jean Jaurès : *Études Socialistes*, T. I, passim, pages 332 à 337)

NI ENCASERNEMENT, NI ANARCHIE

Le socialisme ne sera ni encasernement, ni anarchie. Dans un article de la *Dépêche de Toulouse* du 26 août 1894, Jaurès souligne la duplicité des économistes de l'école libérale qui tantôt accusent le socialisme de vouloir supprimer le liberté, tantôt l'accusent de vouloir établir l'anarchie. On verra par ces extraits comment, sous ses dehors « bonhomme » et sa malice souriante, le polémiste au trait direct savait être redoutable à ses adversaires.

Quand nous demandons que la nation se substitue à tous les

grands banquiers, à tous les capitalistes puissants, à tous les grands propriétaires oisifs qui détiennent le crédit, la production, le sol, et qui font travailler pour eux ouvriers et paysans, les économistes du *Temps* et du *Siècle* nous disent que nous voulons supprimer la liberté et la propriété individuelle.

Nous pourrions nous borner à leur répondre que c'est le régime capitaliste lui-même qui les supprime : où est en effet, la propriété individuelle du mineur, du verrier, de l'ouvrier tulliste, du tisserand, du fileur ? Où est la propriété individuelle du métayer, de l'ouvrier bûcheron ? Il y a, en vérité, de la part des accapareurs et des monopoleurs de fait, qui, de plus en plus, concentrent la puissance et la richesse, une singulière audace à parler de cette propriété individuelle incessamment confisquée et absorbée par eux. A supposer que la propriété individuelle, telle qu'ils l'entendent, eût tous les mérites qu'ils lui attribuent on peut reprendre le mot de Hugo : Elle est comme la jument de Roland, qui avait toutes les qualités et un seul défaut : celui d'être morte. Et quand ils se donnent l'air, pour fondre sur nous, d'enfourcher cette pauvre propriété individuelle qu'ils ont tuée, ils sont passablement ridicules.

Mais il ne nous suffit pas qu'ils soient dans leur tort ; nous voulons leur montrer encore, et nous leur montrons, en effet, que dans l'ordre collectiviste il n'y aura ni compression, ni réglementation abusive, ni absorption des individualités libres. Nos adversaires vont répétant, comme le préfet du Tarn le faisait l'autre jour, que, selon nous, l'État doit être le détenteur de tous les biens comme de toutes les fonctions. Et ils espèrent ainsi suggérer au pays l'idée que l'ordre socialiste ne sera que l'agrandissement de l'État capitaliste actuel, qui a sur ses domaines, dans ses forêts, sur ses routes, sous ses administrations, des salariés aussi pauvres, aussi asservis que ceux de l'industrie privée. Erreur, et triple erreur !

L'État aujourd'hui n'est qu'un gros patron appliquant et subissant comme les autres les lois de la concurrence et du salariat.

Quand nous aurons aboli le régime capitaliste, l'État actuel, qui en est à la fois le produit et le soutien, aura disparu. Tous les travailleurs, dans toutes les fonctions, recevront la totalité du produit de leur travail : la nation ne sera pas un capitaliste énorme exploitant tous les citoyens comme des salariés. Elle sera seulement la raison sociale de tous les travailleurs, de tous les citoyens, affranchis enfin de tout prélèvement du capital. Et le droit souverain de propriété revendiqué par la nation sur les moyens de production n'ôtera rien à la propriété effective des travailleurs : il sera seulement une précaution permanente contre les accaparements nouveaux et contre une invasion nouvelle du capitalisme oppresseur. C'est dire que la suprême organisation sera en même temps la suprême liberté, et que dans la collectivité organisée s'épanouiront toutes les forces individuelles.

En quoi la nation sera-t-elle obligée, dans l'ordre socialiste, d'imposer aux citoyens telle ou telle fonction, telle ou telle forme de travail ? Il y aura dans toutes les fonctions la même sécurité, pour un égal effort la même rémunération, le même droit à participer à la direction de l'entreprise. Dès lors, c'est selon la diversité des vocations, des aptitudes, des circonstances, que les citoyens se répartiront entre les fonctions diverses...

... encore une fois, la nation, en proclamant la souveraineté économique, aura créé la liberté économique des individus, comme en proclamant sa souveraineté politique elle a créé la liberté politique des individus.

Seulement, quand nous parlons ainsi en toute vérité et bonne foi, nous comptons sans la perfidie ou la sottise de nos adversaires. Quand nous montrons que le régime collectiviste doit se substituer à la féodalité nouvelle, ils nous crient : C'est le couvent que vous voulez, c'est la caserne, c'est la prison. Et quand nous leur montrons avec précision qu'au contraire l'organisation nouvelle sera pour tous émancipation et liberté, ils prennent des airs scandalisés, convenus d'avance avec la police, pour nous dire : Mais c'est l'anarchie ; mais vous y allez tout droit ; ô les bons apôtres !

La vérité est au contraire, que, par ces explications loyales et nettes, nous détournons de l'anarchie ceux que les économistes y précipitent. Ceux-là se font anarchistes qui, ne trouvant pas la justice dans l'ordre capitaliste, s'imaginent, sur la foi de M. Yves Guyot, qu'ils ne trouveraient pas la liberté dans l'ordre socialiste. En sorte que c'est nous qui faisons contre l'anarchie — je parle de l'anarchie doctrinale — la seule propagande efficace.

Nous laisserons donc nos adversaires crier contre nous, tantôt à la compression, tantôt à l'anarchie. Il faut qu'ils soient toujours entre deux sottises, comme Polichinelle entre deux bosses.

(Œuvres de Jean Jaurès : *Études Socialistes*, T. I, pages 288 à 291)

LA DÉMOCRATIE INDUSTRIELLE

La société socialiste doit être pénétrée de démocratie. C'est la République industrielle. Jaurès explique, dans son étude de la *Revue Socialiste* d'août 1895, qu'elle devra être fondée sur la décentralisation et l'élection.

... il est probable que si la révolution sociale, je veux dire l'abolition du salariat s'accomplit, ce ne sera pas seulement par une impulsion centrale et comme par un coup de main du pouvoir organisé, mais par l'organisation et la fédération des forces prolétariennes soulevées. Ou tout au moins, les deux actions se produiront concurremment. La démocratie socialiste se sera, au moins dans une large mesure, emparée du pouvoir, soit municipal, soit national : elle l'aura saisi, soit par le suffrage universel lentement conquis, soit par la force, et elle fera certainement jouer à son profit le ressort central sur lequel elle aura mis la main. Mais comme elle n'aura conquis le pouvoir qu'avec l'aide des syndicats ouvriers ou paysans et des groupements professionnels, et comme dans ces syndicats c'est le régime électif qui fonctionne pour la nomination des secrétaires et des trésoriers, comme les questions importantes y sont décidées en assemblée générale, le peuple socialiste apportera certainement dans le régime nouveau le système de décentralisation et d'élection.

Au demeurant, il serait impossible à un gouvernement économique central de pourvoir d'autorité à toutes les nominations, de parer à toutes les difficultés dans le monde immense, complexe et vivant du travail affranchi. Déjà le gouvernement politique, qui a une sphère bien plus restreinte et une tâche bien moindre, est obligé de se décharger d'une part de sa besogne et de sa responsabilité sur des autorités locales élues : les conseils généraux et leurs commissions départementales, les maires élus, des conseils municipaux élus ont dès maintenant des attributions très importantes, et il sera certainement nécessaire de les étendre. A plus forte raison faudra-t-il décentraliser et faire appel partout à l'autonomie et à la spontanéité des groupes et des individus, quand la vie sociale toute entière sera entrée dans la sphère d'action du pouvoir. Seulement ici la décentralisation se fera, comme Durkheim l'a si bien indiqué dans son vigoureux ouvrage sur la *Division du travail*, non plus géographiquement, comme pour la vie communale, mais techniquement et professionnellement. Ce n'est pas la cité qui sera l'unité, mais l'ensemble des producteurs appliqués à une même branche de production sur tous les points du territoire. Les syndicats similaires fédérés formeront une sorte de corporation qui élira ses chefs économiques, son conseil spécial, ses délégués au conseil national du travail ; mais rien n'empêchera ensuite cette fédération de se décomposer en autant de groupes qu'il y aura de régions dans une industrie donnée ; et, ici, comme c'est le plus souvent dans une ville ou autour d'une ville que sont concentrés les moyens de production, la spontanéité de la vie économique viendra se confondre avec la spontanéité de la vie locale, et la commune jouera de nouveau son rôle dans le système économique du socialisme.

Mais de même que l'organisation nationale du travail ne peut demeurer exclusivement administrative, et qu'elle doit se décomposer en un certain nombre de grandes corporations relativement autonomes, de même elle ne peut aboutir au régime pleinement corporatif et perdre son caractère national et un. Car chacune de ces corporations, si elle était absolument indépendante, serait un État économique dans l'État économique. Elle aurait bientôt tous les vices et toutes les prétentions égoïstes du monopole. Elle forcerait la valeur de ses produits, et voudrait, par fraude ou par contrainte, dans ses rapports avec les autres organisations industrielles, échanger une moindre quantité de travail contre une quantité plus grande. De plus elle se refuserait à abaisser la durée du travail de façon à pouvoir appeler tous les citoyens inoccupés. Elle s'approprierait peu à peu, au service exclusif d'un nombre restreint de travailleurs privilégiés, le capital de production qui lui aurait été délégué par la nation ; elle recommencerait, en un mot, l'histoire des corporations d'ancien régime, avec cette aggravation que, la vie économique d'aujourd'hui étant à la fois beaucoup plus concentrée et beaucoup plus divisée, les usurpations ou les violences ou les fraudes corporatives jetteraient dans nos sociétés, où tous les producteurs sont solidaires, des désordres beaucoup plus graves que dans les sociétés d'ancien régime. Il faudra donc qu'une discipline nationale soit sans cesse maintenue sur les vastes groupements professionnels. Il faudra qu'un conseil central élu, composé à la fois de représentants de toutes les industries et de représentants directs de la nation tout entière, dans sa généralité, soit investi de l'autorité supérieure pour déterminer les conditions des échanges et la base des prix, et pour empêcher le détournement, l'accaparement du capital national par l'avidité corporative. Aussi, quand au début de ce chapitre, je disais qu'on peut concevoir l'organisation socialiste du travail sous deux modes essentiels, le mode administratif et le mode corporatif, c'était là comme une hypothèse abstraite, un double schéma théorique. Mais, en fait, tant qu'on reste dans l'idée socialiste, c'est-à-dire tant que le capital de production n'est pas accaparé par des particuliers ou par des groupes de particuliers, tant qu'il reste commun et à la disposition de la nation elle-même, dans son universalité et sa perpétuité, il est impossible que le régime administratif ne s'assouplisse pas, ne se pénètre pas d'autonomie, et que l'autonomie corporative à son tour ne s'ordonne pas sous une loi nationale. La révolution sociale sera faite tout ensemble par la force spontanée des travailleurs librement groupés et par la force organisée du pouvoir central manié enfin, en un jour de triomphe légal ou d'insurrection victorieuse, par le parti socialiste. Et de même l'organisation socialiste sera maintenue tout à la fois une et diverse, organisée et multiple, disciplinée et libre, par l'action centrale de la nation et par la spontanéité des groupes professionnels. La conception autoritaire et dictatoriale de Louis Blanc et la conception anarchique de Proudhon tendent l'une vers l'autre et c'est dans le socialisme vivant et complet qu'elles trouveront leur point d'équilibre.

(Œuvres de Jean Jaurès : *Études Socialistes*, T. I, pages 346 à 348 [1])

---

[1] Ce fragment est reproduit dans *Jaurès*, par É. Vandervelde (pages 130 à 134).

PAS DE FONCTIONNARISME

La société socialiste, véritable démocratie industrielle, ne sera pas le règne du fonctionnarisme. Dans une longue étude de la *Revue Socialiste* d'avril 1895, consacrée à l'État socialiste et aux fonctionnaires, Jaurès étudie la situation des différentes catégories de fonctionnaires sous la 3e République. Il expose que le socialisme « en constituant à l'état de fonction sociale la propriété privée » fera disparaître du fonctionnarisme toute « servilité tyrannique ». En fait le fonctionnarisme sera supprimé. Au reste, la liberté doit être « l'âme même » de la société nouvelle.

… Quand tout le monde, en un sens que nous préciserons, sera fonctionnaire, il n'y aura plus de fonctionnaires, et le socialisme sera, pour l'affranchissement de la démocratie et des fonctionnaires eux-mêmes, la suppression du fonctionnarisme. Sans doute cette proposition n'aura pour le lecteur tout son sens et toute sa force que lorsque le mécanisme de la société nouvelle aura été esquissé : et je dois jusque-là demander quelque crédit. Mais j'ai voulu seulement, dès le début, écarter les préventions trop fortes qui s'opposent à toute étude patiente. — Hé ! quoi ! nous allons tous être revêtus de la livrée de servitude. — Voilà le cri irréfléchi que j'ai voulu arrêter.

De même je n'examinerai pas longuement si l'organisation actuelle des services publics n'est que stérilité et routine : car l'organisation socialiste ne ressemblera que de très loin aux services publics actuels. Je soumets seulement quelques réflexions très brèves. D'abord s'il y a, dans les services municipaux, départementaux ou nationaux, gaspillage par excès de personnel, c'est qu'il y a de toute part une poussée énorme vers les fonctions publiques : et à quoi tient cette poussée ? A ce que ces fonctions, dans l'insécurité absolue de l'existence générale, représentent la sécurité : elles sont le salaire régulier et certain, la retraite assurée pour les vieux jours : de plus, il n'est pas besoin, pour y entrer, des capitaux qu'exigent l'agriculture, le commerce et l'industrie. Dès lors tous ceux, dans le désordre immense où nous vivons, qui cherchent un abri ou une certitude, tous ceux qui n'ont pas de capitaux ou qui les ont perdus, soit par leur propre faute, soit par la faute des événements, viennent battre comme un flot toutes les digues de tous les budgets, et les emportent. Dans une société où le travail sous toutes ses formes s'offrirait à tous les bons vouloirs, et où partant il y aurait sécurité, ce qu'on appelle les fonctions publiques ne serait plus recherché avec excès, et le travail des citoyens serait réparti et utilisé d'une façon plus productive.

Et encore l'État n'est guère chargé aujourd'hui que des services qui sont ou qui semblent être improductifs. Il a le service de l'armée qui absorbe des milliards sans produire. Il a le service énorme de la dette. Il est obligé de faire mouvoir, à grand renfort de fonctionnaires, l'appareil prodigieusement compliqué des impôts. Il est caporal, policier, gendarme, payeur, collecteur : et même quand il rend des services immédiats, quand il instruit la nation ou quand il transmet les lettres et les dépêches, il n'a qu'un office immatériel, ou bien un office de circulation. Il ne crée pas de la richesse au sens technique du mot. Toute la production proprement dite se fait en dehors de lui : et il semble ainsi frappé de stérilité. Il accomplit pourtant dans l'ordre actuel des fonctions nécessaires et le jour où la nation interviendra dans la production proprement dite, il apparaîtra bien que le travail national peut avoir une admirable fécondité, avec une autre forme de propriété que la forme actuelle.

Enfin, aujourd'hui, les fonctionnaires sont comme fixés dans une fonction définie et ils suivent comme un mobile engagé dans un rail une ligne inflexible...

Mais le jour où toutes les formes de l'activité humaine seraient en quelque mesure sociales et nationales, le jour où le filateur remplirait un office public comme le percepteur, la barrière tomberait : il y aurait entre toutes les fonctions libre passage, libre et incessante circulation : les aptitudes changeantes ou incertaines des hommes ne seraient pas figées et immobilisées dès la première heure par la fonction choisie d'abord par eux : les activités seraient perpétuellement en éveil, et même les poussées de sève tardive pourraient s'ouvrir de nouveaux canaux et éclater en floraisons imprévues.

Chimère ! diront encore une fois les lecteurs pressés. Mais encore une fois il ne s'agit point de cela. Que l'ordre social rêvé par nous soit impossible, nous le discuterons. Mais s'il est réalisable, la liberté aura place en lui, ou plutôt la liberté en sera l'âme même et l'esprit de feu. Si nous allons vers l'égalité et la justice, ce n'est pas aux dépens de la liberté : nous ne voulons pas enfermer les hommes dans des compartiments étroits, numérotés par la force publique. Nous ne sommes pas séduits par un idéal de réglementation tracassière et étouffante. Nous aussi nous avons une âme libre ; nous aussi nous sentons en nous l'impatience de toute contrainte extérieure ! et si dans l'ordre social rêvé par nous nous ne rencontrions pas d'emblée la liberté, la vraie, la pleine, la vivante liberté, si nous ne pouvions pas marcher et chanter et délirer même sous les cieux, respirer les larges souffles et cueillir les fleurs du hasard, nous reculerions vers la société actuelle, malgré ses désordres, ses iniquités, ses oppressions ; car si en elle la liberté n'est qu'un mensonge, c'est un mensonge que les hommes conviennent encore d'appeler une vérité, et qui parfois caresse le cœur : ou s'il fallait, par l'élan du rêve, reculer plus haut encore, nous suivrions Jean-Jacques dans les coins de forêt où il se plaît à s'imaginer que nul mortel n'est jamais venu, ou les matelots révoltés de Byron dans la caverne sous-marine où Torquil et Neuha cachent leurs amours indomptées. Plutôt la solitude avec tous ses périls que la contrainte sociale : plutôt l'anarchie que le despotisme quel qu'il soit ! Mais encore une fois, quand on s'imagine que nous voulons créer un fonctionnarisme étouffant, on projette sur la société future l'ombre de la société actuelle. La justice est pour nous inséparable de la liberté.

(Œuvres de Jean Jaurès : *Études Socialistes*, T. I, pages 328 à 330 [1])

LES PAYSANS

Jaurès se préoccupe beaucoup du rôle de la paysannerie française dans la société socialiste. Ce « paysan cultivé » s'intéresse toujours au monde rural. Non seulement il le défend contre ses exploiteurs, contre le capitalisme bancaire, mais il veut le concours des petits propriétaires paysans pour la révolution sociale. Leur neutralité ne suffirait pas, il faut leur

[1] Toute l'étude sur les fonctionnaires, dont ce passage est extrait, est également reproduite dans les *Pages Choisies* (pages 329 à 357).

adhésion. Dans un article de la *Petite République* du 24 juillet
1901, il rappelle que jamais les théoriciens socialistes n'ont
voulu « faire entrer de force la propriété paysanne dans le cadre
communiste ». Ils ont compté sur l'exemple qu'exercerait, sur
le propriétaire paysan, la grande production. Mais cela même
ne suffit pas. C'est aussi par « l'évolution interne de sa propre
vie » que le paysan doit entrer dans le mouvement communiste.
Jaurès décèle les tendances nouvelles vers la coopération.
Puis, par des exemples empruntés à sa région de Gaillac, il
montre que, même en régime socialiste, des vignerons, accom-
plissant en association un travail collectif sur un grand domaine,
pourront vouloir garder quelques ceps à eux. Ce sont toujours
les « forces variées de la vie » qui doivent déterminer « leur
mouvant équilibre ».

Il est certain que c'est le cours même de l'évolution économique
qui déterminera les rapports infiniment complexes selon lesquels
s'ordonnera la société nouvelle. Il ne suffira pas de quelques
formules générales pour transformer la société. Il faudra encore
observer constamment le mouvement de la réalité pour saisir les
points de contact de la société d'aujourd'hui et de l'idée nouvelle.
Notre effort serait stérile, et notre action troublerait la marche
des choses au lieu de la seconder, si nous ne démêlions pas la
pente des faits et des esprits, les inclinations et les mœurs.

J'en reviens au même exemple précis. J'ai montré la sourde
évolution de la propriété paysanne, le changement insensible et
secret qui, si je puis dire, peu à peu renouvelle son âme. Il y a
dans l'année une période de près d'un mois et demi, et une
période particulièrement active, où les propriétaires paysans
s'associent par groupes assez étendus et travaillent les uns chez
les autres, les uns pour les autres. A peine la moissonneuse —
qui n'est pas encore partout complétée par l'appareil de liage —
a-t-elle couché les épis, par petits paquets, sur la terre ardente,
que les propriétaires voisins accourent pour aider à lier en gerbes
ces épis, à former des tas de dix gerbes, puis à charger ces tas
sur les grandes charrettes et à bâtir le gerbier. Des métayers aux
petits propriétaires paysans, il y a le même échange de services.
Et il n'y a pas seulement prêt mutuel du travail des bras, il y a
prêt du bétail. La machine à moissonner ayant rapidement abattu
le blé, il faut, de peur des orages, le lier vite, et vite l'entasser en

gerbier. Pour hâter ce travail urgent, les paysans se prêtent
charrettes et bœufs. Et, je le répète, il n'y a pas de compte ouvert.
Il serait impossible d'évaluer les services de l'un et ceux de
l'autre. C'est un libre et amical échange. Ainsi, une parcelle d'âme
communiste pénètre dans le travail paysan, dans la conscience
paysanne. Et cela dure jusqu'à ce que la batteuse ait, dans le
rayon où se sont formés spontanément ces groupes, dévoré le
dernier gerbier.

Certes, jamais les socialistes n'ont prétendu faire entrer de
force la propriété paysanne dans le cadre communiste. Nos aînés,
nos maîtres ont toujours dit que seul l'exemple de la grande
production agricole entraînerait les propriétaires paysans à
abandonner la culture parcellaire, la propriété morcelée. Mais
cela même est insuffisant, et nous nous représentons l'évolution
de la vie rurale d'une manière trop sèche, trop mécanique. Non
seulement ce n'est pas par un coup d'autorité, mais ce n'est même
pas par l'action toute extérieure de l'exemple, ce n'est ni par
compression ni seulement par attraction que la propriété paysanne entrera dans le mouvement communiste : c'est, au moins
en partie, par l'évolution interne de sa propre vie.

Une des tâches essentielles du socialisme sera de donner aux
propriétaires paysans le sens vif, la conscience nette du changement qui s'accomplit obscurément en eux. Quand on le leur fait
remarquer, ils s'étonnent un moment ; puis ils reconnaissent
l'étendue du changement qui se fait peu à peu dans les habitudes
et les pensées. Et c'est en prolongeant, en systématisant ces
tendances nouvelles que le socialisme prendra contact avec la vie
et lui empruntera sa force.

Cette coopération encore superficielle et limitée devra
s'étendre, s'assouplir, s'organiser. En bien des régions, de grands
travaux de perfectionnement agricole seraient nécessaires : dé-
foncements, drainages, nivellement ou adoucissement des pentes,
charrois d'engrais, apports de terres, aménagement des eaux.
Il se peut que la nation soit appelée à encourager, à subven-
tionner ces travaux, car il est prodigieux qu'il y ait des travaux
publics de communication et qu'il n'y ait pas des travaux publics
de production. Mais il est bien clair qu'il y faudra la collaboration
active, intelligente des producteurs eux-mêmes. Or, cette collaboration, cette coopération commence à apparaître comme

possible, depuis que des habitudes communistes s'insinuent dans le travail paysan.

Les formes futures de la vie

Je pourrais citer ainsi bien des traits encore légers, mais qui dessinent les formes futures de la vie. Je parlais plus haut du vignoble autour de Gaillac. Or, là, depuis quelques années, depuis que les simples salariés agricoles ont retrouvé l'espoir d'acquérir quelques lambeaux des vignes reconstituées, ils ont peu à peu imposé un curieux usage. La journée de travail, qui commence, il est vrai, de très bonne heure, presque à la pointe du jour, finit le soir à quatre heures. C'est que beaucoup de ces prolétaires, de ces salariés, possèdent un tout petit morceau de vigne, et que voulant le travailler après la journée de travail faite chez le propriétaire bourgeois, il faut qu'ils soient libres à quatre heures. Ainsi, ces hommes ont l'habitude de deux formes de travail : du travail collectif qu'ils accomplissent sur un grand domaine en compagnie de nombreux salariés, et du travail individuel qu'ils accomplissent sur leur minuscule propriété.

J'ai à peine besoin de dire que ce travail qu'ils accomplissent pour eux-mêmes est, même après la fatigue du travail salarié, une douceur et une joie. Mais je suis convaincu que cette dualité d'âme se continuera en eux-mêmes après de grandes transformations sociales. Je suppose que les grands domaines du vignoble soient devenus la propriété de la commune. Je suppose que les travailleurs, qui, hier, étaient les salariés du propriétaire noble ou bourgeois, soient formés en association et reçoivent de la commune les grands domaines à exploiter. Évidemment ils jouiront d'une condition beaucoup plus heureuse qu'aujourd'hui. Quelle que soit la part de produits retenue pour de grandes œuvres d'intérêt social et de solidarité par la commune et la nation, la rémunération des travailleurs associés, qui n'auront plus à subir le prélèvement du propriétaire, sera plus large que maintenant. Et ils auront des garanties qui aujourd'hui leur manquent. Sans être des propriétaires au sens étroit et jaloux du mot, ils ne seront pas des salariés. Ils choisiront leurs chefs de travail ; ils interviendront dans la conduite de l'exploitation ; ils auront un droit défini par des contrats précis ; ils seront protégés par ces formes élevées de contrat qui, dans la société communiste, garantiront tous les droits individuels, même contre l'arbitraire de l'association dont ils feront partie. Ils seront donc rattachés au grand vignoble cultivé de leurs mains par un lien plus vivant et plus fort, par une sensation plus joyeuse et plus pleine que ne l'est aujourd'hui le salarié. Et pourtant, il est fort probable qu'ils éprouveraient comme un manque et une diminution vitale s'ils ne retrouvaient plus, à voir se dorer les grappes sur quelques ceps à eux, rien qu'à eux, cette joie close où il y a plus d'intimité que d'égoïsme.

Et pourquoi la société communiste, habile à cultiver toute la variété des joies, abolirait-elle celle-là ? Que notre effort conscient dirige de plus en plus dans le sens du communisme le vaste mouvement social qui y incline par tant de pentes ; mais une fois engagées dans cette direction, ce sont les forces variées de la vie qui détermineront elles-mêmes, librement, souverainement, leur mouvant équilibre.

(Œuvres de Jean Jaurès : *Études Socialistes*, T. II, pages 283 à 286 [1])

LIBERTÉ DE LA PERSONNE HUMAINE

La justice est inséparable de la liberté. Le socialisme ne doit pas être contrainte. Il doit respecter « les forces variées de la vie ». C'est que, pour lui, le but est l'individu. Dans une étude intitulée « Socialisme et Liberté », publiée dans la *Revue de Paris*, le 1er décembre 1898, Jaurès rappelle que « le socialisme est l'affirmation suprême du droit individuel ». — « Rien n'est au-dessus de l'individu. » Mais cette exaltation de l'individu n'est contraire « ni à l'idéal, ni à la solidarité, ni même au sacrifice ». Lorsque l'homme aura été libéré par le socialisme, la terre sera « conquise par l'esprit de liberté ».

Ainsi il est bien vrai que, pour les socialistes, la valeur de toute institution est relative à l'individu humain. C'est l'individu humain, affirmant sa volonté de se libérer, de vivre, de grandir, qui donne désormais vertu et vie aux institutions et aux idées. C'est l'individu humain qui est la mesure de toute chose, de la

---

[1] Cet article fait partie du recueil publié par Jaurès, *Études Socialistes* (Édition Ollendorff, pages 13 à 19).

patrie, de la famille, de la propriété, de l'humanité, de Dieu. Voilà la logique de l'idée révolutionnaire. Voilà le socialisme.

Mais cette exaltation de l'individu, fin suprême du mouvement historique, n'est contraire ni à l'idéal, ni à la solidarité, ni même au sacrifice. Quel plus haut idéal que de faire entrer tous les hommes dans la propriété, dans la science, dans la liberté, c'est-à-dire dans la vie ? Jusqu'ici l'idéal, timide ou débile, renonçait à façonner toute la substance humaine. Le christianisme exaltait les élus et jetait au gouffre de damnation les multitudes. La Révolution proclamait l'égalité théorique des hommes, mais elle permettait au privilège de propriété d'asservir une classe à une autre classe. Pour la première fois, depuis l'origine de l'histoire, c'est l'humanité tout entière, en tous ses individus, en tous ses atomes, qui est appelée à la propriété et à la liberté, à la lumière et à la joie. La personne humaine n'affirme plus seulement sa dignité, sa grandeur, en quelques exemplaires de choix ou en quelques classes de privilège : elle l'affirme en tous ses individus. Quel que soit l'être de chair et de sang qui vient à la vie, s'il a figure d'homme il porte en lui le droit humain, la puissance humaine : il pourra penser sans relever d'aucun dogme ; il pourra travailler, sur une loi d'égalité fraternelle, sans relever d'aucun maître. Il possédera pour sa part, dans la communauté sociale, les moyens d'action par lesquels l'homme soumet la nature.

Ainsi, par le socialisme, l'idéal humain n'est plus le rayon qui touche seulement les cimes ou qui n'effleure que les surfaces. Dans l'immense tourbillon de la vie humaine, il n'est pas une poussière qui ne vibre de clarté. Jamais l'unité du fait et du droit, jamais la pénétration de la matière et de l'esprit n'aura été plus profonde. Toute une race d'êtres, tout un ensemble organique affranchi de la loi de brutalité, sera vraiment élevé au-dessus de la nature. Pour la première fois, c'est bien l'humanité qui dominera les choses. Sous la loi du capital, l'humanité, soumise à la concurrence meurtrière et à la force, n'est encore qu'une portion de la nature : le mineur salarié et dépendant qui descend aux galeries profondes n'est pas pleinement un homme ; il est pièce dans un mécanisme de production brute ; il est une force de la nature aux prises avec d'autres forces de la nature. Demain, quand tous les producteurs seront affranchis, quand ils seront, dans leur travail même, pleinement libres, quand ce travail sera un acte de liberté et non plus un fait de la nature, c'est l'humanité elle-même qui descendra au plus profond des puits, qui labourera les chaumes, qui fondra et martellera les métaux : ce ne sera plus la servitude de l'homme se mêlant à la servitude des choses, mais la haute liberté façonnant la terre, ses forces et ses éléments ; la terre aura été vraiment conquise par l'esprit de liberté.

(Œuvres de Jean Jaurès : *Études Socialistes*, T. II, pages 94 et 95)

LA CIVILISATION SOCIALISTE

La civilisation socialiste sera une civilisation d'hommes libres. Dans l'*Armée Nouvelle* (page 302), Jaurès explique que « ce n'est pas sous une figure sauvage que la civilisation prolétarienne doit s'annoncer au monde ». Plus loin, il précise qu'elle est « la fin la plus haute que peuvent se proposer les hommes ».

Il n'y a pas d'idéal plus noble que celui d'une société où le travail sera souverain, où il n'y aura ni exploitation, ni oppression, où les efforts de tous seront librement harmonisés, où la propriété sociale sera la base et la garantie des développements individuels. Que tous les hommes passent, de l'état de concurrence brutale et de conflit, à l'état de coopération, que la masse s'élève de la passivité économique à l'initiative et à la responsabilité, que toutes les énergies qui se dépensent, en luttes stériles ou sauvages, se coordonnent pour une grande action commune, c'est la fin la plus haute que peuvent se proposer les hommes. Moins âpres à dominer, moins absorbés aussi par le souci de se défendre, plus assurés d'eux-mêmes et des autres, les individus humains auront plus de loisir, plus de liberté d'esprit pour développer leur être physique et moral ; et ce sera vraiment, pour la première fois, une civilisation d'hommes libres, comme si la fleur éclatante et charmante de la Grèce, au lieu de s'épanouir sur un fond d'esclavage, naissait de l'universelle humanité. La force des instincts, la chaleur du sang, l'appétit de vivre ne seront point atténués, mais les puissances instinctives seront disciplinées et harmonisées par une haute et générale culture. La nature ne sera plus supprimée ou affaiblie, mais transformée et glorifiée.

M

Vraiment, par l'avènement de l'ordre réel, de la justice réelle, dans les rapports de la communauté humaine, il y aura *un fait nouveau* dans l'univers, et la conscience de ce fait nouveau, des hautes possibilités du monde, permettra les vastes renouvellements de l'esprit religieux.

Cette sublimité du socialisme, il est impossible que ceux même qui le combattent n'en aient pas quelque pressentiment.

(*L'Armée Nouvelle*, pages 352 et 353 [1])

L'ART ET LE SOCIALISME

« De l'humanité tout entière » la démocratie socialiste « veut faire une élite ».[2] Dans la société socialiste, les plus hautes manifestations de l'esprit doivent trouver leur place. La science deviendra « la servante commune des travailleurs libérés ».[3] L'artiste pourra se réaliser pleinement. « L'artiste même qui a sculpté avec une si prodigieuse variété d'élégance et de vie la porte du baptistère de Florence, ne pourrait sculpter la porte de la société nouvelle et deviner ou fixer les innombrables formes de puissance, de joie et de beauté, c'est-à-dire de luxe, qui se développeront spontanément de l'ordre nouveau. »[4]

Dans une conférence organisée le 13 avril 1900, à la Porte Saint-Martin, sous la présidence d'Anatole France, Jaurès montre les limitations qu'impose à l'artiste la société capitaliste et fait entrevoir le « renouveau historique » qui rejaillira du « renouveau social ».

... Voilà les trois traits décisifs de la création et de la vie de l'art depuis un siècle et demi ; élan merveilleux et fiévreux des hommes vers toutes les sensations, vers toutes les formes de la beauté et de la vie ; interprétation idéaliste de la nature.

Mais il est d'autres traits, et voici les ombres : la création d'art, la vie d'art dans la démocratie bourgeoise, telle que la révolution bourgeoise l'a faite, en même temps qu'elle est puissante, en même

[1] Ce passage est cité dans *Jaurès*, par É. Vandervelde (page 35).
[2] *Action Socialiste*, pages 176 à 182.
[3] *Discours à la Jeunesse*, voir chapitre suivant.
[4] *Études Socialistes*, T. I, page 381.

temps qu'elle est frémissante, en même temps qu'elle dresse l'individu tout seul en face de la nature éternelle, cette vie d'art est à la fois chaotique et superficielle.

Elle est chaotique ; il n'y a plus dans l'ensemble de l'œuvre d'art, de la création artistique des hommes depuis un siècle et demi, harmonie et unité. Pourquoi ? Parce qu'il n'y a plus d'idées communes, de conceptions communes qui rapprochent, réunissent, confondent tous les hommes et qui permettent par conséquent à l'œuvre d'art, expression de la vie, de coordonner et d'harmoniser toutes les forces ; l'univers n'est plus discipliné, il n'est plus organisé par les anciennes hypothèses religieuses qui se sont évanouies devant les clartés de la science. La science n'est encore qu'une ébauche et, tout en dissipant les fantômes du passé, elle ne peut apporter aux hommes de conclusion certaine. Que resterait-il donc, dans ce désarroi des vieilles croyances religieuses finissantes, dans cet incomplet de la science naissante, que resterait-il aux hommes pour unifier, pour organiser l'idée de l'univers ? Il ne leur resterait que l'humanité elle-même ; mais, à l'heure présente, il n'y a pas une humanité, une unité humaine ; les hommes sont trop divisés par l'antagonisme des classes ; le privilège de la propriété a créé entre eux trop de rivalités, a ouvert entre eux trop d'abîmes pour qu'il y ait une unité humaine ; il y a des humanités qui se déchirent, et l'univers ne peut que répondre par un écho de discorde à la discorde qui vient de l'homme.

Vous voyez bien comment la conception que nous nous faisons du monde varie suivant les intérêts des classes. Il y a des parties de la bourgeoisie qui essaient de retenir, pour la préservation de leurs privilèges sociaux, des croyances auxquelles leur esprit n'adhère plus ; si bien que nous projetons sur le monde une lumière trouble, une lumière mêlée, une lumière fausse.

Ah ! nous avons vu, en des exemples illustres, l'impuissance de l'art et des artistes, traducteurs de la vie, à produire dans leur conception de l'univers et de l'homme, une unité que l'humanité elle-même n'y mettait pas.

. . . . . .

... Incohérence, défaillance, impuissance ! Impuissance des plus grands, notez-le bien, des plus hauts génies, impuissance constitutionnelle qui tient à ce que l'humanité d'aujourd'hui étant divisée contre elle-même, incohérente, discordante, portant la guerre économique et la guerre intellectuelle dans ses entrailles mêmes, est incapable de produire, même par le plus grand génie, des œuvres d'art pleinement homogènes et pleinement harmonieuses !

Et en même temps, je dis que la vie de l'art telle que l'a faite la période révolutionnaire bourgeoise est superficielle ; elle n'atteint pas toutes les profondeurs du peuple. Ah ! j'ai applaudi avec vous au merveilleux appel qu'Anatole France adressait tout à l'heure aux artisans et aux artistes. Oui, il n'y a pas la beauté des « beaux-arts » et la beauté des « arts industriels » ; il n'y a qu'une même beauté qui se traduit dans la même matière par la diversité des procédés ; mais l'artisan, l'orfèvre, le ciseleur, le batteur d'or, le mouleur, le typographe, ne représentent pas la totalité du travail ouvrier, du travail prolétarien dans la société capitaliste, et la question est de savoir aujourd'hui pour ceux qui veulent établir la vie de l'art, pour ceux qui veulent que tous les hommes y participent, que toute l'humanité passe dans cette lumière ; la question est de savoir si la société bourgeoise a su faire pénétrer l'art et la vie de l'art jusqu'au plus profond de la vie sociale, de la conscience prolétarienne.

Eh bien, je dis : non ! Et c'est là ce qui condamne la civilisation provisoire d'aujourd'hui. Je sais bien que, même dans le travail industriel en apparence le plus mécanique, il y a des éléments de beauté, non seulement dans les chefs-d'œuvre de l'artisan, mais dans le travail en apparence machinal de l'ouvrier des usines.

. . . .

... Mais s'il y a là de merveilleux éléments d'intelligence et de merveilleux éléments de beauté, cela ne suffit pas aujourd'hui pour dire que la classe prolétarienne est entrée, est montée dans la sphère de l'art. Non, l'art n'a pas pénétré jusqu'au plus profond du travail, parce que la démocratie n'y a pas pénétré non plus ; la démocratie s'est arrêtée à la surface dans l'ordre politique ; tous les hommes sont théoriquement souverains et théoriquement égaux ; à l'atelier, la toute-puissance du capital domine le travail asservi ; sans puissance de direction et sans garantie, la démocratie n'a donc pas pénétré à l'atelier, c'est-à-dire dans le travail, et comme c'est le travail qui est la vie elle-même, la démocratie est restée à la surface ; elle n'a pas pénétré dans les profondeurs, et l'art non plus n'a pas pénétré dans les profondeurs !

Que faut-il, en effet, pour qu'une classe soit vraiment une classe artistique ? Il faut deux choses, il faut qu'elle ait à sa disposition un moyen d'expression dont elle puisse aisément se servir pour traduire, pour intensifier ses émotions et ses sensations.

Vous aurez beau, devant un spectacle de la nature ou devant un mouvement de l'humanité, éprouver une émotion profonde, une sensation rare, si vous ne pouvez la traduire à vous-même, avant de la traduire aux autres, par un moyen d'expression approprié, cette sensation, cette lueur naissante de beauté, s'éteint en vous, comme une flamme qui ne rencontre pas une atmosphère où elle puisse brûler. Eh bien, la classe prolétarienne de France, aujourd'hui classe ouvrière et classe paysanne, ne dispose pas suffisamment d'un moyen d'expression pour traduire en beauté d'art ses sensations, ses pensées et ses rêves. C'est une honte pour la société d'aujourd'hui qu'il y ait tant d'hommes, tant de travailleurs, tant de prolétaires écrasés par le labeur de chaque jour, ayant reçu une éducation et une instruction incomplètes, qui ne possèdent pas dans sa beauté, dans sa puissance, dans la richesse, la subtilité de ses nuances, cette langue française créée par le génie des penseurs, des écrivains, des artistes. Ah ! les aristocrates du dehors connaissent toutes les délicatesses de la langue française, et la civilisation d'aujourd'hui a refusé aux paysans et ouvriers le moyen de pénétrer ces trésors accumulés par le génie des générations.

Tant que le socialisme n'aura pas complété l'éducation populaire jusqu'à donner à tous les travailleurs le maniement complet, la perception subtile de toutes les richesses de notre langue, le prolétariat ne sera pas encore élevé à la hauteur de l'art.

Artistes, n'ayez pas peur de nous

Et puis, il y a une autre fatalité, il y a une autre servitude qui empêche la classe prolétarienne de constituer aujourd'hui une partie de l'humanité artistique. Citoyens, pour faire œuvre d'artiste, pour jouir de l'art, pour s'élever à la beauté, il faut dominer sa propre vie, dominer son propre travail. Quiconque est le serf de sa propre vie, quiconque ne peut pas s'élever au-

dessus du niveau de son propre travail, quiconque ne peut pas
le rattacher par la pensée et par la joie à l'ensemble du mouvement
humain, ne peut atteindre véritablement à la vie de l'art. Ah !
combien peu de paysans sont capables de sentir s'éveiller en eux
la beauté artistique ; ils sont pourtant en rapport immédiat,
constant, avec toutes les beautés de la nature, avec toutes ses
grandeurs et toutes ses vicissitudes. Mais parce qu'ils sont
absorbés par leur dur labeur, parce qu'ils ne songent qu'à
extraire du sol avare quelques écus et quelques louis, parce qu'ils
sont incapables de rattacher leur effort à l'ensemble de l'effort
humain, et l'effort de l'humanité à l'ensemble du mouvement
universel dont les vicissitudes et dont les saisons se déroulent
pour eux, ils sont incapables de s'élever jusqu'à la notion claire,
jusqu'au sentiment de la beauté. Ils sont enfoncés dans la terre
jusqu'au cœur, et cette compression de la terre étouffe les batte-
ments de leur cœur.

J'ai vu quelquefois, dans nos chemins de campagne, de pauvres
vieilles paysannes qui revenaient de la forêt ; elles rapportaient
non pas sur leurs épaules mais sur leur dos, toute une charge de
verts rameaux... Et le vent qui passait sur ce feuillage éveillait,
tout autour de la vieille paysanne, comme un vaste bruissement
de la forêt ; mais elle n'entendait point et cheminait d'un pas
automatique sans comprendre cette chanson de rêve que mur-
murait à son oreille le peu de forêt qu'elle avait emporté... Eh
bien, le prolétaire paysan marche ainsi, enveloppé du souffle de
la nature, mais il ne l'entend pas. De même, comment voulez-vous
qu'après ses douze heures, ses quatorze heures, ses quinze heures
de travail d'usine, quand il a le sentiment que ce travail machinal
et prolongé n'est pas un travail libre, qu'il peut être le lendemain
congédié ou par la brutalité du maître, ou par l'inclémence des
événements, ou par la rigueur des hommes, ou par la rigueur des
chômages, comment voulez-vous que l'ouvrier, attelé à ses
machines, qui l'épuisent et qui peuvent encore lui manquer
demain, comment voulez-vous qu'ainsi accablé, qu'ainsi asservi,
craignant toujours pour le pain de demain, pour lui ou pour les
siens, comment voulez-vous que sa pensée puisse s'élever en rêve
au-dessus de tous ces bruits assourdissants des machines, et se
dire : ce bruit des machines en travail est une partie de l'harmonie
universelle... Cela, il le saura demain, quand nous l'aurons

affranchi. C'est ainsi que le socialisme appellera à la vie de l'art, à la vie de la beauté, tous les êtres humains, quels qu'ils soient ; c'est lui qui, pour la première fois, investira de la beauté sacrée de l'art le prolétariat aujourd'hui déshérité. Ô artistes, n'ayez pas peur de nous ; c'est nous qui, les premiers, appellerons devant vos chefs-d'œuvre non plus des portions d'humanité divisée, non plus une élite rassasiée et blasée, suivie d'une foule aveugle, mais une même humanité fraternelle et libre. C'est nous qui créerons pour la première fois l'art humain ; il n'y a eu jusqu'ici que des lambeaux d'art humain, parce qu'il n'y a eu jusqu'ici que des lambeaux d'humanité.

Ah ! oui, l'on devine sans qu'on le puisse exactement définir, qu'un merveilleux renouveau artistique jaillira de ce renouveau social ; pour la première fois, l'humanité comme telle sera en face de la nature ; chaque homme, en la contemplant, en l'interrogeant, sentira en lui-même la présence familière de toute l'humanité, et c'est, par chaque individu humain, l'humanité tout entière qui interrogera et qui contemplera la nature. Et pour la première fois en même temps, l'humanité tout entière aura à ce point échappé à la nature, elle la dominera de si haut, qu'elle pourra l'interpréter avec plus de confiance et plus de douceur. Tant que nous tous, hommes, nous nous ferons la guerre, les uns aux autres, tant qu'il y aura parmi nous des inégalités sociales classant les hommes quelle que soit la valeur individuelle de leur âme, en exploiteurs et exploités, tant qu'il y aura parmi nous des classes antagonistes, tant que ce sera le règne de la force, nous serons des parties de la nature, car ce qui caractérise la nature, c'est la prédominance de la force. L'humanité n'échappera pour la première fois à la nature que lorsqu'elle aura dans son propre sein dompté la force, lorsqu'elle aura créé en elle une harmonie vraiment fraternelle. Alors l'humanité se dressera au-dessus de toutes les brutalités naturelles, et leur dira : Je vous ai échappé, j'ai échappé à la vieille servitude de haine, de meurtre, de férocité, je suis l'humanité fraternelle et douce ! En même temps, l'humanité se dira : Puisque je suis devenue bonne, moi qui suis sortie de cette nature, il faut bien que, dans cette nature, malgré ses brutalités, dorment des mystères de bonté, de tendresse cachée... Et nous sentirons de l'humanité à la nature s'établir un lien nouveau ; toutes les tendresses inconnues qui dorment dans les profondeurs des choses seront devenues visibles et lumineuses dans l'humanité affranchie !

(Œuvres de Jean Jaurès : *Études Socialistes*, T. II, passim, pages 147 à 153 [1])

[1] La conférence a été publiée pour la première fois dans le *Mouvement Socialiste* (1er et 15 mai 1900). Elle est également reproduite dans *Pages Choisies* (pages 56 à 72)

CHAPITRE V

MORALE ET ÉDUCATION

Jaurès est un idéaliste. Toute son œuvre est dominée par la passion de la justice. Il attribue aux valeurs morales une place prééminente. Aussi cet aspect de sa pensée méritait d'être mis en relief de façon bien distincte.

En ce chapitre ont été recueillis des fragments d'où se dégage l'idée que le prolétariat ne peut demeurer insensible aux iniquités. On y trouvera également les passages les plus connus où Jaurès expose sa conception de l'histoire : conciliation de l'idéalisme et du matérialisme.

A ces extraits sur la morale et l'idéalisme, nous avons ajouté quelques citations touchant l'éducation. Jaurès fut un grand éducateur. De son adolescence à sa mort, il s'est soucié de tous les problèmes d'enseignement. Il n'a cessé de conseiller la jeunesse et ceux qui ont la charge de la former.

L'AFFAIRE DREYFUS

On sait le rôle qu'a joué Jaurès dans l'Affaire Dreyfus. Les principaux articles qu'il écrivit, dans la *Petite République*, sur la révision du procès, ont formé le volume : *Les Preuves* (1898).

Au début de cet ouvrage, l'auteur explique comment les socialistes, s'ils participent à la bataille pour Dreyfus, seront plus forts ensuite pour se dresser contre ceux qui combattent le socialisme au nom de la Révolution française. Le condamné, bien que bourgeois, est un « exemplaire de l'humaine souffrance », le témoin du « mensonge militaire », des « crimes de l'autorité ». C'est pourquoi le socialisme ne peut s'en désintéresser.

Ce jour-là, nous aurons le droit de nous dresser, nous, socialistes, contre tous les dirigeants qui, depuis des années, nous combattent au nom des principes de la Révolution française.

Qu'avez-vous fait, leur crierons-nous, de la Déclaration des Droits de l'Homme et de la liberté individuelle ? Vous en avez fait mépris ; vous avez livré tout cela à l'insolence du pouvoir militaire. Vous êtes les renégats de la Révolution bourgeoise.

Oh ! je sais bien ! Et j'entends le sophisme de nos ennemis : « Quoi ! nous dit doucement la *Libre Parole*, ce sont des socialistes, des révolutionnaires, qui se préoccupent de légalité ! »

Je n'ai qu'un mot à répondre : Il y a deux parts dans la légalité capitaliste et bourgeoise. Il y a tout un ensemble de lois destinées à protéger l'iniquité fondamentale de notre société ; il y a des lois qui consacrent le privilège de la propriété capitaliste ; l'exploitation du salarié par le possédant. Ces lois, nous voulons les rompre, et même par la Révolution s'il le faut, abolir la légalité capitaliste pour faire surgir un ordre nouveau. Mais, à côté de ces lois de privilège et de rapine, faites par une classe et pour elle, il en est d'autres qui résument les pauvres progrès de l'humanité, les modestes garanties qu'elle a peu à peu conquises par le long effort des siècles et la longue suite des révolutions.

Or, parmi ces lois, celle qui ne permet pas de condamner un homme, quel qu'il soit, sans discuter avec lui, est la plus essentielle peut-être. Au contraire des nationalistes qui veulent garder de la légalité bourgeoise tout ce qui protège le capital et livrer aux généraux tout ce qui protège l'homme, nous, socialistes révolutionnaires, nous voulons, dans la légalité d'aujourd'hui, abolir la portion capitaliste et sauver la portion humaine. Nous défendons les garanties légales contre les juges galonnés qui les brisent, comme nous défendrions au besoin la légalité républicaine contre des généraux de coup d'État.

Oh ! je sais bien encore, et ici ce sont des amis qui parlent : « Il ne s'agit pas, disent-ils, d'un prolétaire ; laissons les bourgeois s'occuper des bourgeois ». Et l'un d'eux ajoutait cette phrase qui, je l'avoue, m'a peiné : « S'il s'agissait d'un ouvrier, il y a longtemps qu'on ne s'en occuperait plus ! »

Je pourrais répondre que si Dreyfus a été illégalement condamné et si, en effet, comme je le démontrerai bientôt, il est innocent, il n'est plus ni un officier ni un bourgeois : il est dépouillé, par l'excès même du malheur, de tout caractère de classe ; il n'est plus que l'humanité elle-même, au plus haut degré de misère et de désespoir qui se puisse imaginer.

Si on l'a condamné contre toute loi, si on l'a condamné à faux, quelle dérision de le compter encore parmi les privilégiés ! Non :

il n'est plus de cette armée qui, par une erreur criminelle, l'a dégradé. Il n'est plus de ces classes dirigeantes qui, par poltronnerie d'ambition, hésitent à rétablir pour lui la légalité et la vérité. Il est seulement un exemplaire de l'humaine souffrance en ce qu'elle a de plus poignant. Il est le témoin vivant du mensonge militaire, de la lâcheté politique, des crimes de l'autorité.

Certes, nous pouvons, sans contredire nos principes et sans manquer à la lutte des classes, écouter le cri de notre pitié ; nous pouvons, dans le combat révolutionnaire, garder des entrailles humaines ; nous ne sommes pas tenus, pour rester dans le socialisme, de nous enfuir hors de l'humanité.

Et Dreyfus lui-même, condamné à faux et criminellement par la société que nous combattons, devient, quelles qu'aient été ses origines et quel que doive être son destin, une protestation aiguë contre l'ordre social. Par la faute de la société qui s'obstine contre lui à la violence, au mensonge et au crime, il devient un élément de révolution.

Voilà ce que je pourrais répondre ; mais j'ajoute que les socialistes qui veulent fouiller jusqu'au fond les secrets de honte et de crime contenus dans cette affaire, s'ils ne s'occupent pas d'un ouvrier, s'occupent de toute la classe ouvrière.

Qui donc est le plus menacé aujourd'hui par l'arbitraire des généraux, par la violence toujours glorifiée des répressions militaires ? Qui ? Le prolétariat. Il a donc un intérêt de premier ordre à châtier et à décourager les illégalités et les violences des conseils de guerre avant qu'elles deviennent une sorte d'habitude acceptée de tous. Il a un intérêt de premier ordre à précipiter le discrédit moral et la chute de cette haute armée réactionnaire qui est prête à le foudroyer demain.

Puisque, cette fois, c'est à un fils de la bourgeoisie que la haute armée, égarée par des luttes de clan, a appliqué son système d'arbitraire et de mensonge, la société bourgeoise est plus profondément remuée et ébranlée, et nous devons profiter de cet ébranlement pour diminuer la force morale et la puissance d'agression de ces états-majors rétrogrades qui sont une menace directe pour le prolétariat.

Ce n'est donc pas servir seulement l'humanité, c'est servir directement la classe ouvrière que de protester, comme nous le faisons, contre l'illégalité, maintenant démontrée, du procès

Dreyfus et contre la monstrueuse prétention d'Alphonse Humbert de sceller à jamais ce crime militaire dans l'impénétrable du huis-clos.

(*Les Preuves*, pages 11 à 14 [1])

L'INJUSTICE NE DOIT PAS FLÉTRIR L'AURORE SOCIALISTE

En 1900, dans sa controverse avec Jules Guesde, à Lille (*Les Deux Méthodes*), il répète que le prolétariat ne pouvait rester neutre dans l'Affaire Dreyfus. Le prolétaire doit aller du côté où la vérité souffre, sinon il se rend complice du crime. Aussi bien, la bataille menée pour un innocent a permis de frapper l'idole du militarisme.

... J'ajoute, citoyens, pour aller jusqu'au bout de ma pensée : il y a des heures où il est de l'intérêt du prolétariat d'empêcher une trop violente dégradation intellectuelle et morale de la bourgeoisie elle-même et voilà pourquoi, lorsque, à propos d'un crime militaire, il s'est élevé entre les diverses fractions bourgeoises la lutte que vous savez, et lorsque une petite minorité bourgeoise, contre l'ensemble de toutes les forces de mensonges déchaînées, a essayé de crier justice et de faire entendre la vérité, c'était le devoir du prolétariat de ne pas rester neutre, d'aller du côté où la vérité souffrait, où l'humanité criait.

Guesde a dit à la salle Vantier « que ceux qui admirent la société capitaliste s'occupent d'en redresser les erreurs ; que ceux qui admirent, disait-il, le soleil capitaliste, s'appliquent à en effacer les taches ».

Eh bien ! qu'il me permette de lui dire ; le jour où contre un homme un crime se commet ; le jour où il se commet par la main de la bourgeoisie, mais où le prolétariat, en intervenant, pourrait empêcher ce crime, ce n'est plus la bourgeoisie seule qui en est responsable, c'est le prolétariat lui-même ; c'est lui qui, en n'arrêtant pas la main du bourreau prêt à frapper, devient le complice du bourreau ; et alors ce n'est plus la tache qui voile,

[1] Ce passage est reproduit dans *Jean Jaurès*, par Ch. Rappoport (pages 40 à 42).

qui flétrit le soleil capitaliste déclinant, c'est la tache qui vient flétrir le soleil socialiste levant. Nous n'avons pas voulu de cette flétrissure de honte sur l'aurore du prolétariat.

Ce qu'il y a de singulier, ce qu'il faut que tout le Parti Socialiste en Europe et ici, sache bien, c'est qu'au début même de ce grand drame, ce sont les socialistes révolutionnaires qui m'encourageaient le plus, qui m'engageaient le plus à entrer dans la bataille.

Il faut que vous sachiez, camarades, comment devant le groupe socialiste de la dernière législature, la question s'est posée.

Quand elle vint pour la première fois, quand nous eûmes à nous demander quelle attitude nous prendrions, le groupe socialiste se trouva partagé à peu près en deux.

D'un côté, il y avait ceux que vous me permettrez bien d'appeler, ceux qu'on appelait alors les modérés du groupe. C'était Millerand, c'était Viviani, c'était Jourde, c'était Lavy, qui disaient :

« Voilà une question dangereuse, et où nous ne devons pas intervenir ».

De l'autre côté, il y avait ceux qu'on pouvait appeler alors la gauche révolutionnaire du groupe socialiste. Il y avait Guesde, Vaillant et moi qui disions : « Non, c'est une bataille qu'il faut livrer ».

Ah ! je me rappelle les accents admirables de Guesde lorsque parut la lettre de Zola. Nos camarades modérés du groupe socialiste disaient : « Mais Zola n'est point un socialiste ; Zola est, après tout, un bourgeois. Va-t-on mettre le Parti Socialiste à la remorque d'un écrivain bourgeois ? »

Et Guesde, se levant comme s'il suffoquait d'entendre ce langage, alla ouvrir la fenêtre de la salle où le groupe délibérait, en disant : « La lettre de Zola, c'est le plus grand acte révolutionnaire du siècle ! »

Et puis, lorsque, animé par ces paroles, en même temps que par ma propre conviction, lorsque j'allais témoigner au procès Zola ; lorsque, devant la réunion des colonels, des généraux dont on commençait alors à soupçonner les crimes, sans les avoir profondément explorés ; lorsque j'eus commencé à témoigner, à déposer, et que je revins à la Chambre, Guesde me dit ces paroles dont je me souviendrai tant que je vivrai : « Jaurès, je vous aime, parce que, chez vous, l'acte suit toujours la pensée ».

Et, comme les cannibales de l'État-Major continuaient à s'acharner sur le vaincu, Guesde me disait : « Que ferons-nous un jour, que feront un jour les socialistes d'une humanité ainsi abaissée et ainsi avilie ? Nous viendrons trop tard, disait-il avec une éloquente amertume ; les matériaux humains seront pourris, lorsque ce sera notre tour de bâtir notre maison. »

Eh bien, pourquoi après ces paroles, pourquoi après ces déclarations, le Conseil national du Parti, quelques mois après, au mois de juillet, a-t-il essayé de faire sortir le prolétariat de cette bataille ?

Peut-être, j'ai essayé de me l'expliquer bien des fois, les révolutionnaires ont-ils trouvé que nous nous attardions trop dans ce combat, que nous y dépensions trop de notre force et de la force du peuple ?

Mais qu'ils me permettent de leur dire : où sera, dans les jours décisifs l'énergie révolutionnaire des hommes si, lorsqu'une bataille comme celle-là est engagée contre toutes les puissances de mensonge, contre toutes les puissances d'oppression, nous n'allons pas jusqu'au bout ?

Pour moi, j'ai voulu continuer, j'ai voulu persévérer jusqu'à ce que la bête venimeuse ait été obligée de dégorger son venin. Oui, il fallait poursuivre tous les faussaires, tous les menteurs, tous les bourreaux, tous les traîtres ; il fallait les poursuivre à la pointe de la vérité, comme à la pointe du glaive, jusqu'à ce qu'ils aient été obligés à la face du monde entier de confesser leurs crimes, l'ignominie de leurs crimes.

Et, remarquez-le, le manifeste par lequel on nous signifiait d'avoir à abandonner cette bataille, paru en juillet, a précédé de quelques semaines l'aveu, qu'en persévérant, nous avons arraché au colonel Henry.

Eh bien, laissez-moi me féliciter de n'avoir pas entendu la sonnerie de retraite qu'on faisait entendre à nos oreilles ; d'avoir mis la marque du prolétariat socialiste, la marque de la Révolution sur la découverte d'un des plus grands crimes que la caste militaire ait commis contre l'humanité.

Ce n'était pas du temps perdu, car, pendant que s'étalaient ses crimes, pendant que vous appreniez à connaître toutes ses hontes, tous ses mensonges, toutes ses machinations, le prestige du militarisme descendait tous les jours dans l'esprit des hommes et sachez-le, le militarisme n'est pas dangereux seulement parce qu'il est le gardien armé du capital, il est dangereux aussi parce qu'il séduit le peuple par une fausse image de grandeur, par je ne sais quel mensonge de dévouement et de sacrifices.

Lorsqu'on a vu que cette idole si glorieusement peinte et si superbe ; que cette idole qui exigeait pour le service de ses appétits monstrueux, des sacrifices de générations ; lorsqu'on a vu qu'elle était pourrie, qu'elle ne contenait que déshonneur, trahison, intrigues, mensonges, alors le militarisme a reçu un coup mortel, et la Révolution sociale n'y a rien perdu.

Je dis qu'ainsi le prolétariat a doublement rempli son devoir envers lui-même. Et c'est parce que dans cette bataille le prolétariat a rempli son devoir envers lui-même, envers la civilisation et l'humanité ; c'est parce qu'il a poussé si haut son action de classe, qu'au lieu d'avoir, comme le disait Louis Blanc, la bourgeoisie pour tutrice, c'est lui qui est devenu dans cette crise le tuteur des libertés bourgeoises que la bourgeoisie était incapable de défendre...

(Œuvres de Jean Jaurès : *Études Socialistes*, T. II, pages 196 à 199)

PAS DE NEUTRALITÉ DEVANT LE CRIME

Le prolétariat ne doit jamais rester neutre devant le crime ; dans le domaine international tout comme sur le terrain national. Avec quelle indignation il dénonce, dans le débat parlementaire de novembre 1896, le silence de la France devant le massacre des Arméniens !

Je ne veux prononcer ici aucune parole chauvine : depuis un siècle, depuis que la Révolution française a contribué précisément à émanciper d'autres peuples, la France ne peut plus, et c'est son honneur, parce que c'est son œuvre, prendre seule l'initiative des grands progrès et de l'idée de justice ; mais ce qu'elle avait le droit de réclamer de ses gouvernants, c'est qu'il fût impossible, dans un pays envers lequel elle était engagée, d'accumuler pendant deux ans, pendant trois ans, d'abominables massacres, que les documents officiels chiffrent à 30.000, en avertissant qu'ils ne sont que le tiers de la vérité ; c'est qu'il fût impossible que ces massacres fussent consommés et continués, et que partout dans le monde on puisse, par des documents certains, savoir quelle a été la politique de l'Angleterre, quelle a été la politique de la Russie, mais que personne ne puisse savoir quelle a été la politique de la France.

Quoi ! le silence complet, le silence dans la presse — dont une partie, à coup sûr, directement ou indirectement, a été payée pour se taire... — silence dans nos grands journaux, dont les principaux commanditaires sont les bénéficiaires de larges entreprises ottomanes ; mais surtout silence du gouvernement de la France !

Quoi, devant tout ce sang versé, devant ces abominations et ces sauvageries, devant cette violation de la parole de la France, et du droit humain, pas un cri n'est sorti de vos bouches, pas une parole n'est sortie de vos consciences et vous avez assisté, muets et, par conséquent, complices, à l'extermination complète...

(Œuvres de Jean Jaurès : *Les Alliances Européennes*, page 132)

L'EUROPE NE PEUT SE PASSER D'UNE CONSCIENCE

Il dénonce sans répit l'immoralité internationale. « L'Europe ne peut se passer d'une conscience », s'écrie-t-il, à propos des affaires balkaniques, dans un article de l'*Humanité* du 27 août 1913.

... Ah ! certes, les Bulgares ont commis bien des fautes. Mais qui donc les y a encouragés, sinon l'Europe ? Leur roi, que notre presse raille maintenant, était devenu le héros des héros, une combinaison d'Ulysse et d'Achille. Quand M. Daneff tenait ses propos de ménagerie, quand il déclarait que la « Turquie avait tout intérêt à avoir pour voisine une Bulgarie rassasiée », nous étions seuls, ou à peu près seuls, à protester contre cette diplomatie de tigre ou de chacal...

« Bravo ! Bravo ! Qu'on leur donne Andrinople ! Qu'on leur donne tout ! » Puis, quand la roue de la fortune tourna, l'Europe tourna avec elle. La voici maintenant qui découvre avec une soudaineté d'indignation qui m'émerveille les crimes des bandes bulgares, les atrocités des héros de Ferdinand. La voici qui découvre qu'en somme les Serbes et les Grecs ont une part plus large que les Bulgares dans la victoire balkanique sur les Turcs. La même presse qui avait laissé les Serbes dans l'ombre, pour mieux faire sa cour à la Bulgarie, pousse maintenant les armées serbes en pleine lumière et en pleine gloire. La même presse européenne qui avait dénoncé les violences inouïes des Grecs à Salonique chante maintenant un hymne à la grandeur immaculée de la civilisation hellénique. Et le succès de la basse tactique des Roumains, qui n'ont pas versé pour la cause commune une goutte de sang et qui prélèvent une rançon sur les combattants épuisés, a groupé autour du souverain de Roumanie un chœur d'adulateurs illustres...

La Bulgarie se demande avec stupeur si elle a affaire à la même Europe. Mais oui, c'est la même, c'est bien la même, toujours aussi basse et aussi aveugle, toujours vouée par ses rivalités misérables à la même politique variable de clientèle, à la même diplomatie sans idée et sans pudeur.

Est-ce que l'Europe va continuer ainsi ? Ou bien les peuples finiront-ils par se lasser de tant de sottises et d'improbité ? L'Europe comprendra-t-elle enfin qu'elle ne peut se passer d'une conscience ? C'est là qu'est le nœud du problème balkanique.

(Œuvres de Jean Jaurès : *Au bord de l'Abîme*, pages 299 et 300)

TOUJOURS LA VÉRITÉ

Toujours la vérité. Telle pourrait être la devise de Jaurès. Dans un article de la *Dépêche de Toulouse* du 17 août 1900, il rend hommage à Wilhelm Liebknecht qui vient de mourir. Le grand socialiste allemand, qui protesta contre l'annexion de l'Alsace et de la Lorraine, fut néanmoins, durant sa vie, calomnié par les nationalistes et les modérés français. Mort, on lui rend hommage. Jaurès médite tristement sur cette « médiocrité de la race humaine » qui ne rend justice aux grands hommes que dans leur tombe. Et il est évident qu'en lisant ces lignes, on ne peut s'empêcher de penser à Jaurès lui-même, tant calomnié...

N

Cependant, malgré les vilenies, le socialisme, lui, doit rester
fidèle à la vérité.

... La courageuse et noble attitude de Liebknecht résistant à un
torrent sauvage reste néanmoins comme un haut témoignage en
faveur de la conscience humaine. Il y a des heures où l'élévation
morale de quelques hommes isolés suffit à empêcher la chute
irréparable de la conscience. Ils marquent le niveau où elle devra
se relever. Tous les partis en France ont reconnu le grand service
rendu par Liebknecht à l'humanité et à la cause du droit. Oui,
tous ou presque tous... et il y a quelques années à peine, quand
nous nous rencontrions avec lui, quand nous affirmions notre
respect pour lui, nous étions flétris comme des sans-patrie. Il y a
quelques années, quand la municipalité socialiste de Lille reçut
Liebknecht à l'hôtel de ville, les cléricaux, les nationalistes, les
modérés placardèrent des affiches où ils accusaient de trahison les
socialistes, coupables de recevoir l'*Allemand* Liebknecht. Devant
la mort, ces polémiques niaises et basses se sont tues et la
vérité enfin a été entendue. Nous ne nous attarderons pas à gémir
sur cette médiocrité de la race humaine qui attend, pour rendre
justice entière aux hommes de labeur et de combat, qu'ils aient
disparu. Nous ne nous attarderons pas à dénoncer la mauvaise
foi des partis qui attendent pour renoncer au mensonge et à la
calomnie, que la mort se soit interposée entre leurs adversaires
et eux. Mais nous voudrions bien que ces exemples répétés
servent de leçon aux hommes, et qu'avant de répéter les cris
stupides des partis, avant d'accueillir les accusations passionnées
qu'ils échangent, ils examinent, ils réfléchissent, ils tâchent de
discerner la vérité qui leur apparaîtra plus tard dans la lumière
étrange de la mort. En tout cas, j'ai la foi profonde que le
socialisme est si conforme à l'évolution des choses et à l'intérêt
le plus haut de l'humanité, qu'il n'a besoin, pour vaincre, d'aucun
des procédés médiocres ou vils auxquels recourent les partis du
passé. Toujours la vérité, rien que la vérité, toute la vérité.
Toujours l'appel à la raison.

(Œuvres de Jean Jaurès : *Études Socialistes*, T. II, pages 178
et 179)

LE SOCIALISME EST UNE MORALE

Du reste, le socialisme est, en soi, une morale. Dans une introduction à la deuxième édition de la *Morale Sociale* de Benoît Malon, reproduite dans la *Revue Socialiste* de juin 1894, Jaurès développe cette idée que « l'égoïsme prolétarien » n'est que « l'égoïsme sacré de l'humanité elle-même ».

Je dis que le socialisme est en lui-même une morale. Il l'est pratiquement et théoriquement. Pratiquement, il développe de plus en plus dans les multitudes humaines, jusqu'ici livrées à l'incohérence et à l'égoïsme des efforts individuels, l'idée de la solidarité. Certes, c'est pour le bien-être et l'affranchissement des travailleurs que les travailleurs luttent : mais ce n'est point à eux, personnellement, que le socialisme leur dit de penser. Il leur apprend au contraire, qu'ils ne pourront trouver des satisfactions individuelles, fermes et durables, que dans une organisation sociale nouvelle, que cette organisation ne peut sortir que d'une évolution économique profonde, et que cette évolution, le prolétariat peut la hâter, mais qu'il n'y peut suppléer. Donc, les militants socialistes combattent-ils pour eux-mêmes, ou pour leurs camarades, ou pour leurs enfants, ou pour les enfants de leurs enfants ? Ils ne le savent point, et c'est dans cette noble incertitude qu'ils vont tous les jours à la bataille, affrontant ou les privations ou les périls.

Certes, ils ne formulent point la doctrine de la résignation ou du sacrifice : Car la résignation, quand ce n'est point à l'inévitable qu'elle se soumet, n'est que lâcheté, et le sacrifice, qui perpétue l'iniquité parmi les hommes, est le complice de cette iniquité. Ils ne se donnent pas non plus l'air de dédaigner le bien-être matériel : c'est celui-là d'abord qu'ils réclament. Ils laissent aux bons apôtres rassasiés de confort, l'exclusif souci de la vie idéale. Ils sont des égoïstes, eux, et brutalement : ils veulent vivre, et bien vivre, et ils ne le cachent point ; et comment aboutiraient-ils, comment renverseraient-ils l'ordre capitaliste, même miné par la force des choses, si leurs revendications s'évaporaient en subtilités ? Non, il faut qu'il y ait en elles l'énergique poussée des instincts élémentaires. La faim n'est pas la mauvaise conseillère dont parle le poète ; elle est au contraire la bonne conseillère :

c'est elle qui, tout le long de l'évolution pré-humaine et humaine, a créé ou aidé à créer les espèces supérieures et les civilisations supérieures. Le prolétariat avoue et proclame son égoïsme ; et par là, au lieu de flotter comme un lierre sentimental, il s'enracine au sol et plonge dans la nature même pour en convertir la sève en énergie de progrès. Seulement, par un vivant paradoxe, que réalise souvent la nature humaine et que le socialisme favorise, en liant le bien de l'individu à une organisation d'ensemble, cet égoïsme du prolétariat est un égoïsme impersonnel.

Le prolétaire veut être assuré qu'il ne travaille pas pour une chimère, qu'il ne lutte pas pour une idée creuse, qu'un jour, sur cette terre même où il naît et où il meurt, il y aura plus de bien-être, plus d'égalité, plus de joie ; et quand il sent qu'il a sous son pied un terrain ferme pour la bataille, alors peu lui importe de tomber en plein combat ; car si la victoire n'est point à lui, elle sera à d'autres souffrant comme lui, par qui et en qui il triomphera.

Oui, égoïsme, mais égoïsme impersonnel : égoïsme de classe d'abord, le prolétaire se dévouant au prolétariat où il est compris ; égoïsme humain ensuite : car pour affranchir le prolétariat il faut le supprimer, il faut, par l'abolition des classes que crée le régime capitaliste, réaliser l'humanité une, où il y aura plus de joie véritable non seulement pour les prolétaires d'hier, mais pour les capitalistes d'hier. Le prolétaire ne peut être pleinement égoïste, il ne peut se dévouer pleinement à lui-même qu'en se dévouant au prolétariat, en se supprimant au besoin pour le prolétariat, et il ne peut se dévouer vraiment au prolétariat qu'en se dévouant à l'humanité, en supprimant le prolétariat pour l'humanité. Captif, il ne peut se libérer qu'en libérant ses compagnons de chaîne, qu'en se sacrifiant même, s'il le faut, pour leur libération : et quand tous ensemble se seront évadés de la prison, pour qu'on ne puisse point les y ramener, il faut qu'on n'y puisse ramener personne ; il faut que la prison même soit détruite et que dans la demeure joyeuse et libre construite par les évadés, il y ait place pour les geôliers d'hier. C'est ainsi que l'égoïsme le plus strict aboutit à la générosité la plus large : c'est ainsi que le combat le plus farouche s'apaise en une définitive fraternité.

Est-ce calcul ? et ce dévouement grandissant n'est-il, en fait, dans le cœur des hommes, que de l'égoïsme prévoyant ? Ou bien les consciences individuelles sont-elles façonnées à leur insu par la loi souveraine de l'histoire, qui libère et grandit l'humanité tout entière par la révolte de la classe opprimée ? et les souffrants sont-ils, sans s'en douter, comme l'esclave qui ne peut se relever sans hausser le maître qu'il portait ? Ou enfin le prolétariat sent-il d'emblée en lui-même l'humanité meurtrie ? voit-il au fond de sa propre souffrance la souffrance humaine ? et espère-t-il de son propre relèvement le relèvement humain ? Qui fera, dans le mouvement social, la part de ces trois forces : l'égoïsme réfléchi, la dialectique inconsciente de l'histoire, la conscience profonde de l'humanité ? Qui expliquera comment l'individualité humaine peut être à la fois si close et si pénétrable ? et comment il devient impossible de démêler dans le cœur de l'homme et dans le mouvement de l'histoire ces contraires ou ces prétendus contraires : l'égoïsme et le dévouement ? Celui qui aurait la clef de ces problèmes aurait le secret de l'homme et peut-être de l'univers. Le socialisme n'essaie point (et ce n'est pas son objet) d'en donner une solution théorique. Mais, pratiquement, et c'est par là qu'il est une morale, en liant, dans son effort d'émancipation, le prolétaire au prolétariat et le prolétariat à l'humanité, il exalte et concilie toutes les puissances de la nature humaine : égoïsme et dévouement, et par lui, l'appétit et le sacrifice, l'action secrète de l'histoire et l'action consciente de l'idée d'humanité présente au cœur, toutes les énergies qui sont dans l'homme ou qui sont l'homme même sont concentrées vers une fin supérieure : l'affranchissement et la joie de tous les individus dans l'humanité unie.

Il ne s'arrête point à l'égoïsme brut, à ce qu'on peut appeler, par un apparent pléonasme qui est une nécessité, l'égoïsme individuel, l'égoïsme lâche. Cet égoïsme individuel, il le laisse au régime capitaliste, qui en mourra. Car les capitalistes forment bien une classe ; ils peuvent bien coaliser leurs intérêts particuliers contre le prolétariat ; mais ces coalitions ne sont point un acte de solidarité intime. C'est une agglomération et une confédération d'intérêts particuliers. Il ne se produit pas, dans la résistance capitaliste, cette sorte d'absorption de l'égoïsme individuel en égoïsme de classe, et de l'égoïsme de classe en égoïsme humain, qui caractérise le mouvement prolétarien. Le travailleur, en se dévouant à lui-même, s'oublie lui-même pour le Travail. Le capitaliste ne s'oublie jamais lui-même pour le Capital. Et les capitalistes auront beau se former en corps d'armée : le prolétariat, à mesure qu'il entrera au socialisme, leur opposera une homogénéité morale bien plus forte.

Les trois rayons

... quand les prolétaires, déshérités de tout, dépouillés et nus, réclament pour eux-mêmes, pour qui et pour quoi réclament-ils ? Est-ce pour une puissance extérieure à l'homme ou qui même ne soit pas toujours en lui ? Est-ce pour la richesse ? Ils sont pauvres. Est-ce pour le capital ? Ils sont salariés. Est-ce pour la beauté de la race ? Le travail servile a souvent abâtardi la leur. Est-ce pour la haute science ? Ils sortent à peine de la nuit, et ils épèlent péniblement aux premières lueurs du jour. Est-ce pour le génie ? S'il en est en eux, il est étouffé par le besoin sordide et à l'état d'instinct. Non, quand ils réclament pour eux-mêmes, ils réclament pour l'homme, quand on en a retranché tout ce qui n'est pas l'homme même. Ils réclament pour ce qui reste de l'homme quand on en a prélevé la fortune, le génie conscient, l'aristocratique beauté, la haute science. Et que reste-t-il de l'homme ? la puissance de travailler, de souffrir, d'aimer, un commencement de pensée, misérable encore, mais plein de promesse, et une secrète vocation du cœur pour les vastes sympathies. C'est pour ces choses que le prolétariat réclame en réclamant pour lui-même : c'est ce résidu sacré qu'il recommande à l'avenir. C'est dire qu'en réclamant pour soi, le prolétariat réclame pour l'humanité tout entière. En se haussant, lui qui était au plus bas, il hausse tout : c'est l'humanité qui est enfin glorifiée en elle-même et pour elle-même. Pour entrer dans la cité nouvelle, il faudra simplement produire à la porte le même titre que le prolétaire. Et lequel ? Le titre d'homme.

Votre visage est creusé par la souffrance, pâli par la faim ; il est même comme abêti par l'ignorance, ou flétri par le vice. Mais qu'importe le passé mauvais ? C'est visage d'homme : Entrez. Dans ces deux yeux il y a une lueur humaine : Entrez ! c'est ici la cité des hommes. Et ainsi, pour la première fois dans l'histoire humaine, la glorification du prolétariat sera la glorification de l'humanité, de l'humanité toute seule, de l'humanité tout entière.

Comment le prolétaire ne sentirait-il pas l'homme même et tressaillir et crier et espérer et combattre en lui ? Comment l'égoïsme prolétarien, au lieu d'être l'égoïsme d'un individu, ou même d'une classe, ne serait-il pas l'égoïsme sacré de l'humanité elle-même ? ou plutôt comment ne serait-il pas à la fois, en une palpitation indivisible : égoïsme individuel, égoïsme de classe, égoïsme humain ? Comment, par suite, le mouvement socialiste n'aurait-il pas à la fois la solidité et la netteté de l'intérêt immédiat, l'âpre et noble passion des revendications de classe, et la grandeur des aspirations humaines ? Oui, quand le prolétariat va ainsi à la bataille, il y a en lui tout à la fois, comme les trois rayons tordus par Vulcain en un seul éclair : appétit, passion, sacrifice. J'avais le droit de dire que le socialisme ne devait pas chercher, hors de lui et au-dessus de lui, une morale ! Qu'il était lui-même, pratique-ment, une morale. De cette solidarité historique et, en quelque sorte, extérieure : le prolétaire, le prolétariat, l'humanité, il fait une solidarité intime et de conscience.

(Œuvres de Jean Jaurès : *Études Socialistes*, T. I, passim, pages 262 à 276)

IDÉALISME ET MATÉRIALISME

C'est dans sa conférence aux étudiants collectivistes, à la salle d'Arras, en décembre 1894 — conférence bien souvent publiée en brochure, sous le titre : *Idéalisme et matérialisme dans la con-ception de l'histoire* — que Jaurès a développé le plus clairement sa conciliation de l'idéalisme et du matérialisme historique. Il convenait, dans ce chapitre, d'en citer la conclusion.

... on comprend, puisque tout le mouvement de l'histoire résulte de la contradiction essentielle entre l'homme et l'usage qui est fait de l'homme, que ce mouvement tende comme à sa limite, à un ordre économique où il sera fait de l'homme un usage con-forme à l'homme. C'est l'humanité qui, à travers des formes économiques qui répugnent de moins en moins à son idée, se réalise elle-même. Et il y a dans l'histoire humaine non seulement une évolution nécessaire, mais une direction intelligible et un sens idéal. Donc, tout le long des siècles, l'homme n'a pu aspirer à la justice qu'en aspirant à un ordre social moins contradictoire à l'homme que l'ordre présent, et préparé par cet ordre présent, et ainsi l'évolution de ses idées morales est bien réglée par l'évolution des formes économiques, mais en même temps, à travers tous ces arrangements successifs, l'humanité se cherche et s'affirme elle-même, et quelle que soit la diversité des milieux, des temps, des revendications économiques, c'est un même souffle de plainte et d'espérance qui sort de la bouche de l'esclave, du serf et du prolétaire ; c'est ce souffle immortel d'humanité qui est l'âme de ce qu'on appelle le droit. Il ne faut donc pas opposer la conception matérialiste et la conception idéaliste de l'histoire. Elles se confondent en un développement unique et indissoluble, parce que si on ne peut abstraire l'homme des rapports économiques, on ne peut abstraire les rapports économiques de l'homme et l'histoire, en même temps qu'elle est un phénomène qui se déroule selon une loi mécanique, est une aspiration qui se réalise selon une loi idéale.

Et, après tout, n'en est-il pas de toute l'évolution de la vie comme de l'évolution de l'histoire ? Sans doute, la vie n'est passée d'une forme à une autre, d'une espèce à une autre, que sous la double action du milieu et des conditions biologiques immédiatement préexistantes et tout le développement de la vie est susceptible d'une explication matérialiste, mais en même temps on peut dire que la forme initiale de vie concentrée dans les premières granulations vivantes et les conditions générales de l'existence planétaire déterminaient d'avance la marche générale et comme le plan de la vie sur notre planète. Ainsi, les êtres sans nombre qui ont évolué, en même temps qu'ils ont subi une loi, ont collaboré par une aspiration secrète à la réalisation d'un plan de vie. Le développement de la vie physiologique comme de la vie historique a donc été fait ensemble idéaliste et matérialiste. Et la synthèse que je vous propose se rattache à une synthèse plus générale que je ne puis qu'indiquer sans la fortifier.

Mais pour revenir à la question économique, est-ce que Marx lui-même ne réintroduit pas dans sa conception historique l'idée, la notion de l'idéal, du progrès, du droit ? Il n'annonce pas seulement la société communiste comme la conséquence nécessaire de l'ordre capitaliste : il montre qu'en elle cessera enfin cet antagonisme des classes qui épuise l'humanité : il montre aussi que pour la première fois la vie pleine et libre sera réalisée par l'homme, que les travailleurs auront tout ensemble la délicatesse nerveuse de l'ouvrier et la vigueur tranquille du paysan, et que l'humanité se redressera, plus heureuse et plus noble, sur la terre renouvelée.

N'est-ce pas reconnaître que le mot justice a un sens, même dans la conception matérialiste de l'histoire, et la conciliation que je vous propose n'est-elle pas, dès lors, acceptée de vous ?

(Œuvres de Jean Jaurès : *Études Socialistes*, T. II, pages 18 et 19 [1])

LA DIGNITÉ DE L'ESPRIT HUMAIN

Dans son introduction à l'*Histoire Socialiste*, il se propose, à travers l'évolution des formes économiques et sociales, « de faire sentir toujours cette haute dignité de l'esprit libre ». Son interprétation de l'histoire sera à la fois « matérialiste avec Marx et mystique avec Michelet ». Il pense que « l'histoire ne dispensera jamais les hommes de la vaillance et de la noblesse individuelles ».

Comment, à travers quelles crises, par quels efforts des hommes et quelle évolution des choses le prolétariat a-t-il grandi jusqu'au rôle décisif qu'il va jouer demain ? C'est ce que nous tous, militants socialistes, nous nous proposons de raconter. Nous savons que les conditions économiques, la forme de la production et de la propriété sont le fond même de l'histoire. De même que pour la plupart des individus humains l'essentiel de la vie, c'est le métier, de même que le métier, qui est la forme économique de l'activité individuelle, détermine le plus souvent les habitudes, les pensées, les douleurs, les joies, les rêves même des hommes, de même, à chaque période de l'histoire, la structure économique de la Société détermine les formes politiques, les mœurs sociales, et même la direction générale de la pensée. Aussi nous appliquerons-nous, à chaque époque de ce récit, à découvrir les fondements économiques de la vie humaine. Nous tâcherons de

[1] La conférence se trouve également reproduite dans les *Pages Choisies*, pages 358 à 374 ; un long fragment figure dans le *Jaurès* d'É. Vandervelde (pages 55 à 68).

suivre le mouvement de la propriété, et l'évolution même de la technique industrielle et agricole. Et, à grands traits, comme il convient dans un tableau forcément sommaire, nous marquerons l'influence de l'état économique sur les gouvernements, les littératures, les systèmes.

Mais nous n'oublions pas, Marx lui-même, trop souvent rapetissé par des interprètes étroits, n'a jamais oublié que c'est sur des hommes qu'agissent les forces économiques. Or les hommes ont une diversité prodigieuse de passions et d'idées ; et la complication presque infinie de la vie humaine ne se laisse pas réduire brutalement, mécaniquement, à une formule économique. De plus, bien que l'homme vive avant tout de l'humanité, bien qu'il subisse surtout l'influence enveloppante et continue du milieu social, il vit aussi, par les sens et par l'esprit, dans un milieu plus vaste, qui est l'univers même.

Sans doute, la lumière même des étoiles les plus lointaines et les plus étrangères au système humain n'éveille, dans l'imagination du poète, que des rêves conformes à la sensibilité générale de son temps et au secret profond de la vie sociale, comme c'est de l'humidité cachée de la terre que le rayon de lune forme le brouillard léger qui flotte sur la prairie. En ce sens, même les vibrations stellaires, si hautes et si indifférentes qu'elles paraissent, sont harmonisées et appropriées par le système social et par les forces économiques qui le déterminent. Gœthe, entrant un jour dans une manufacture, fut pris de dégoût pour ses vêtements qui exigeaient un si formidable appareil de production. Et pourtant, sans ce premier essor industriel de la bourgeoisie allemande, le vieux monde germanique, somnolent et morcelé, n'aurait pu ni éprouver ni comprendre ces magnifiques impatiences de vie qui font éclater l'âme de Faust.

Mais quel que soit le rapport de l'âme humaine, en ses rêves même les plus audacieux ou les plus subtils, avec le système économique et social, elle va au delà du milieu humain, dans l'immense milieu cosmique. Et le contact de l'univers fait vibrer en elle des forces mystérieuses et profondes, forces de l'éternelle vie mouvante qui précéda les sociétés humaines et qui les dépassera. Donc, autant il serait vain et faux de nier la dépendance de la pensée et du rêve même à l'égard du système économique et des formes précises de la production, autant il serait puéril et grossier d'expliquer sommairement le mouvement de la pensée humaine par la seule évolution des formes économiques. Très souvent l'esprit de l'homme s'appuie sur le système social pour le dépasser et lui résister ; entre l'esprit individuel et le pouvoir social il y a ainsi tout à la fois solidarité et conflit. C'est le système des nations et des monarchies modernes, à demi émancipées de l'Église, qui a permis la libre science des Kepler et des Galilée ; mais, une fois en possession de la vérité, l'esprit ne relève plus ni du prince, ni de la société, ni de l'humanité ; c'est la vérité elle-même, avec son ordonnance et son enchaînement, qui devient, si je puis dire, le milieu immédiat de l'esprit, et, bien que Kepler et Galilée aient appuyé leurs observations et leurs travaux d'astronomes aux fondements de l'État moderne, ils ne relevaient plus, après leurs observations ou leurs calculs, que d'eux-mêmes et de l'univers. Le monde social, où ils avaient pris leur point d'appui et leur élan, s'ouvrait, et leur pensée ne connaissait plus d'autres lois que les lois mêmes de l'immensité sidérale.

Il nous plaira, à travers l'évolution à demi mécanique des formes économiques et sociales, de faire sentir toujours cette haute dignité de l'esprit libre, affranchi de l'humanité elle-même par l'éternel univers. Les plus intransigeants des théoriciens marxistes ne sauraient nous le reprocher. Marx, en une page admirable, a déclaré que jusqu'ici les sociétés humaines n'avaient été gouvernées que par la fatalité, par l'aveugle mouvement des formes économiques ; les institutions, les idées n'ont pas été l'œuvre consciente de l'homme libre, mais le reflet de l'inconsciente vie sociale dans le cerveau humain. Nous ne sommes encore, selon Marx, que dans la préhistoire. L'histoire humaine ne commencera véritablement que lorsque l'homme, échappant enfin à la tyrannie des forces inconscientes, gouvernera par sa raison et sa volonté la production elle-même. Alors, son esprit ne subira plus le despotisme des formes économiques créées et dirigées par lui, et c'est d'un regard libre et immédiat qu'il contemplera l'univers. Marx entrevoit donc une période de pleine liberté intellectuelle où la pensée humaine, n'étant plus déformée par les servitudes économiques, ne déformera pas le monde. Mais, à coup sûr, Marx ne conteste pas que déjà, dans les ténèbres de la période inconsciente, de hauts esprits se soient élevés à la liberté ; par eux l'humanité se prépare et s'annonce.

C'est à nous de recueillir ces premières manifestations de la vie de l'esprit : elles nous permettent de pressentir la grande vie ardente et libre de l'humanité communiste qui, affranchie de tout servage, s'appropriera l'univers par la science, l'action et le rêve. C'est comme le premier frisson qui dans la forêt humaine n'émeut encore que quelques feuilles mais qui annonce les grands souffles prochains et les vastes ébranlements.

L'histoire ne dispensera pas de la vaillance

Aussi notre interprétation de l'histoire sera-t-elle à la fois matérialiste avec Marx et mystique avec Michelet. C'est bien la vie économique qui a été le fond et le ressort de l'histoire humaine, mais, à travers la succession des formes sociales, l'homme, force pensante, aspire à la pleine vie de la pensée, à la communion ardente de l'esprit inquiet, avide d'unité, et du mystérieux univers. Le grand mystique d'Alexandrie disait : « Les hautes vagues de la mer ont soulevé ma barque et j'ai pu voir le soleil levant à l'instant même où il sortait des flots ». De même, les vastes flots montants de la Révolution économique soulèveront la barque humaine pour que l'homme, pauvre pêcheur lassé d'un long travail nocturne, salue de plus haut la première lueur de l'esprit grandissant qui va se lever sur nous.

Et nous ne dédaignerons pas non plus, malgré notre interprétation économique des grands phénomènes humains, la valeur morale de l'histoire. Certes, nous savons que les beaux mots de liberté et d'humanité ont trop souvent couvert, depuis un siècle, un régime d'exploitation et d'oppression. La Révolution française a proclamé les droits de l'homme ; mais les classes possédantes ont compris sous ce mot les droits de la bourgeoisie et du capital.

Elles ont proclamé que les hommes étaient libres quand les possédants n'avaient sur les non-possédants d'autre moyen de domination que la propriété elle-même, mais la propriété c'est la force souveraine, qui dispose de toutes les autres. Le fond de la société bourgeoise est donc un monstrueux égoisme de classe compliqué d'hypocrisie. Mais il y a eu des heures où la Révolution naissante confondait avec l'intérêt de la bourgeoisie révolutionnaire l'intérêt de l'humanité, et un enthousiasme humain vraiment admirable a plus d'une fois empli les cœurs. De même dans les innombrables conflits déchaînés par l'anarchie bourgeoise, dans les luttes des partis et des classes, ont abondé les exemples de fierté, de vaillance et de courage. Nous saluerons toujours, avec un égal respect, les héros de la volonté, en nous élevant au-dessus des mêlées sanglantes, nous glorifierons à la fois les républicains bourgeois proscrits en 1851 par le coup d'État triomphant et les admirables combattants prolétariens tombés en juin 1848.

Mais qui nous en voudra d'être surtout attentifs aux vertus militantes de ce prolétariat accablé qui, depuis un siècle, a si souvent donné sa vie pour un idéal encore obscur ? Ce n'est pas seulement par la force des choses que s'accomplira la Révolution Sociale ; c'est par la force des hommes, par l'énergie des consciences et des volontés. L'histoire ne dispensera jamais les hommes de la vaillance et de la noblesse individuelles. Et le niveau moral de la société communiste de demain sera marqué par la hauteur morale des consciences individuelles dans la classe militante d'aujourd'hui. Proposer en exemple tous les combattants héroïques, qui depuis un siècle ont eu la passion de l'idée et le sublime mépris de la mort, c'est donc faire œuvre révolutionnaire. Nous ne sourions pas des hommes de la Révolution qui lisaient les *Vies* de Plutarque ; à coup sûr les beaux élans d'énergie intérieure qu'ils suscitaient ainsi en eux changeaient peu de choses à la marche des événements. Mais, du moins, ils restaient debout dans la tempête, ils ne montraient pas, sous l'éclair des grands orages, des figures décomposées par la peur. Et si la passion de la gloire animait en eux la passion de la liberté, ou le courage du combat, nul n'osera leur en faire grief.

Ainsi nous essaierons dans cette histoire socialiste, qui va de la Révolution bourgeoise à la période préparatoire de la Révolution prolétarienne, de ne rien retrancher de ce qui fait la vie humaine. Nous tâcherons de comprendre et de traduire l'évolution économique fondamentale qui gouverne les sociétés, l'ardente aspiration de l'esprit vers la vérité totale, et la noble exaltation de la conscience individuelle défiant la souffrance, la tyrannie et la mort. C'est en poussant à bout le mouvement économique que le prolétariat s'affranchira et deviendra l'humanité. Il faut donc qu'il prenne une conscience nette, dans l'histoire, et du mouvement économique et de la grandeur humaine. Au risque de surprendre un moment nos lecteurs par le disparate de ces grands noms, c'est sous la triple inspiration de Marx, de Michelet et de Plutarque que nous voudrions écrire cette modeste histoire, où chacun des militants qui y collaborent mettra sa nuance de pensée, où tous mettront la même doctrine essentielle et la même foi.

(*Histoire Socialiste*, Introduction générale, T. I (*La Cons-tituante*), pages 23 à 27 [1])

LE COURAGE ET LA JEUNESSE

> Dans le passage le plus fréquemment cité du *Discours à la Jeunesse* (Lycée d'Albi, 1903), Jaurès se défend de vouloir « abaisser et énerver » les courages. Tout au contraire, la guerre abolie, les occasions ne manqueront pas aux hommes « d'exercer et d'éprouver leur courage ».

Surtout, qu'on ne nous accuse point d'abaisser et d'énerver les courages. L'humanité est maudite, si pour faire preuve de courage elle est condamnée à tuer éternellement. Le courage, aujourd'hui, ce n'est pas de maintenir sur le monde la sombre nuée de la Guerre, nuée terrible, mais dormante, dont on peut toujours se flatter qu'elle éclatera sur d'autres. Le courage, ce n'est pas de laisser aux mains de la force la solution des conflits que la raison peut résoudre ; car le courage pour vous tous, courage de toutes les heures, c'est de supporter sans fléchir les épreuves de tout ordre, physiques et morales, que prodigue la vie. Le courage, c'est de ne pas livrer sa volonté au hasard des impressions et des forces ; c'est de garder dans les lassitudes inévitables l'habitude du travail et de l'action. Le courage dans le désordre infini de la vie qui nous sollicite de toutes parts, c'est de choisir un métier et de le bien faire, quel qu'il soit : c'est de ne pas se rebuter du détail minutieux ou monotone ; c'est de devenir, autant que l'on peut, un technicien accompli, c'est d'accepter et de comprendre cette loi de la spécialisation du travail qui est la condition de l'action utile, et cependant de ménager à son regard, à son esprit, quelques échappées vers le vaste monde et des perspectives plus

[1] Cette préface est reproduite dans *Jaurès*, par É. Vandervelde (pages 68 à 80).

étendues. Le courage, c'est d'être tout ensemble et quel que soit le métier, un praticien et un philosophe. Le courage, c'est de comprendre sa propre vie, de la préciser, de l'approfondir, de l'établir et de la coordonner cependant à la vie générale. Le courage, c'est de surveiller exactement sa machine à filer ou à tisser, pour qu'aucun fil ne se casse, et de préparer cependant un ordre social plus vaste et plus fraternel où la machine sera la servante commune des travailleurs libérés. Le courage, c'est d'accepter les conditions nouvelles que la vie fait à la science et à l'art, d'accueillir, d'explorer la complexité presque infinie des faits et des détails, et cependant d'éclairer cette réalité énorme et confuse par des idées générales, de l'organiser et de la soulever par la beauté sacrée des formes et des rythmes. Le courage, c'est de dominer ses propres fautes, d'en souffrir, mais de n'en pas être accablé et de continuer son chemin. Le courage, c'est d'aimer la vie et de regarder la mort d'un regard tranquille ; c'est d'aller à l'idéal et de comprendre le réel ; c'est d'agir et de se donner aux grandes causes sans savoir quelle récompense réserve à notre effort l'univers profond, ni s'il lui réserve une récompense. Le courage, c'est de chercher la vérité et de la dire ; c'est de ne pas subir la loi du mensonge triomphant qui passe, et de ne pas faire écho, de notre âme, de notre bouche et de nos mains aux applaudissements imbéciles et aux huées fanatiques.

Ah ! vraiment, comme notre conception de la vie est pauvre, comme notre science de vivre est courte, si nous croyons que, la guerre abolie, les occasions manqueront aux hommes d'exercer et d'éprouver leur courage, et qu'il faut prolonger les roulements de tambour qui dans les lycées du premier Empire faisaient sauter les cœurs ! Ils sonnaient alors un son héroïque ; dans notre vingtième siècle, ils sonneraient creux. Et vous, jeunes gens, vous voulez que votre vie soit vivante, sincère et pleine. C'est pourquoi je vous ai dit, comme à des hommes, quelques-unes des choses que je portais en moi.

(*Discours à la Jeunesse*, Édition de la Librairie Populaire du Parti socialiste, pages 14 à 16)

LA JEUNESSE PENSANTE ET LE PEUPLE

Jaurès aime à conseiller la jeunesse. Dans un article de la
Dépêche de Toulouse du 14 juillet 1889, il précise le devoir de la
« jeunesse pensante », qui est d'assurer dans le peuple la continuité de pensée. La jeunesse pensante devra pouvoir « communiquer au peuple tout ce qu'elle porte en elle ».

Qu'est-ce qui manque le plus au peuple, dans l'ordre intellectuel
et moral d'où tout le reste dépend ? C'est le sentiment continu,
ininterrompu de sa valeur. Le peuple a, par intermittence, par
éclair, le sentiment de sa valeur, de son rôle dans le mouvement
des idées, des droits que ce rôle lui confère ; mais il ne l'a pas
toujours. Il s'est mêlé à toutes les grandes révolutions morales
de l'âme humaine, et, par conséquent, des sociétés ; il y a eu sa
part, mais il n'a pas su en garder la direction. Sans le peuple,
qu'aurait été le christianisme naissant ? Le travail de la conscience
et de l'esprit antiques l'avait préparé ; mais ce sont les multitudes
souffrantes et douces qui l'ont fait en y versant leur besoin
d'espérer et d'aimer. Or, à peine né, le christianisme échappait
au peuple et le peuple laissait faire.

Au bout de quelques siècles, une hiérarchie fanatique, oppres-
sive de l'esprit et du peuple même, s'était substituée à la douceur
de l'Évangile. Pourquoi ? parce que l'âme du peuple, après
l'explosion du mystère qui était en elle, était rentrée dans le
sommeil. De même pour la Révolution française : si les idées des
penseurs du dix-huitième siècle n'avaient pas pénétré jusqu'au
fond du peuple, si elles n'avaient pas mis en mouvement le
ressort populaire, la Révolution n'aurait pas été accomplie. Et le
peuple, un moment, vit plus clair que la bourgeoisie pensante
elle-même, car, tandis que celle-ci s'épuisait à fonder sur une
démocratie soulevée la monarchie constitutionnelle, le peuple,
avec sa sûre logique, poussait droit à la République ; c'est-à-dire
que sa pensée allait d'emblée jusqu'au fond même de la Révolution. Mais, parce qu'il avait les passagères exaltations et non la
fermeté de la pensée continue, il n'a su garder la Révolution ni des
violences et des excès où elle a été entraînée par une minorité, ni
du despotisme où elle a été précipitée par une défaillance presque
universelle de la conscience et de la raison. C'est ainsi encore

que le peuple a laissé la Révolution de 1830, faite par lui, lui échapper.

Aujourd'hui même, dans ce phénomène étrange et double qu'on appelle le boulangisme, que voyons-nous ? D'une part, dans le peuple, une aspiration juste, sincère, énergique, vers un ordre politique et social meilleur ; d'autre part, dans ce même peuple, une insuffisance et comme une chute de pensée qui lui fait livrer à ses pires ennemis, les démagogues viveurs, effrontés et césariens, ses plus chères espérances.

Ainsi, partout et toujours, je constate dans la conscience populaire la générosité première et la droiture de l'instinct, la hauteur des pensées, des sentiments, des espérances soulevées par les grands événements, mais aussi les affaissements subits et les longues inerties intellectuelles et morales. L'idéal, alors, dort dans le peuple d'un lourd sommeil qui ressemble à la mort ; les plus belles créations de la pensée et de la conscience humaine passent bien au-dessus de lui, comme des nuées d'or passant sur la terre aride sans la rafraîchir et là féconder.

Quel est donc à l'heure actuelle, le devoir de la jeunesse pensante ? C'est d'assurer dans le peuple cette continuité de pensée, qui est en même temps une continuité de dignité et de force. Le premier moyen, c'est de mêler pour le peuple l'exercice de la pensée à l'exercice du travail quotidien. Il ne faut pas que le métier, qui prend presque toute la vie, soit une routine ; il faut que le travailleur ait l'intelligence constante de la machine qu'il dirige, de l'œuvre d'ensemble à laquelle il concourt, des procédés qu'il emploie. Il faut que, dans les industries innombrables où le métier touche de très près à l'art, pour les étoffes, pour les mobiliers, pour le bâtiment, le peuple soit habitué, par une éducation professionnelle très haute, à comprendre, à goûter, à créer la beauté artistique mêlée au travail de ses mains. Quelle grande tâche pour tous ces jeunes gens, ingénieurs, industriels, architectes, dessinateurs, chimistes, que de développer pour les tisserands, pour les menuisiers, les charpentiers, les ébénistes, les maçons, cette éducation professionnelle qui fera du travail des mains un éveil presque constant et une joie de l'esprit !

Et croyez bien que, lorsque l'homme a acquis dans la vie quotidienne le sentiment de sa valeur propre, de la valeur de l'intelligence et de l'esprit, il porte ce sentiment en toutes choses :

dans la conduite de la société, qu'il dirige pour sa part en citoyen libre, dans la conception du monde, où il cherche et retrouve sans efforts le meilleur de lui-même, c'est-à-dire la pensée. Lorsqu'un homme, si humble qu'il soit, sait jusque dans l'intimité de sa vie et dans la familiarité de son travail ce que vaut l'esprit, il est apte à tout comprendre. Car, qu'est-ce que l'art, sinon la manifestation multiple et symbolique de l'esprit ? Qu'est-ce que la philosophie, sinon le sens, la perception de ce qui est l'esprit dans le monde ? Alors, la jeunesse pensante pourra communiquer au peuple tout ce qu'elle porte en elle, et elle aura cette joie sublime d'amener tous les hommes à la plénitude de l'humanité.

(*Pages Choisies*, pages 169 à 171 [1])

QU'ALLEZ-VOUS FAIRE DE VOS VINGT ANS ?

C'est encore à la jeunesse qu'il s'adresse dans un de ses derniers discours. Parlant, le 22 janvier 1914, aux Sociétés Savantes, à l'occasion des obsèques de Francis de Pressensé, il met en garde les jeunes gens contre la philosophie de l'instinct, contre l'abdication de l'intelligence ; il leur demande de combattre pour la paix, car « l'affirmation de la paix est le plus grand des combats ». Il les exhorte à venir au socialisme pour se diriger vers « l'harmonie souveraine ».

Oh ! je ne demande pas aux jeunes gens de venir à nous par mode. Ceux que la mode nous a donnés, la mode nous les a repris. Qu'elle les garde. Ils vieilliront avec elle. Mais je demande à tous ceux qui prennent au sérieux la vie, si brève même pour eux, qui nous est donnée à tous, je leur demande : « Qu'allez-vous faire de vos vingt ans ? Qu'allez-vous faire de vos cœurs ? Qu'allez-vous faire de vos cerveaux ? »

On vous dit, c'est le refrain d'aujourd'hui : Allez à l'action. Mais qu'est-ce que l'action sans la pensée ? C'est la brutalité de l'inertie. On vous dit : Écartez-vous de ce parti de la paix qui débilite les courages. Et nous, nous disons qu'aujourd'hui

---

[1] L'article, qui fait partie du recueil *Action Socialiste* (pages 60 à 63), est également reproduit dans *Jaurès*, par Émile Vandervelde (pages 93 à 96).

l'affirmation de la paix est le plus grand des combats : combat pour refouler dans les autres et en soi-même les aspirations brutales et les conseils grossiers de l'orgueil convoité ; combat pour braver l'ignominie des forces inférieures de barbarie qui prétendent, par une insolence inouïe, être les gardiennes de la civilisation française ! Il n'y a d'action que dans le parti de la justice ; il n'y a de pensée qu'en lui. Méfiez-vous de ceux qui vous mettent en garde contre ce qu'ils appellent les systèmes et qui vous conseillent, sous le nom de philosophie de l'instinct ou de l'intuition, l'abdication de l'intelligence. Quand vous aurez renoncé à vous construire votre doctrine vous-mêmes, il y aura de l'autre côté de la route des doctrines toutes bâties qui vous offriront leur abri.

Et moi, je vous dis que l'intuition n'est rien, si elle n'est pas la perception rapide et géniale d'analogies jusque-là insoupçonnées entre des ordres de phénomènes qui paraissaient distincts. C'est par l'analogie, c'est par une intuition, non pas d'instinct et de hasard et de sentiment, mais de pensée, que Newton a trouvé le système du monde, que Lamarck a entrevu la loi de l'évolution universelle, que Claude Bernard, avec des hypothèses vérifiées, mais hardies, a pénétré dans le domaine de la physiologie vivante. Pour guider les hommes, il faut la lumière de l'idée, et il n'y a la lumière de l'idée que dans les partis qui, comme le socialisme, systématisent la réalité, en traduisent la formule. N'ayez pas peur d'être enfermés chez nous dans je ne sais quelle doctrine médiocre. Toujours, toujours la doctrine sociale a été liée à des doctrines de philosophie générale. Saint-Simon, Fourier, Marx, Engels, Pressensé, tous, ils ont compris que les lois de l'évolution sociale étaient liées au drame du devenir universel. Avec le socialisme, vous entreprenez à travers la vérité, à travers la réalité, vers la justice, vers l'harmonie souveraine, vers la beauté suprême de l'accord des volontés libres, vous entreprenez vers cet idéal admirable, le voyage le plus lointain, le plus hardi, celui qu'aucun autre voyage de l'action ou de la pensée ne dépassera, celui qui, suivant le fragment d'un grand poète grec, « vous portera à l'extrémité des vents et des flots ».

C'est ce voyage vers la justice, vers la vérité qu'avec les socialistes et avec les prolétaires, Pressensé avait entrepris. Vous ne pouvez faire œuvre plus noble que de retenir son exemple et de faire passer dans votre vie la noblesse de sa vie.

(*Pages Choisies*, pages 259 et 260 [1])

AUX INSTITUTEURS ET INSTITUTRICES

Jaurès parle souvent aux instituteurs. Dans un article de la *Dépêche de Toulouse* du 15 janvier 1888, il définit minutieusement leur tâche. Il précise les responsabilités de ceux qui ne doivent pas « fabriquer simplement des machines à épeler » mais former des hommes.

Vous tenez en vos mains l'intelligence et l'âme des enfants ; vous êtes responsables de la patrie. Les enfants qui vous sont confiés n'auront pas seulement à écrire et à déchiffrer une lettre, à lire une enseigne au coin d'une rue, à faire une addition et une multiplication. Ils sont Français et ils doivent connaître la France, sa géographie et son histoire : son corps et son âme. Ils seront citoyens et ils doivent savoir ce qu'est une démocratie libre, quels droits leur confère, quels devoirs leur impose la souveraineté de la nation. Enfin ils seront hommes et il faut qu'ils aient une idée de l'homme, il faut qu'ils sachent quelle est la racine de toutes nos misères : l'égoïsme aux formes multiples ; quel est le principe de notre grandeur : la fierté unie à la tendresse. Il faut qu'ils puissent se représenter à grands traits l'espèce humaine domptant peu à peu les brutalités de la nature et les brutalités de l'instinct, et qu'ils démêlent les éléments principaux de cette œuvre extraordinaire qui s'appelle la civilisation. Il faut leur montrer la grandeur de la pensée ; il faut leur enseigner le respect et le culte de l'âme en éveillant en eux le sentiment de l'infini qui est notre joie, et aussi notre force, car c'est par lui que nous triompherons du mal, de l'obscurité et de la mort.

Eh ! quoi. Tout cela à des enfants ! — Oui, tout cela, si vous ne voulez pas fabriquer simplement des machines à épeler. Je sais quelles sont les difficultés de la tâche. Vous gardez vos écoliers peu d'années et ils ne sont point toujours assidus, surtout

[1] Le texte complet du discours se trouve dans le *Bulletin de la Ligue des Droits de l'Homme* (février 1914).

à la campagne. Ils oublient l'été le peu qu'ils ont appris l'hiver. Ils font souvent, au sortir de l'école, des rechutes profondes d'ignorance et de paresse d'esprit, et je plaindrais ceux d'entre vous qui ont pour l'éducation des enfants du peuple une grande ambition, si cette grande ambition ne supposait un grand courage.

J'entends dire, il est vrai : « A quoi bon exiger tant de l'école ? Est-ce que la vie elle-même n'est pas une grande institutrice ? Est-ce que, par exemple, au contact d'une démocratie ardente, l'enfant devenu adulte ne comprendra point de lui-même les idées de travail, d'égalité, de justice, de dignité humaine qui sont la démocratie elle-même ? » — Je le veux bien, quoiqu'il y ait encore dans notre société, qu'on dit agitée, bien des épaisseurs dormantes où croupissent les esprits. Mais autre chose est de faire, tout d'abord, amitié avec la démocratie par l'intelligence ou par la passion. La vie peut mêler, dans l'âme de l'homme, à l'idée de justice tardivement éveillée, une saveur amère d'orgueil blessé ou de misère subie, un ressentiment et une souffrance. Pourquoi ne pas offrir la justice à des cœurs tout neufs ? Il faut que toutes nos idées soient comme imprégnées d'enfance, c'est-à-dire de générosité pure et de sérénité.

Savoir lire

Comment donnerez-vous à l'école primaire l'éducation si haute que j'ai indiquée ? Il y a deux moyens. Il faut d'abord que vous appreniez aux enfants à lire avec une facilité absolue, de telle sorte qu'ils ne puissent plus l'oublier de la vie et que, dans n'importe quel livre, leur œil ne s'arrête à aucun obstacle. Savoir lire vraiment sans hésitation, comme nous lisons vous et moi, c'est la clef de tout. Est-ce savoir lire que de déchiffrer péniblement un article de journal, comme les érudits déchiffrent un grimoire ? J'ai vu, l'autre jour, un directeur très intelligent d'une école de Belleville, qui me disait : « Ce n'est pas seulement à la campagne qu'on ne sait lire qu'à peu près, c'est-à-dire point du tout ; à Paris même, j'en ai qui quittent l'école sans que je puisse affirmer qu'ils savent lire ». Vous ne devez pas lâcher vos écoliers, vous ne devez pas, si je puis dire, les appliquer à autre chose tant qu'ils ne seront point par la lecture aisée en relation familière avec la pensée humaine. Qu'importent vraiment à côté de cela quelques fautes d'orthographe de plus ou de moins, ou quelques erreurs de système métrique ? Ce sont des vétilles dont vos programmes, qui manquent absolument de proportion, font l'essentiel.

J'en veux mortellement à ce certificat d'études primaires qui exagère encore ce vice secret des programmes. Quel système déplorable nous avons en France avec ces examens à tous les degrés, qui suppriment l'initiative du maître et aussi la bonne foi de l'enseignement, en sacrifiant la réalité à l'apparence ! Mon inspection serait bientôt faite dans une école. Je ferais lire les écoliers, et c'est là-dessus seulement que je jugerais le maître.

Sachant bien lire, l'écolier, qui est très curieux, aurait bien vite, avec sept ou huit livres choisis, une idée, très générale, il est vrai, mais très haute de l'histoire de l'espèce humaine, de la structure du monde, de l'histoire propre de la terre dans le monde, du rôle propre de la France dans l'humanité. Le maître doit intervenir pour aider ce premier travail de l'esprit ; il n'est pas nécessaire qu'il dise beaucoup, qu'il fasse de longues leçons ; il suffit que tous les détails qu'il leur donnera concourent nettement à un tableau d'ensemble. De ce que l'on sait de l'homme primitif à l'homme d'aujourd'hui, quelle prodigieuse transformation ! et comme il est aisé à l'instituteur, en quelques traits, de faire sentir à l'enfant l'effort inouï de la pensée humaine !

Seulement, pour cela, il faut que le maître lui-même soit tout pénétré de ce qu'il enseigne. Il ne faut pas qu'il récite le soir ce qu'il a appris le matin ; il faut, par exemple, qu'il se soit fait en silence une idée claire du ciel, du mouvement des astres ; il faut qu'il se soit émerveillé tout bas de l'esprit humain, qui, trompé par les yeux, a pris tout d'abord le ciel pour une voûte solide et basse, puis a deviné l'infini de l'espace et a suivi dans cet infini la route précise des planètes et des soleils ; alors, et alors seulement, lorsque, par la lecture solitaire et la méditation, il sera tout plein d'une grande idée et tout éclairé intérieurement, il communiquera sans peine aux enfants, à la première occasion, la lumière et l'émotion de son esprit. Ah ! sans doute, avec la fatigue écrasante de l'école, il est malaisé de vous ressaisir ; mais il suffit d'une demi-heure par jour pour maintenir la pensée à sa hauteur et pour ne pas verser dans l'ornière du métier. Vous serez plus que payés de votre peine, car vous sentirez la vie de l'intelligence s'éveiller autour de vous.

Il ne faut pas croire que ce soit proportionner l'enseignement aux enfants que de le rapetisser. Les enfants ont une curiosité illimitée, et vous pouvez tout doucement les mener au bout du monde. Il y a un fait que les philosophes expliquent différemment suivant les systèmes, mais qui est indéniable : « Les enfants ont en eux des germes, des commencements d'idées ». Voyez avec quelle facilité ils distinguent le bien du mal, touchant ainsi aux deux pôles du monde ; leur âme recèle des trésors à fleur de terre : il suffit de gratter un peu pour les mettre à jour. Il ne faut donc pas craindre de leur parler avec sérieux, simplicité et grandeur.

Je dis donc aux maîtres, pour me résumer : lorsque d'une part vous aurez appris aux enfants à lire à fond, et lorsque d'autre part, en quelques causeries familières et graves, vous leur aurez parlé des grandes choses qui intéressent la pensée et la conscience humaine, vous aurez fait sans peine en quelques années œuvre complète d'éducateurs. Dans chaque intelligence, il y aura un sommet, et, ce jour-là, bien des choses changeront.

(*Pages Choisies*, pages 92 à 95 [1])

---

[1] L'article fait partie du recueil *Action Socialiste*.

CHAPITRE VI

POÉSIE

Les discours et les articles de Jean Jaurès sont presque toujours traversés d'images ou d'éclairs poétiques. Mais nous avons cru devoir, en fin d'ouvrage, publier quelques fragments, pour la plupart très connus, qui n'avaient pas trouvé place dans les chapitres précédents, et qui sont comme des jaillissements de poésie. Une anthologie qui eût négligé ces morceaux, dont plusieurs sont déjà classiques, eût semblé par trop imparfaite.

LA HOUILLE ET LE BLÉ

Jaurès est toujours proche de la terre et de la nature. Une promenade dans la campagne donne essor à son rêve. Quelques blocs de houille près de gerbiers dorés . . . il n'en faut pas davantage pour faire éclore les réflexions les plus poétiques sur le travail humain.

Cet article éblouissant parut dans la *Petite République* du 31 juillet 1901.

Au pied des gerbiers dorés qui attendent la visite prochaine de la batteuse, les paysans apportent quelques blocs de houille luisante et noire. C'est le charbon qui demain fera aller la machine.

Ainsi, c'est par la houille, par le grand moteur de l'industrie que s'achève maintenant le cycle du blé. C'est une association d'images et de forces toute neuve.

Il y a quelques années, le charbon évoquait à l'esprit ou les grandes gares sonores, ou les vastes usines closes, trépidantes et poussiéreuses. Le voilà aujourd'hui qui mêle son éclat souterrain et sombre à la splendeur ouverte des moissons que dora le grand espace clair. Demain, il fera haleter la machine en pleine nature recueillie, et l'ombre de sa fumée inquiète passera sur les prés à la croissance lente, où les forces de la vie travaillaient silencieusement. En cette houille, s'était emmagasinée depuis des milliers de siècles, la chaleur solaire. Ainsi, tandis que le soleil des jours présents mûrit les épis de blé, c'est le soleil des jours lointains ranimé par le génie de l'homme, qui aide le paysan à séparer le grain de la paille.

Le travail humain appelle à soi, avec les vifs rayons de la lumière d'aujourd'hui, la force obscure de la lumière de jadis ! Et le « geste auguste du semeur », ouvrant le cycle du blé que la houille achèvera, ne s'élargit pas seulement aux horizons visibles : il évoque en outre maintenant, pour l'accomplissement suprême de l'œuvre, les forces qui rayonnèrent dans les horizons du passé.

Quel magnifique témoignage de la croissance de l'homme, de sa puissance grandissante sur la nature ! Quelle glorification de l'esprit qui crée ! Et comme les paysans tressailliraient parfois d'une joie profonde, si leur travail s'illuminait de pensée ! Il faut éveiller leur conscience et leur révéler presque dans la familiarité de leur vie, dans leurs actes les plus accoutumés et les plus simples, la grandeur du génie humain.

Mais n'est-ce pas l'homme aussi qui crée le blé ? Les productions que l'on appelle naturelles ne sont pas pour la plupart — celles du moins qui servent aux besoins de l'homme — l'œuvre spontanée de la nature. Ni le blé ni la vigne n'existaient avant que quelques hommes, les plus grands des génies inconnus, aient sélectionné et éduqué lentement quelque graminée ou quelque cep sauvage. C'est l'homme qui a deviné dans je ne sais quelle pauvre graine tremblant au vent des prairies, le trésor futur du froment. C'est l'homme qui a obligé la sève de la terre à condenser sa plus fine et savoureuse substance dans le grain de blé, ou à gonfler le grain de raisin.

Les hommes oublieux opposent aujourd'hui ce qu'ils appellent le vin naturel au vin artificiel, les créations de la nature aux combinaisons de la chimie. Il n'y a pas de vin naturel ; il n'y a pas de froment naturel. Le pain et le vin sont un produit du génie de l'homme. La nature elle-même est un merveilleux artifice humain. Sully-Prudhomme a surfait l'œuvre du soleil dans son vers magnifique :

> Soleil, père des blés, qui sont pères des races !

L'union de la terre et du soleil n'eût pas suffi à engendrer le blé. Il a fallu l'intervention de l'homme, de sa pensée inquiète et de sa volonté patiente. Les anciens le savaient lorsqu'ils attribuaient à des dieux, image glorieuse de l'homme, l'invention de la vigne et du blé. Mais depuis si longtemps, les paysans voient les moissons succéder aux moissons, et les blés sortir de la semence que donnèrent les blés, la création de l'homme s'est si bien incorporée à la terre, elle déborde si largement sur les coteaux et les plaines, que les paysans, tombés à la routine, prennent pour un don des forces naturelles l'antique chef-d'œuvre du génie humain.

Et comment, en effet, sans un effort de l'esprit, s'imaginer de façon vivante que cette grande mer des blés qui depuis des milliers d'années roule ses vagues, se couchant dorée et chaude en juin, pour redresser en mars son flot verdissant et frais, gonflé encore peu à peu en une magnifique crue d'or, comment s'imaginer que cette grande mer dont les saisons règlent le flux et le reflux, a sa source lointaine dans l'esprit de l'homme ?

Il en est ainsi pourtant, et une part essentielle de l'éducation des paysans sera de leur donner le sentiment vif, la sensation des choses. Leur défaut essentiel, c'est l'excès d'humilité devant la nature ; c'est la tendance à faire de ce qui est, dans l'ordre social comme dans l'ordre naturel, un immuable et inexorable destin. Même aujourd'hui, même après les prodigieuses inventions de la science, même après les applications de la chimie et de la mécanique au travail agricole, le progrès, même quand ils l'acceptent, ne leur paraît qu'un accident, une surprise partielle. Ils n'ont pas l'idée de l'évolution lente, mais infinie, de la race humaine. La vie est pour le paysan comme un radeau étroit sur un océan immobile. S'il n'y souffre pas trop de la faim, il ne regarde même pas l'horizon. Il commence pourtant à s'émouvoir. Et si nous savons par l'école, par une propagande ou quelque philosophie du monde et de l'histoire mettre un sens général, l'éveiller enfin à l'idée de l'évolution et du progrès, nous aurons hâté peut-être d'un siècle l'avènement d'une société plus rationnelle et plus juste.

Je sais bien que toute parole serait vaine et toute théorie impuissante, si déjà le mouvement des choses ne se faisait sentir dans la vie même et dans les habitudes du paysan. Il faut, et en cela le matérialisme historique est vrai, que les conditions économiques sollicitent la pensée de l'homme. Mais celle-ci n'est

point une force inerte. Elle va, dans le sens des faits, plus vite
que les faits eux-mêmes. Donner au paysan le sentiment profond
du mouvement universel ; lui rendre présentes par l'histoire, les
grandes transformations déjà accomplies ; le rendre attentif aux
transformations lentes, mais continues, qui s'accomplissent en
lui et autour de lui ; lui faire voir la puissance grandissante de
l'homme qui a créé sans cesse des formes nouvelles de la vie,
et de société, et créé pour ainsi dire la nature elle-même dans ses
plus nécessaires productions ; lui communiquer ainsi l'audace
d'esprit qui a fait l'humanité plus grande : il n'est pas de tâche
plus urgente, et elle n'est pas aujourd'hui au-dessus des forces
de l'esprit humain.

La houille est près du grenier. Que la science soit près du
moissonneur.

L'âme de feu de l'industrie est entrée dans le travail du paysan,
que l'ardente pensée du progrès, âme de feu de l'histoire humaine,
entre aussi dans son cerveau.

(*Pages Choisies*, pages 207 à 210)

AU CLAIR DE LUNE

Dans cet article — presque aussi connu que le précédent —
qui parut dans la *Dépêche de Toulouse* du 15 octobre 1890, un
paragraphe du début et la fin sont particulièrement poétiques.
L'article s'ouvre sur un paysage d'une pureté virgilienne et
s'achève en une véritable symphonie pastorale.

A travers la conversation de deux amis, on sent le Jaurès de
trente ans, qui hésite encore à se mêler aux organisations
socialistes, et qui s'interroge lui-même.

L'autre soir, à la campagne, je me promenais, tout en causant
avec un jeune ami qui est sorti un des premiers de l'École
Polytechnique après avoir fait d'excellentes études littéraires et
qui a l'esprit aussi précis qu'étendu.

Nous cheminions sur un plateau découvert, bordé à notre
gauche par de petits coteaux arrondis qui s'enchaînent les uns
aux autres par des prairies en forme de ravins. La pleine lune
éclairait l'espace transparent et frais, et les étoiles, pâlies et

lointaines, avaient une attendrissante douceur. La route, blanche
sous la clarté, allait droit devant nous, et se perdait au loin dans
le mystère de l'horizon, baigné de lueur et d'ombre ; elle
semblait mener de la réalité au rêve :

« Oui, disais-je, ce qui me fâche dans la société présente, ce ne
sont pas seulement les souffrances matérielles qu'un régime
meilleur pourrait adoucir ; ce sont les misères morales que
développent l'état de lutte et une monstrueuse inégalité.

« Le travail devrait être une fonction et une joie ; il n'est bien
souvent qu'une servitude et une souffrance. Il devrait être le
combat de tous les hommes unis contre les choses, contre les
fatalités de la nature et les misères de la vie ; il est le combat des
hommes entre eux, se disputant les jouissances par la ruse,
l'âpreté au gain, l'oppression des faibles et toutes les violences
de la concurrence illimitée. Parmi ceux-là même qu'on appelle
les heureux, il n'est presque point d'heureux, car ils sont pris par
les brutalités de la vie ; ils n'ont presque pas le droit d'être
équitables et bons sous peine de ruine ; et dans cet état d'universel
combat, les uns sont esclaves de leur fortune comme les autres
sont esclaves de leur pauvreté ! Oui, en haut comme en bas,
l'ordre social actuel ne fait que des esclaves, car ceux-là ne sont
pas des hommes libres qui n'ont ni le temps ni la force de vivre
par les parties les plus nobles de leur esprit et de leur âme.

« Et si vous regardez en bas, quelle pauvreté, je ne dis pas
dans les moyens de vivre, mais dans la vie elle-même ! Voyez ces
millions d'ouvriers ; ils travaillent dans des usines, dans des
ateliers : et ils n'ont dans ces usines, dans ces ateliers, aucun
droit ; ils peuvent en être chassés demain. Ils n'ont aucun droit
non plus sur la machine qu'ils servent, aucune part de propriété
dans l'immense outillage que l'humanité s'est créé pièce à pièce :
ils sont des étrangers dans la puissance humaine ; ils sont presque
des étrangers dans la civilisation humaine.

« Les mines, les canaux, les ports, les voies ferrées, les applications prodigieuses de la vapeur et de l'électricité, toutes les
grandes entreprises qui développent la puissance et l'orgueil de
l'homme : ils ne sont rien dans tout cela, rien que des instruments
inertes. Ils ne siègent pas dans les conseils qui décident ces entreprises et qui les dirigent ; elles sont tout entières aux mains d'une
classe restreinte qui a toutes les joies de l'activité intellectuelle et

des grandes initiatives, comme elle a toutes les jouissances de la fortune, et qui serait heureuse, s'il était permis à l'homme d'être vraiment heureux en dehors de la solidarité humaine. Il y a des millions de travailleurs qui sont réduits à une existence inerte et machinale. Et, chose effrayante, si demain on pouvait les remplacer par des machines, il n'y aurait rien de changé dans l'humanité.

De l'esprit partout, de l'âme partout...

« Au contraire, quand le socialisme aura triomphé, quand l'état de concorde succédera à l'état de lutte, quand tous les hommes auront leur part de propriété dans l'immense capital humain, et leur part d'initiative et de vouloir dans l'immense activité humaine, tous les hommes auront la plénitude de la fierté et de la joie ; ils se sentiront, dans le plus modeste travail des mains, les coopérateurs de la civilisation universelle, et ce travail, plus noble et plus fraternel, ils le régleront de manière à se réserver toujours quelques heures de loisir pour réfléchir et pour sentir la vie.

« Ils comprendront mieux le sens profond de la vie, dont le but mystérieux est l'accord de toutes les consciences, l'harmonie de toutes les forces et de toutes les libertés. Ils comprendront mieux et ils aimeront l'histoire, car ce sera leur histoire, puisqu'ils seront les héritiers de toute la race humaine. Enfin, ils comprendront mieux l'univers : car, en voyant dans l'humanité le triomphe de la conscience et de l'esprit, ils sentiront bien vite que cet univers, dont l'humanité est sortie, ne peut pas être en son fond, brutal et aveugle, qu'il y a de l'esprit partout, de l'âme partout, et que l'univers lui-même n'est qu'une immense et confuse aspiration vers l'ordre, la beauté, la liberté et la bonté. C'est d'un autre œil et d'un autre cœur qu'ils regarderont non seulement les hommes leurs frères, mais la terre et le ciel, le rocher, l'arbre, l'animal, la fleur et l'étoile.

« Voilà pourquoi il est permis de penser à ces choses en plein champ et sous le ciel étoilé : oui, nous pouvons prendre à témoin de nos sublimes espérances la nuit sublime où s'élaborent en secret des mondes nouveaux ; nous pouvons mêler à notre rêve de douceur humaine l'immense douceur de la nature apaisée. »

— « A la bonne heure, répartit mon jeune ingénieur, mais

pourquoi ne parlez-vous pas simplement de progrès social ?
Pourquoi parlez-vous de socialisme ? Le progrès social est une
réalité, le socialisme n'est qu'un mot. C'est le nom d'une secte
peu nombreuse, emphatique ou violente et divisée contre elle-
même : ce n'est pas une force sérieuse de progrès. Il se peut que,
graduellement, les solutions que les socialistes proposent soient
adoptées, mais ce ne sont pas les socialistes qui les feront
triompher. Il n'y aura jamais de gouvernement agissant et
légiférant au nom du socialisme. Car un gouvernement, même
pour améliorer l'ordre actuel et créer un ordre nouveau, s'appuie
nécessairement sur ce qui est. Or, le socialisme se donne l'air
d'être une révélation foudroyante et un nouvel Évangile cherchant, pour susciter l'avenir, son point d'appui dans l'avenir
lui-même.

« En fait, dans la société présente, tous les éléments du problème sont déjà donnés, et les solutions indiquées ou même
ébauchées ; la solution du problème social est contenue tout
entière dans la liberté politique, dans les progrès de l'instruction
populaire, dans le droit de se syndiquer reconnu aux travailleurs.
Or, la liberté politique existe ; l'instruction, et une instruction
toujours plus haute, se répand dans le monde du travail, et les
travailleurs ont le droit de se grouper.

« Plus instruits, ils participeront d'abord par l'imagination,
par l'intelligence, à toutes les grandes entreprises humaines, et
quand leur valeur intérieure et personnelle sera ainsi accrue, elle
réagira d'elle-même, par une action irrésistible du dedans au
dehors, sur le régime social. Par exemple, si tous les enfants du
peuple contractent à l'école, dans un enseignement vivant et bien
donné, le goût et le besoin de la lecture, il est impossible que ce
besoin universel n'assure pas aux travailleurs, dans un travail
mieux réglé, quelques heures de loisir pour les joies de l'esprit.
De plus, quand ils comprendront mieux tout le mécanisme de la
production et de l'échange, quand ils sauront au juste quel est
l'état des industries et de leurs industries, quels en sont les
débouchés, quel capital est engagé et quel capital nouveau est
nécessaire pour les développer, libres, instruits, groupés, ils
pénétreront par la force des choses dans les conseils d'administration des grandes entreprises anonymes, et, ensuite, peu à peu,
dans la direction des entreprises moyennes. De là, participation

aux bénéfices, et participation à l'autorité, à la puissance économique.

« Mais, encore une fois, tout cela s'accomplira sans formule
retentissante, et on se trouvera au bout du socialisme sans avoir
jamais rencontré le socialisme sur son chemin. Les vieux marins
font croire aux néophytes qu'en allant d'un pôle à l'autre on
rencontre la ligne, tendue et résistante à la surface des mers.
Non, on ne rencontre pas la ligne, et, à moins de calculs minutieux,
on la franchit sans s'en douter : on franchira de même la ligne
socialiste.

« Les hommes de 48, que vous paraissez aimer, étaient généreux, mais ils étaient bien agaçants. Ils ne parlaient de l'Avenir
qu'avec une majuscule, et ils l'opposaient au Passé et au Présent,
comme un archange de lumière, à un démon des ténèbres. Sans
cesse ils sentaient passer dans leurs longs cheveux et frissonner
dans leur longue barbe les souffles de l'avenir. Ils attendaient
l'homme de l'avenir, la société de l'avenir, la science de l'avenir,
l'art de l'avenir, la religion de l'avenir. Je crois bien qu'ils
trouvaient le modeste soleil qui nous éclaire bien médiocre, bien
bourgeois, et qu'ils attendaient le soleil de l'avenir.

« Il leur semblait toujours que l'embrasement et le bouillon-
nement des âmes allait susciter une société nouvelle comme le
feu intérieur de la terre peut susciter des sommets nouveaux : et
il y avait bien de l'orgueil dans cette espérance, car ils se considéraient d'avance comme les ordonnateurs de la société
nouvelle, et les sommets nouveaux devaient être un piédestal.
Illusions de la générosité ! Chimères de la vanité ! La société
humaine a comme la terre sa forme à peu près définitive : il y aura
des transformations, mais non de vastes remaniements. Il n'y
aura pas plus de soulèvement social que de soulèvement
géologique.

« Le progrès humain est entré dans sa période silencieuse, qui
n'est pas la moins féconde. Pascal disait en regardant le ciel qui
se déploie sur nos têtes : « Le silence éternel de ces espaces
« infinis m'effraie ». Pour moi, au sortir des périodes électorales,
des polémiques de presse et de toute notre agitation verbale, il
me console et me rassure. L'univers sait faire son œuvre sans
bruit, sans qu'aucune déclamation retentisse dans les hauteurs,
sans qu'aucun programme flamboyant s'intercale dans la tran-

quillité des constellations. Je crois que la société française est
entrée enfin dans cette période heureuse où tout se fait sans bruit
et sans secousse, parce que tout se fait avec maturité : il y aura
des réformes et même de grandes réformes, mais qui se feront
presque sans être nommées, et qui ne troubleront pas plus la vie
calme de la nation que la chute de fruits mûrs ne trouble les
beaux jours d'automne ; l'humanité s'élèvera insensiblement dans
la justice fraternelle, comme la terre qui nous porte monte d'une
allure silencieuse dans les horizons étoilés. »

— « Ô mon cher ami, que j'ai hâte de vous répondre et que de
choses j'ai à vous dire ! »

— « Non, non ; ne répondez pas ce soir ; regardez et écoutez.
Pendant que nous rêvons à l'avenir et que nous disputons, tout
ce qui vit, tout ce qui est se livre à la joie de l'heure présente et à
l'immédiate douceur de la nuit sereine. Les paysans vont en
groupes, pour dépouiller le maïs, au rendez-vous de la ferme, et
ils chantent à pleine voix ; la couleuvre réveillée tressaille un
moment et se rendort dans le mystère du fourré. Dans les
chaumes, dans les prairies desséchées, de pauvres petites bêtes
chantent encore : leur musique n'est pas éclatante et innombrable
comme dans les tièdes nuits de printemps ou les chaudes nuits
d'été ; mais elles chanteront jusqu'au bout, tant qu'elles ne
seront pas décidément glacées par l'hiver. Du milieu des champs,
les feux d'herbe sèche resplendissent, enveloppés et adoucis par
la clarté de la lune : on dirait que c'est l'esprit de la terre qui
flambe et se mêle au rayonnement mystérieux du ciel. Les chiens
désœuvrés aboient au chariot attardé qui, éclairé d'une petite
lanterne et attelé d'un petit âne, se traîne dans le chemin. La
chouette miaule d'amour dans la châtaigneraie ; les châtaignes
mûres tombent avec un bruit plein et roulent le long des combes.
Le petit serpent vert coasse près de la fontaine ; le ciel brille et
la terre chante. Allez ; laissez faire l'univers ; il a de la joie pour
tous ; il est socialiste à sa manière. »

(*Pages Choisies*, pages 184 à 189 [1])

---

[1] Cet article fait partie du recueil *Action Socialiste*.

LE MONDE NOUVEAU DE JEAN-JACQUES ROUSSEAU

Dans un passage de l'*Armée Nouvelle*, il analyse les conceptions
de la bourgeoisie au XVIIIe siècle. Et, décrivant les idées de
Jean-Jacques Rousseau, il laisse son esprit vagabonder à
loisir. Les images surgissent et s'estompent.

Que les cadres factices soient brisés qui gênent le jeu de toutes
les forces ; que les préjugés soient vaincus ; que l'ignorance soit
dissipée ; que la puissante et secrète fermentation des forces
sociales se continue dans la lumière. Qui pourrait emprisonner
les sèves de la nature et les énergies de l'homme ? « Dieu est en
voie de se faire » et il ne souffrira pas qu'on lui oppose les
limites étroites des dogmes, des conventions. « Élargissez Dieu »
et élargissez donc à sa mesure l'espérance humaine. Cette grande
mer trouble qui bouillonnait et montait, allait-elle soulever la
bourgeoisie ou la submerger ? Ce Dieu énorme et dispersé,
Rousseau le rappelait au foyer de la conscience ; il le concentrait
en une personne morale pour qu'il pût entendre l'appel du juste
opprimé. Mais quel était donc le grand dépouillé, le grand
exploité ? C'était le peuple ou plutôt c'était l'homme même,
exproprié de son droit de nature et de sa liberté primitive par une
société de violence, exproprié de son droit de propriété comme
par les usurpations de la propriété individuelle, exproprié de sa
volonté même par l'usurpation des gouvernements, exproprié
enfin des joies faciles et simples par les joies de vanité où s'épuise
dans le monde social la contention des amours-propres.

Ah ! si l'on pouvait sortir de ce triste chaos, de cette société
inégale et factice, de cette cohue de visages blêmis de misère, ou
fardés d'orgueil, ou crispés d'envie ! Si l'on pouvait en finir avec
toutes ces fausses joies glissant sur un abîme de douleurs, avec
toute cette mascarade infernale de la barque de Caron, pavoisée
comme pour une fête, illuminant d'un atroce reflet de ses lan-
ternes vénitiennes les sombres eaux du Styx, et ajoutant au
supplice des damnés le mensonge du bonheur d'en haut !

Évadez-vous donc de cette société mauvaise, mais comment ?
Faut-il revenir vers le passé ? Le passé le plus lointain est un
passé misérable ; l'homme des premiers jours n'était qu'une bête
errante et tremblante. Ne remontez pas si haut. L'heure de bon-

heur et d'équilibre, c'est l'époque récente où l'homme avait échappé à la sauvagerie sans être arrivé à la civilisation, où il savait utiliser les forces de la nature sans être devenu l'esclave du luxe et de la vanité, où des familles unies jouissaient sans jalousie de la terre encore commune, où le langage récemment inventé traduisait la simplicité des joies naturelles et des affections domestiques, sans se prêter au mensonge de la rhétorique et au raffinement du sophisme. Ce fut une halte exquise, une clairière charmante et doucement lumineuse entre la sauvagerie animale et la sauvagerie civilisée.

Mais quoi ! puisque l'humanité n'a pas su s'y tenir, comment pourrait-on l'y ramener ? Comment le cœur de l'homme, tout plein des souvenirs d'une histoire trouble, pourrait-il retrouver cet enchantement d'innocence et de joie ? Non ; dans la mesure où l'homme peut être sauvé, c'est vers l'avenir qu'est le salut : il ne peut pas échapper à l'organisation sociale ; mais il peut la transformer de façon à retrouver l'équivalent de sa liberté avec plus de sécurité. Glorification du travail des mains, de l'humble et probe métier, pour que l'esprit de l'homme, sans délaisser les utiles et grandes recherches, n'ait même pas le loisir et la tentation de s'amuser à la vanité des mots, au jeu des misérables sophismes et des rivalités jalouses. Avènement de la pleine démocratie, pour que chaque citoyen, concourant à créer et à exprimer la volonté générale, retrouve par là même, sous la forme sociale, la liberté de nature qui lui a été ravie, mais qu'il n'a pu aliéner. Législation à tendance égalitaire qui n'abolira pas la propriété individuelle trop enracinée dans l'habitude des sociétés, mais qui modérera l'écart des fortunes, abattra la superbe des uns, relèvera la misère des autres et fera participer tous les citoyens aux sages progrès de l'économie politique et de la richesse générale. Enfin, pour les cœurs libérés des vanités fiévreuses et des jalousies féroces, renouveau des pures et joyeuses communications avec la nature, avec la beauté de ses monts et de ses lacs, avec la douceur de ses prairies et la variété de ses herbes et de ses fleurs, avec l'allégresse sereine de l'aube éveillant languissamment les oiseaux et reflétant au miroir des eaux ses nuées roses, légères et tendres comme les premiers rêves du cœur. C'étaient de grandes formules, puissantes et nettes, de liberté, de justice et de joie. Le regret paradoxal du passé n'avait été, dans cette pensée ardente, que

l'artifice d'une heure. C'est l'avenir que Rousseau évoquait.
C'est un monde nouveau qu'il créait ; l'homme n'était pas ramené
à la sauvage simplicité primitive ; mais les jours anciens
envoyaient aux sociétés vieillies la fraîcheur de leur haleine ; un
grand souffle salubre de forêt passait dans les rues des cités, et
ranimait dans les âmes flétries le mouvement de la sève.

(*L'Armée Nouvelle*, pages 313 et 314)

NOTRE CHAIR ET LA TERRE

> Dans sa thèse : *De la réalité du monde sensible,* lyrisme et poésie
> se mêlent à la dialectique. Voici deux véritables poèmes en
> prose. Le premier célèbre l'amitié de notre chair et de la terre.

Il y a des heures où nous éprouvons à fouler la terre une joie
tranquille et profonde comme la terre elle-même. Si nous
l'enveloppions seulement du regard, elle ne serait pas à nous ;
mais nous pesons sur elle et elle réagit sur nous ; mais nous
pouvons nous coucher sur son sein et nous faire porter par elle,
et sentir je ne sais quelles palpitations profondes qui répondent à
celles de notre cœur. Que de fois, en cheminant dans les sentiers,
à travers champs, je me suis dit tout à coup que c'était la terre
que je foulais, que j'étais à elle et qu'elle était à moi ; et, sans y
songer, je ralentissais le pas, parce que ce n'était point la peine
de se hâter à sa surface, parce qu'à chaque pas je la sentais et je
la possédais tout entière, et que mon âme, si je puis dire, marchait
en profondeur. Que de fois aussi, couché au revers d'un fossé,
tourné, au déclin du jour, vers l'Orient d'un bleu doux, je
songeais tout à coup que la terre voyageait, que, fuyant la fatigue
du jour et les horizons limités du soleil, elle allait d'un élan
prodigieux vers la nuit sereine et les horizons illimités, et qu'elle
m'y portait avec elle ; et je sentais dans ma chair aussi bien que
dans mon âme, et dans la terre même comme dans ma chair, le
frisson de cette course, et je trouvais une douceur étrange à ces
espaces bleus qui s'ouvraient devant nous, sans un froissement,
sans un pli, sans un murmure. Oh ! combien est plus profonde
et plus poignante cette amitié de notre chair et de la terre, que
l'amitié errante et vague de notre regard et du ciel constellé !

Et comme la nuit étoilée serait moins belle à nos yeux, si nous ne nous sentions pas en même temps liés à la terre ; s'il n'y avait pas une sorte de contradiction troublante entre la liberté vague du regard et du rêve, et cette liaison à la terre, dont le cœur déconcerté ne peut dire si elle est dépendance ou amitié !

(*De la réalité du monde sensible*, page 155 [1])

L'ESPACE PROFOND ET SACRÉ

Le second célèbre l'espace qui élève les pensées humaines à l'infini.

Pour moi, je n'ai jamais regardé, sans une espèce de vénération, l'espace profond et sacré, et lorsque, cheminant le soir, je le contemple, je me dis parfois que tous les hommes, depuis qu'il y a des hommes, ont élargi leur âme en lui, et que si les rêves humains qui s'y sont élevés laissaient derrière eux, comme l'étoile qui fuit, une trace de lumière, une immense et douce lueur d'humanité emplirait soudain le ciel. Mais, en même temps, je me dis que si l'espace a ainsi toujours sollicité les pensées humaines, c'est qu'il les élève à l'infini ; il est comme un miroir d'infinité où nos pensées ne peuvent se réfléchir sans s'étonner soudain de se voir infinies. Or cette infinité, il ne la tient pas de lui-même ; il l'emprunte de l'être que la raison seule peut saisir, que l'âme seule peut pénétrer, et c'est ainsi que l'âme, en s'abandonnant à l'espace, ne se livre pas sans retour. Par l'infini de l'étendue, elle revient au véritable infini, c'est-à-dire, au fond, à elle-même. Oh ! j'aimerais que l'esprit humain gravît de nouveau ces hauts sommets de l'Inde et ces sommets divins de la Grèce d'où la sérénité infinie de l'éther apparaissait aux yeux comme une révélation, et je voudrais que de ces sommets il répandît dans l'infini visible, que les premiers hommes adoraient, sa foi dans l'infini invisible. Il y a au Louvre un tout petit et délicieux tableau de l'école italienne qui nous montre une avenue étroite et mystérieuse du paradis ; il y a dans ce tableau un mélange étonnant de naturel et de divin ; les arbres, les herbes, les nuages,

[1] L'édition à laquelle nous nous référons est celle des Œuvres de Jean Jaurès.

le ciel, ont leur couleur réelle et vraie ; c'est la vie. Et pourtant
on dirait qu'une lumière épurée, subtile, idéale pénètre tout et
que sous le demi-jour des feuillages un rayon de Dieu s'est mêlé
aux rayons adoucis du soleil. Pourquoi de même, dans l'univers
immense, ne verrions-nous pas peu à peu, toutes les puissances
de l'homme étant réconciliées avec elles-mêmes, la lumière vraie
mais brutale du soleil accueillir dans ses rayons la lumière de
l'esprit amie et fraternelle ? Il ne faut pas que le monde des sens
fasse obstacle aux clartés de l'esprit ; il ne faut pas que les clartés
de l'esprit offusquent le monde des sens ; il faut que la clarté du
dedans et la clarté du dehors se confondent et se pénètrent, et
que l'homme hésitant ne discerne plus dans la réalité nouvelle ce
que jadis il appelait de noms en apparence contraires, l'idéal et
le réel. Que le monde sera beau lorsque, en regardant à l'extrémité
de la prairie le soleil mourir, l'homme sentira soudain, à un
attendrissement étrange de son cœur et de ses yeux, qu'un reflet
de la douce lampe de Jésus est mêlé à la lumière apaisée du soir !

(*De la réalité du monde sensible*, pages 244 et 245)

LA FORÊT ENSORCELÉE

La *Petite République* du 28 novembre 1903 publiait un discours
prononcé par Jaurès au banquet franco-anglais, organisé en
l'honneur des parlementaires anglais venus à Paris sur l'invita-
tion de d'Estournelles de Constant, président, et des membres
du groupe français pour l'arbitrage international.

Ce discours se termine par un toast symbolique. Le poète
décrit une forêt ensorcelée où les arbres se méfient les uns des
autres, tout comme font les peuples de l'Europe.

Il y avait une fois une forêt ensorcelée, farouche, dépouillée et
aiguë. Sous l'âpre vent d'hiver indéfiniment continu, les arbres
se froissaient, se heurtaient les uns aux autres avec un bruit de
glaives brisés. Enfin, quand après une longue série de nuits
glacées et de jours pâles semblables à des nuits, les êtres et les
choses ressentirent les premières sollicitations du printemps, les
arbres prirent peur de la sève qui remuait en eux. Et à chacun
d'eux le génie solitaire et âpre qui vivait sous sa dure écorce

disait tout bas, avec un frémissement obscur qui montait des racines profondes : Prends garde ! Si tu te risques le premier aux tentations de la saison nouvelle, si le premier tu développes en feuilles et en fleurs tes bourgeons aigus comme des lances, cette délicate parure sera dévastée par les froissements rudes des arbres plus lents à fleurir.

Et avec une insistance particulière, un mélancolique et fier génie disait au grand chêne druidique où il était enfermé : Voudras-tu donc, toi dont l'orage a brisé de nobles rameaux, participer à l'universelle fête de la vie ?

Ainsi dans la forêt ensorcelée, la réciproque défiance refoulait la sève, et jusque sous les appels du printemps, prolongeait le dur hiver pareil à la mort. Qu'advint-il un jour, et par quel mystère l'ensorcellement funeste fut-il rompu ? Quelque arbre se risqua-t-il le premier, comme ces peupliers d'avril qui jaillissent en une fusée de verdure et donnent au loin le signal du renouveau ?

Ou un rayon de soleil plus chaud et plus vif décida-t-il à la fois toutes les sèves ? Mais la forêt éclata tout entière en une magnifique abondance de joie pacifique.

Messieurs, si vous me permettez d'ajuster mon toast à ce vieux symbole, et de lui donner devant vous, avec vous, la forme antique d'une invocation à la nature, je bois au vif rayon qui décidera toute la forêt.

(Œuvres de Jean Jaurès : *La Paix Menacée*, page 30)

LES IMAGES DE JEAN JAURÈS

Pour terminer, nous reproduisons cet aperçu judicieux de Lucien Lévy-Bruhl sur les images de Jaurès.

A ces dons de logicien, Jaurès joint, comme on sait, la sensibilité la plus vive et l'imagination d'un poète. Il vaudrait la peine de rechercher, comme on l'a fait pour Victor Hugo et pour Zola, quelles sont les sensations qui lui fournissent la matière ordinaire de ses images. L'antithèse de la lumière et de l'ombre revient chez lui presque avec la même fréquence, et avec la même signification symbolique que chez V. Hugo. Il a grandi dans une communion si intime avec la nature, qu'elle vit pour ainsi dire en lui sans se distinguer de lui-même. « Il m'est arrivé, écrit-il, après avoir marché longtemps dans la lumière enivrante de l'été, de ne plus me sentir moi-même que comme un lieu de passage de la lumière ; mes yeux me faisaient l'effet de deux arches étranges par où un fleuve de lumière, se développant en moi, submergeait et effaçait peu à peu les limites organiques de ma conscience. »

D'autre part, Jaurès sent aussi la nature, indirectement, à travers les poètes dont il fait sa société habituelle. Quand il parle ou quand il écrit, leurs images lui reviennent à l'esprit, non pas sous la forme passive de citations, mais revécues et adaptées. Ainsi, dans un de ses premiers discours sur les finances : « Me rappelant mes souvenirs classiques, dont je sors à peine, je me permettrai de dire à M. le Ministre des Finances que la conversion est comme la Galatée de son budget ; elle apparaît, elle se dérobe, mais on l'entrevoit toujours derrière les saules pleureurs du déficit. » Ou encore : « Rappelez-vous la grande image du poète antique : la poussière est la sœur altérée de la boue ! et dites-vous bien que toute cette brûlante poussière de fanatisme anarchiste qui a aveuglé quelques misérables sur les chemins, est la sœur de cette boue capitaliste et politicienne que vos prescriptions légales ont séchée ! »

Parfois l'image est d'origine biblique : « Pensez-vous que le veau d'or se jettera de lui-même dans une fournaise de charité, et qu'il s'éparpillera ensuite aux mains des pauvres en une éblouissante monnaie ? » Mais, le plus souvent, l'image originale jaillit directement du spectacle de la nature. « Les gentilshommes de la Loire... n'étaient pas, comme les autres hobereaux, des mouches condamnées à danser éternellement dans un rayon du soleil royal. »

Enfin il arrive que les images de Jaurès atteignent au sublime. Lisez ces quelques lignes, dont la justesse s'est vérifiée sur tant de champs de bataille, dans cette guerre où la France a compté les héros par milliers : « Ce qui fait la beauté de la profession des armes, c'est qu'elle exige de l'homme qu'il soit toujours prêt à donner le plein effort, l'effort suprême. Il n'en est pas de plus grand que de donner sa vie, et de la donner, si je puis dire, avec réflexion et sagesse, en obtenant du sacrifice consenti le plus d'effet possible pour la patrie. Garder la maîtrise de soi-même et la lucidité du commandement jusque dans l'extrémité du péril, et en ces quelques minutes mêmes d'une sublime équivoque où *l'homme ne sait plus au juste de quel côté de la mort il se trouve*, c'est le devoir de l'officier. » Ici, Jaurès est l'égal des plus grands. Quel tableau de bataille ne pâlirait auprès de cette image si simple, qui ne décrit rien, et qui dit tout ?

(L. Lévy-Bruhl : *Jean Jaurès* (Édition Rieder), pages 116 à 120)

INDICATIONS BIBLIOGRAPHIQUES

I. OUVRAGES DE JAURÈS

Les principales œuvres de Jaurès sont :

De la réalité du monde sensible — thèse présentée à la Faculté des Lettres de Paris (Paris, Alcan, 1891). Elle a été rééditée en 1902, puis dans la grande édition Rieder : *Œuvres de Jean Jaurès*, dont elle forme un volume.

De primis socialismi germanici lineamentis apud Lutherum, Kant, Fichte et Hegel — thèse latine (Toulouse, Chauvin, 1891). Cette thèse a été traduite en français et publiée par Adrien Veber sous le titre : *Les Origines du socialisme allemand* (Paris, Revue Socialiste, 1892). Cette traduction est reproduite dans la grande édition Rieder : *Œuvres de Jean Jaurès* (Études Socialistes, T. I).

Les Preuves (Affaire Dreyfus), (Paris, la Petite République, 1898).

Action Socialiste (Le Socialisme et l'enseignement, le socialisme et les peuples), (Paris, G. Bellais, 1899) — C'est un choix d'articles parus et de discours prononcés entre 1886 et 1897. On y trouve notamment le discours sur l'organisation de l'enseignement primaire de 1888, celui sur l'enseignement laïque et l'enseignement clérical de 1895, des articles célèbres comme : L'Idéal de justice, L'Esprit des paysans, Au clair de lune.

Études Socialistes (Paris, Cahiers de la Quinzaine, 1901 — Nouvelle édition, Paris, Ollendorf, 1902). L'ouvrage est reproduit intégralement dans la grande édition Rieder : *Œuvres de Jean Jaurès* (Études Socialistes, T. II).

— Ce volume contient les plus importants articles de Jaurès dans la *Petite République* autour de 1900. Sa conception de l'évolution révolutionnaire y est abondamment développée.

Histoire Socialiste (1789–1900), (Paris, Rouff, sans date) — De l'ouvrage publié sous la direction de Jaurès et paru par fascicules, sont de sa main : l'Introduction ; Constituante et Législative ; Convention jusqu'au 9 Thermidor ; La Guerre franco-allemande ; Conclusion. — Une nouvelle édition de la partie écrite par Jaurès sur la Révolution a paru, de 1922 à 1924, sous la direction d'Albert Mathiez, à la librairie de l'Humanité. Beaucoup plus claire et mieux ordonnée que l'édition Rouff, elle est divisée en huit volumes : I *La Constituante* ; II *L'Œuvre de la Constituante* ; III *La Législative* ; IV *La République* ; V *La Révolution en Europe* ; VI *La Gironde* ; VII *La Montagne* ; VIII *Le Gouvernement Révolutionnaire.*

Proposition de loi sur la réorganisation de l'armée (Journal Officiel, 1910). Cette proposition est devenue : *L'Organisation socialiste de la France. L'Armée Nouvelle* (1ère édition, Rouff, sans date. 2e édition, l'Humanité, 1915). *L'Armée Nouvelle* a été rééditée dans la grande édition Rieder : *Œuvres de Jean Jaurès,* dont elle forme un volume.

Quantité de discours et de conférences de Jaurès ont été édités en brochures, la plupart par l'Humanité d'avant 1920 et par le Populaire. Citons : *Les Deux Méthodes* (conférence contradictoire avec Jules Guesde en 1900) ; *Idéalisme et matérialisme dans la conception de l'histoire* ; *Bernstein et l'évolution de la méthode socialiste* ; le fameux *Discours à la Jeunesse,* qui a eu quantité d'éditions à la librairie du Populaire et une chez Rieder ; *Discours à la distribution des prix du lycée d'Albi* (1888) ; *La Tactique socialiste* (Discours du Congrès d'Amsterdam de 1904) ; *Civilisation et Socialisme* (édition Clarté) ; *Socialisme et Internationalisme* (Bibliothèque du Parti ouvrier — Imprimerie Delory) ; *La Grève de Carmaux* (Bibliothèque du Parti ouvrier français) ; *Socialisme et Paysans* (Petite République) ; *Prolétariat et Guerre* (Gand, 1905) ; *L'Impôt sur le Revenu* ; *Discours aux socialistes allemands* ; *Pour la Laïque* ; *Contre les Trois ans* ; *Contre l'emprunt et le déficit* ; *L'Action syndicale et le Parti socialiste* ; *Le Parti socialiste et la crise postale* ; *L'Accord franco-allemand* ; *Sur Tolstoï* (l'Émancipation) ; *L'Unité socialiste* (Bellais) ; *L'Art et le Socialisme* ; *Le Faux impérial* (Rieder) ; *La Justice dans l'Humanité* (Ghilde « les Forgerons ») ; *Travail* (Librairie de l'Imprimerie ouvrière, Oyonnax) ; *Bonaparte* (Humanité, 1921) ; *Démocratie et Révolution* (dans la collection : Enseignement de Jean Jaurès) ; etc...

Toutes ces brochures étaient épuisées à la libération. Les éditions socialistes de la *Liberté* sont en train de rééditer les plus connues. *Le Discours à la Jeunesse* a paru en 1945.

Plusieurs discours et conférences ont été imprimés dans la *Revue Socialiste* et le *Mouvement Socialiste.* Le discours aux obsèques de Pressensé, dont un extrait est reproduit dans cette anthologie, a été publié dans le *Bulletin de la Ligue des Droits de l'Homme* (1er février 1914).

La collaboration de Jean Jaurès aux journaux est considérable. Il a dirigé plusieurs années la *Petite République* ; de 1904 à 1914 l'*Humanité,* dont il était le fondateur. Il a collaboré régulièrement

pendant un quart de siècle à la *Dépêche de Toulouse*. Durant la
législature de 1893-98, il a écrit de temps à autre dans le *Matin* ;
il a aussi donné des articles à la *Lanterne*.

Il a collaboré régulièrement jusqu'à sa mort à la *Revue de
l'Enseignement primaire et primaire supérieur* ; il a publié de nombreuses études dans la *Revue Socialiste* (notamment, en 1895, ses
grandes études sur l'organisation socialiste) ; il a collaboré au
Mouvement Socialiste. On peut trouver des articles de Jaurès dans
la *Jeunesse socialiste*, dans les *Cahiers de la Quinzaine*, dans la *Revue
de Paris*, la *Revue Bleue*, l'*Almanach de la Question sociale* ; la *Revue
d'Art dramatique* ; etc... La *Revue de Métaphysique et de Morale* a
publié, en mai 1912, sa conférence sur les idées politiques et
sociales de Jean-Jacques Rousseau. En outre, Jaurès a donné des
articles aux grands journaux et revues socialistes de l'étranger.

Une lecture minutieuse de la collection de l'*Humanité* et du
Journal Officiel, des *Compte-rendus sténographiés des Congrès socialistes*,
des « protocoles » des Congrès socialistes internationaux permet-
trait de retrouver des discours oubliés mais d'un grand intérêt.

Des lettres inédites de Jaurès ont été publiées par Max Bonnafous dans la revue *Europe* (15 février 1931).

II. RECUEILS

Le plus complet est la grande édition Rieder :

Œuvres de Jean Jaurès. — Les textes, « rassemblés, présentés et
annotés par Max Bonnafous », ont commencé à paraître en 1931.
La publication a été arrêtée par la guerre. Il ne s'agissait pas d'une
édition complète de tous les discours et écrits ; la tâche eût été
surhumaine. Le Comité, sous la direction duquel l'édition était
entreprise, et qui comprenait les meilleurs amis de Jaurès, avait
imaginé que des textes bien choisis fussent groupés autour de
grands thèmes : socialisme, politique extérieure, République,
éducation, etc... Max Bonnafous, jeune agrégé dont nul ne
pouvait imaginer qu'il deviendrait un jour le serviteur du
fascisme, fut chargé du travail. Plus soucieux sans doute de sa
carrière que d'un effort scientifique rigoureux et soutenu, il s'est
médiocrement acquitté de sa tâche. De 1931 à 1939, neuf volumes
seulement avaient paru. Les *Études Socialistes* s'arrêtent à 1901.
Les séries sur la République et l'éducation ne sont pas même
abordées. Surtout, l'édition laisse à désirer. On y trouve des
coquilles, des fautes d'orthographe, on y constate des omissions
graves. Par exemple, dans la conférence sur Bernstein et la
méthode socialiste, plusieurs lignes ont sauté, ce qui rend un

paragraphe inintelligible. Cela dit, les textes sont judicieusement choisis. Et, bien qu'inachevée, l'édition Rieder nous en fournit un nombre considérable. C'est un outil de travail indispensable pour qui veut étudier Jaurès.

La série *Pour la Paix* est seule achevée. Elle comprend cinq volumes où sont reproduits les principaux discours et articles de politique étrangère : I *Les Alliances Européennes*, 1887–1903 (1931) ; II *La Paix Menacée*, 1903–06 (1931) ; III *Le Guêpier Marocain*, 1906–08 (1933) ; IV *Europe Incertaine*, 1908–11 (1934) ; V *Au bord de l'Abîme*, 1912–14 (1939). Ce volume contient les derniers discours et articles.

De la série *Études Socialistes*, seuls deux tomes ont été publiés : Le Tome I (1887–97), paru en 1932, contient, en particulier, les premiers articles socialistes de Jaurès, la thèse latine sur le socialisme allemand, traduite par Adrien Veber, un grand discours socialiste de 1893 à la Chambre, les études de la *Revue Socialiste* sur l'organisation socialiste.

Le Tome II (1897–1901), paru en 1933, contient entre autres la conférence sur l'idéalisme et le matérialisme dans la conception de l'histoire, avec la réponse de Paul Lafargue, la conférence sur Bernstein et la méthode socialiste, la conférence sur l'art et le socialisme, la controverse sur les deux méthodes, avec la réponse de Jules Guesde, la reproduction intégrale du volume *Études Socialistes* (voir plus haut).

Deux volumes ont paru hors séries, ou devant faire partie de séries inachevées : l'*Armée Nouvelle* (1932), *De la réalité du monde sensible* (1937).

Discours parlementaires recueillis et annotés par Edmond Claris (Paris, Cornély, 1904) — C'est un recueil très complet des discours prononcés à la Chambre jusqu'en 1904. Le volume s'ouvre par une introduction de Jaurès, d'un haut intérêt, sur le socialisme et le radicalisme en 1885.

Pages Choisies de Jean Jaurès précédées d'une introduction par Paul Desanges et Luc Mériga (Paris, Rieder, 1922) — L'introduction est courte et l'ouvrage ne contient pas de notes explicatives, mais le choix des morceaux est intelligent. On trouve, dans ce recueil de 450 pages d'assez grand format, presque toutes les pages « classiques ». Les textes sont soigneusement édités et les références essentielles ne sont jamais omises. L'ouvrage a eu plusieurs rééditions. De légères modifications ont été faites par les éditeurs dans le choix des textes, d'une édition à l'autre.

Les Plus Beaux Discours de Jaurès avec une notice biographique et critique par F. Crastre, dans la collection *Les Grands Orateurs républicains* (Paris, édition du Centaure, 1931).

III. ŒUVRES SUR JAURÈS

Voici les principaux ouvrages sur Jaurès :

Charles Rappoport, Jean Jaurès ; l'homme, le penseur, le socialiste (préface d'Anatole France), (Paris, l'Émancipatrice, 1915 — réédité par Marcel Rivière, 1925) — C'est le meilleur ouvrage sur Jaurès, le plus complet. Tous les aspects de la pensée jaurèssiste y sont mis en lumière. Le livre a dû être écrit rapidement, d'où parfois certaines longueurs dans des développements qui eussent gagné à être ramassés. Les citations de Jaurès sont abondantes et pertinentes, mais malheureusement trop souvent dépourvues de références bibliographiques.

Lucien Lévy-Bruhl, Quelques pages sur Jean Jaurès (Paris, Librairie de l'Humanité, 1916) ; ouvrage devenu ensuite : Jean Jaurès, esquisse biographique (Nouvelle édition suivie de lettres inédites, Rieder, 1924) — Petit livre d'une délicatesse exquise qui, en quelques pages fort simples, nous présente le meilleur portrait de l'homme et du penseur.

Émile Vandervelde, Jaurès (collection des réformateurs sociaux, Paris, Alcan, 1929) — L'introduction, d'une cinquantaine de pages, est très attachante et riche de souvenirs personnels. Suivent des extraits, choisis de main de maître, méthodiquement classés, et sans qu'une seule référence soit oubliée. De ces cent pages de morceaux choisis, la conception philosophique et politique de Jaurès se dégage en pleine clarté.

Léon Blum, Jean Jaurès (conférence au Théâtre des Ambassadeurs), (Paris, Éditions du Parti socialiste, 1933. Depuis la brochure a été maintes fois rééditée. La dernière publication est celle des Éditions de la Liberté, 1944) — C'est la meilleure et la plus émouvante introduction à l'étude de Jaurès.

Vincent Auriol, Souvenirs sur Jean Jaurès — Bonne brochure publiée en 1945 par les Éditions de la Liberté.

Félicien Challaye, Jaurès (Dans la collection : Les Philosophes, Paris, Mellottée, sans date ; mais le livre a dû être publié vers 1936) — Aussi méprisable soit Challaye qui passa du pacifisme au « pro-nazisme », son livre est un instrument de travail utile. Le système philosophique de Jaurès est très clairement exposé. L'auteur explique, en faisant, le plus souvent, parler Jaurès lui-même dont il cite sans cesse des phrases, des expressions. L'ouvrage contient une table analytique des matières et des références, un memento bibliographique ; l'une et l'autre soigneusement établis.

Fernand Pignatel, Jaurès par ses contemporains (Paris, Étienne Chiron, 1925) — Ce recueil contient des essais de Jean Longuet, Léon Jouhaux, Vandervelde, du général Perçin, etc..., des souvenirs de Georges Renard, André Lebey.

Louis Soulé, La Vie de Jaurès (1859–1892), (Paris, Édition Floréal, 1921) — On trouve dans ce livre des documents, des photographies et des détails sur les débuts de Jaurès à Toulouse.

Gustave Téry, Jean Jaurès (Paris, Juven, 1907 ; nouvelle édition, Paris, Œuvre, 1915) — Ouvrage souvent méchant, parfois perfide, écrit par l'auteur après avoir quitté le Parti socialiste. On y rencontre force passages spirituels et, çà et là, des précisions intéressantes.

Léo Larguier, Le Citoyen Jaurès (Paris, édition des Portiques, 1932).

Maurice Boitel, Les Idées libérales dans le socialisme de Jean Jaurès (Paris, l'Émancipatrice, 1921).

Paul Desanges et Luc Mériga, Vie de Jaurès (Paris, Crès) — Compilation de lecture aisée.

René Legand, Jean Jaurès, quelques notes (l'Humanité, édition épuisée).

Sur la politique extérieure de Jaurès, citons :
Charles Andler, Le Socialisme impérialiste dans l'Allemagne contemporaine (dossier d'une polémique avec Jaurès), (Paris, Bossard, 1918) ;
et, dans le sens opposé :
Gouttenoire de Toury, Jaurès et le parti de la guerre (préface de Charles Gide), (Paris, Rieder, 1922).

On trouve des études et des précisions intéressantes sur Jaurès dans plusieurs *Cahiers de la Quinzaine* de Ch. Péguy, de 1900 à 1905. Dans la *Vie de Lucien Herr* (Paris, Rieder, 1932), Charles Andler consacre de nombreux passages à Jaurès. Dans *Au-dessus de la mêlée*, Romain Rolland reproduit l'article qu'il écrivit pour le premier anniversaire de l'assassinat, dans le *Journal de Genève*. Cet article a paru aussi en brochure (Paris, Delesalle) avec une préface d'Amédée Dunois.

La philosophie de Jaurès est étudiée aux pages 729–737 de l'ouvrage de J. Benrubi : *Les Sources et les courants de la philosophie contemporaine en France* (Paris, Alcan, 1923).

Des études sur Jaurès ont paru dans presque toutes les grandes revues. On peut consulter notamment la *Grande Revue* (un article de Gaétan Pirou, dans le numéro de juillet 1917 ; de Guy-Grand en juillet 1918) ; la *Révolution Française* (un article d'Aulard en 1902 sur l'Histoire Socialiste) ; toutes les revues socialistes et syndicalistes depuis 1914, notamment : l'*Avenir*, la *Nouvelle Revue Socialiste*.

Tous les ans, depuis 1914, les journaux socialistes avaient coutume, vers le 31 juillet, de consacrer une page à Jaurès. On trouvera dans les numéros de l'*Humanité*, surtout avant 1920, et dans ceux du *Populaire*, des articles de Marcel Sembat, Léon Blum, P. Renaudel, Bracke, Jean Longuet, etc... ; et aussi dans le *Peuple* de Paris (organe de la C.G.T.) et dans le *Peuple* de Bruxelles. Plusieurs numéros des *Hommes du Jour*, depuis 1914, ont été également consacrés à Jaurès. En 1924, au moment de la translation des cendres, les journaux ouvriers ont évoqué de nombreux souvenirs.

L'*Ère Nouvelle* du 29 juillet 1922 a publié un numéro sur Jaurès où l'on trouve d'intéressants articles de Bracke et de Rouanet.

Quelques pages d'*Anatole France* sur Jaurès ont été publiées en brochure (aujourd'hui épuisée) par l'Humanité, laquelle a édité également un poème de *Victor Basch* : « A Jean Jaurès ». *Anne de Noailles* a écrit, en 1914, un poème devenu célèbre sur Jaurès mort. *Maurice Bouchor* a publié aussi un émouvant poème sur Jaurès.

Le discours de *Léon Jouhaux* aux obsèques a paru en brochure (Paris, Delesalle). La plaidoirie de *Paul-Boncour*, avocat de la partie civile au procès de l'assassin de Jaurès, a paru en brochure aux éditions de l'Humanité.

On peut citer à l'étranger :
W. Johannes, Herr Jean Jaurès und Nietzsche (Cologne, 1905).
Margaret Paese, Jean Jaurès, Socialist and Humanitarian (introduction de Ramsay MacDonald), (London, Headley, 1916).
J. Hampden Jackson, Jean Jaurès (London, Allen and Unwin, 1943) — Ce livre a obtenu un grand succès en Angleterre.

Plusieurs ouvrages ont paru en russe : *L. Trotsky*, Jean Jaurès ; *Bogomolsky*, Jaurès et le Jauressisme.

Dans les revues socialistes et syndicalistes, de 1914 à la guerre, quantité d'articles sur Jaurès ont été publiés, en particulier dans le *Kampf*, la *Critica Sociale* (notamment par Ph. Turati et Cl. Treves).

TABLE DES MATIÈRES